로드 짐 1

Lord Jim

세계문학전집 116

로드 짐 1

Lord Jim

조지프 콘래드

이상옥 옮김

민음사

일러두기

1) 『로드 짐』은 특이한 서술 형식으로 쓰인 소설이다. 1~4장은 이른바 전지적(全知的) 작가에 의해 서술되며, 5~35장은 작가가 말로라는 이야기꾼의 이야기를 듣고 옮긴 형식이다. 그리고 마지막 36~45장은 작가가 말로의 기록 문서를 얻어서 옮긴 형식이다.
2) 따라서 5장부터 마지막 장까지는 대부분이 따옴표 안에 수록되어 있다. 말로의 이야기와 기록문은 낫표(「 」) 속에 담겨 있고, 그 속의 인용문은 큰따옴표(" ")에, 그리고 다시 그 속의 인용문은 작은따옴표(' ')에 담겨 있다.
3) 다만 말로의 이야기는 길게 계속되므로 자연히 여러 단락으로 나뉘어 있는데 단락마다 낫표로 열기만 하고 닫지는 않았다. 닫는 낫표(」)는 말로가 숨을 돌리기 위해 이야기를 중단하는 경우와 장이 끝나는 부분에서만 사용했다. 이러한 영어의 구두법 방식을 그대로 채택한 것은 물론 말로의 이야기가 계속되고 있다는 것을 독자들에게 상기시키기 위해서다.

차례

G.F.W. 호프 씨 내외분께
오랜 우정을 생각하면서
감사의 정으로 이 책을 바친다.

다른 사람이 믿어 주려는 순간 내 신념이
무한한 힘을 얻는다는 것은 확실하다.

— 노발리스

작가의 노트

이 소설이 단행본으로 처음 출간되었을 때 내가 작품을 마음먹은 대로 다루지 못했으리라는 추측이 나돌았다. 몇몇 서평가들은 단편 소설로 시작된 이 작품이 작가의 통제를 벗어나고 말았다고 주장했다. 그중의 한두 사람은 그 사실을 말해 주는 내면적 증거를 찾아내고 흥미로워하는 듯했다. 그들은 서술 형식의 한계를 지적했다. 그들은 한 사람이 그 긴 시간 동안 이야기하고 다른 사람들은 그 이야기에 귀를 기울일 것이라는 기대는 할 수 없을 것이라고 주장했다. 그러므로 그런 이야기는 별로 신빙성이 없다고 그들은 말했다.

약 십육 년간 나는 이 문제를 거듭 생각해 보았지만 아직도 뭐라 확신이 서지 않는다. 열대 지방이나 온대 지방에서는 사람들이 밤이 이슥하도록 자리에 들지 않고 이야기를 나누는 것으로 알려져 있다. 그런데 이 소설은 한 이야기로만 되어 있으며, 얼마쯤 숨 돌릴 시간을 허용하기 위해 몇 차례 중단되기도 한다. 듣는 이들의 참을성으로 말하자면, 이야기가 흥미로워야 한다는 조건만 받아들여진다면 문제되지 않는다. 이는 처음부터 가정되는 필수 사항이다. 이야기가 재미있다는 믿음이 없었다면 나는 이 이야기 쓰기를 시작할 수 없었을 것이다. 그 긴 이야기를 한다는 것이 물리적으로 가능할 것이냐 하는 의문이 일겠지만, 의회에서는 연설이 세 시간뿐 아니라 여섯 시간 가까이 걸리기도 한다는 것을 우리는 잘 알고 있다. 그런데 이 소설에서 말로의 이야기가 차지하는 부분은 세 시간 이내에 낭독될 수 있다고 말해야겠다. 뿐만 아니라, 내가 이 이야기에서 모든 하찮은 세부 사항들을 엄격히 배제하긴 했지만, 그날 밤에 다과를 나눌 시간이 있었고 또 서술자가 이야기를 계속할 수 있도록 목을 축여 줄 광천수도 한 잔쯤 있었으리라고 생각하는 것이 좋겠다.

그러나 솔직히 사실대로 말하건대, 내가 처음 염두에 두었던 것은 단편 소설이었고 순례자 수송선 에피소드만 다루고자 했을 뿐 그 이상의 것은 생각하지 않았다. 그리고 그것은 합당한 생각이었다. 그러나 몇 페이지를 쓴 후에 무슨 이유에서인지 나는 불만을 느끼게 되었고 한동안 그 원고를 제쳐 두고 있었다. 지금은 고인이 된 윌리엄 블랙우드[1] 씨가 자기 잡지에 무언가를 다시 기고해 주지 않겠느냐는 제안을

1) 《블랙우즈 매거진(Blackwood's Magazine)》이라는 잡지의 발행인.

해 오기까지 나는 그 원고를 서랍에서 끄집어내지 않았던 것이다.

내가 종횡무진 자유로이 전개될 한 편의 소설을 쓰기 위해서는 순례자 수송선 에피소드를 좋은 출발점으로 삼을 수 있을 것이라는 생각을 하게 되었던 것도 그때였다. 그리고 나는 그 사건이야말로 한 순박하고 예민한 인물에 있어서의 그 모든 '실존의 정감'을 채색할 수 있을 것이라고 생각했다. 그러나 그 당시에는 사전(事前)에 느낀 이 모든 기분과 정신적 흥분이 상당히 모호한 편이었고 그 후 긴 세월이 흐른 지금도 더 분명해진 것 같지는 않다.

내가 제쳐 두었던 그 몇 페이지의 원고가 주제의 선택에 영향을 끼치지 않았던 것은 아니다. 그러나 모든 원고는 마음먹고 다시 썼다. 집필을 시작했을 때 나는 이 작품이 긴 소설이 될 것임을 알았지만, 잡지에 13회나 연재될 줄은 미처 예상하지 못했다.

그간 나는 이 소설이야말로 내가 가장 좋아하는 작품이 아니냐는 질문을 받곤 했다. 나는 사회생활이나 사생활에서 그리고 심지어는 작가와 작품 사이의 미묘한 관계에 있어서까지 편애를 싫어한다. 원칙적으로 나는 어떤 작품이건 편애하고 싶지 않다. 그러나 어떤 독자들이 『로드 짐』을 선호하는 것을 보고 내가 섭섭해한다든지 언짢아할 정도는 아니다. "나로서는 이해가 안 되는데……"라는 말도 나는 하지 않겠다. 절대로 하지 않겠다. 그러나 언젠가 한번 내가 당혹했고 놀랐던 적은 있었다.

이탈리아에서 돌아온 내 친구 한 사람이 거기서 『로드 짐』을 좋아하지 않는 어떤 부인과 대화를 나눈 적이 있다고 했다. 나는 물론 그것을 유감스럽게 생각했다. 그러나 나를 놀라게 한 것은 그 부인이 이 소설을 싫어하는 이유였다. "이 소설은 너무 병적이거든요."라고 그녀가 말하더라는 것이다.

이런 의견 표명이 있었다는 말을 듣고 나는 한 시간쯤 근심스럽게 생각해 보았다. 결국 나는, 이 소설의 주제 자체가 정상적 감수성을 가진 여인들에게 상당히 낯설게 보였을 것임을 감안한다 하더라도, 그 부인이 이탈리아 사람은 아니었을 것이라는 결론에 이르렀다. 그 부인이 유럽 사람도 아닐 거라는 생각도 들었다. 어쨌든 라틴 민족의 기질을 타고난 사람이라면 잃어버린 명예에 대한 예민한 의식에서 병적인 것을 감지하지는 않았을 것이다. 그런 의식은 잘못일 수도 있고 옳을 수도 있으며 인위적인 것이라고 규탄될 수도 있다. 그리고 아마도 나의 주인공 짐은 널리 보편적인 성품을 지닌 유형의 인물은 아니다. 그러나 내가 독자들에게 마음 놓고 확언할 수 있는 것은 그가 냉랭하게 변태적인 생각에서 빚어진 인물은 아니라는 점이다. 그는 물론 안개가 많이 끼는 북유럽의 인물도 아니다. 어느 화창한 날 동방의 어떤 정박지에서 나는 그가 흔히 볼 수 있는 평범한 환경 속에서 지나가는 것을 보았다. 그는 내게 호소해 오는 바가 있었고 의미심장했으며 구름에 가려진 듯이 정체불명이었고 완벽히 침묵하고 있었다. 이 소설에서 그는 바로 그런 인물로 등장하게 되어 있다. 내가 발휘할 수 있는 모든 공감력을 발휘하면서 그의 의미를 그려 내기 위한 적절한 말을 찾는 일이야말로 내가 해야 할 일이다. 그는 '우리들 중의 한 사람'이다.

1917년 6월
조지프 콘래드

1장

그는 키가 6피트에서 1인치 혹은 아마 2인치쯤 모자랐고 건장한 체격이었다. 그가 똑바로 다가오는 모습을 보면 어깨를 약간 굽힌 채 얼굴을 내밀고 있었고 아래서 치켜뜬 눈초리는 공격해 오는 황소를 연상케 했다. 그의 목소리는 깊고 우렁찼으며, 태도는 일종의 끈질긴 자기주장을 나타내고 있었지만 공격적인 데는 전혀 없었다. 그 자기주장은 하나의 필요인 듯했으며 다른 누구에 못지않게 자기 자신을 대상으로 한 것임이 분명했다. 구두에서 모자까지 티 없이 하얗게 차려입은 그는 흠잡을 데 없이 깔끔했다. 그리고 그가 선박 용품상에게 고용되어 입항선(入港船) 담당 점원 노릇을 하며 살고 있던 동양의 여러 항구에서 그는 대단히 인기 있는 인물이었다.

선박 용품상의 점원은 이 세상의 어떤 시험에도 합격할 필요가 없다. 그러나 그에게는 추상적 의미의 능력이 있어야 하고 그 능력을 실용적으로 발휘할 수 있어야 한다. 그가 하는 일은 돛이나 증기나 노를 동력으로 삼은 배를 타고 다른 상점의 점원들과 경쟁하면서 입항 예정 선박을 향해 달려가서 선장에게 자기 상점의 명함을 들이미는 일인데, 선장이 처음 상륙하면 배에서 먹고 마시는 온갖 물품이 가득 쌓인 동굴 같은 상점으로 그를 단호히 안내하되 결코 으스대지는 말아야 했다. 그 상점에서는 선박을 항해할 수 있게 하고 아름답게 장식하는 데 필요한 것들, 이를테면 배의 케이블에 쓸 한 세트의 쇠사슬 고리부터 시작해서 고물의 조각 장식에 붙일 한 권의 금박에 이르기까지 모든 물품을 구할 수 있다. 그리고 그 상점에서 선장은 이전에 만난 적도 없는 주인으로부터 형제처럼 정다운 영접을 받는다. 그곳에는 시원한 응접실, 안락의자, 술병, 여송연, 필기도구, 항만 규정집이 있고, 석 달 동안의 항해 끝에 쌓인 소금기를 선원의 마음으로부터 녹여 없애는 따뜻한 환대도 있다. 이렇게 시작된 인연은 배가 항구에 머무는 동안 점원이 날마다 배를 찾아감으로써 유지된다. 점원은 선장을 대할 때 친구처럼 충실하고 아들처럼 정성을 쏟으며, 욥과 같은 참을성, 여인의 사심 없는 헌신, 그리고 정다운 동반자의 유쾌함까지 보인다. 청구서는 나중에 들여보낸다. 이처럼 점원이 하는 일은 아름답고도 인정미 넘친다. 그러므로 훌륭한 입항선 담당 점원을 구하기는 쉽지 않다. 추상적 의미의 능력을 가진 점원이 선원 경력이라는 이점까지 갖추고 있으면 상점 주인이 많은 보수를 주고 어느 정도 비위까지 맞추면서 데리고 있을 만큼 값이 나간다. 짐은 늘 좋은 보수를 받았고, 상점 주인들이 그의 비위를 맞추기 위해 들인 공은 악마의 신망이라도 살 수 있을 정도였다. 그런데도 그는 엉큼하고 배은망덕하게도 갑자기 점원 자리를 버린 후 훌쩍 떠나곤 했다. 고용주들이 보기에 그가 떠나는 핑계는 전혀 당치도 않은 것들이었다. 그래서 그가 등을 돌리자마자 고용주들은 "망할 놈의 바보!" 라고 말했다. 이는 그의 예민한 감수성에 대한 그들의 비판이었다.

부둣가에서 사업을 하는 백인들이나 상선의 선장들에게 그는 그저 짐이라는 이름으로만 통했고 그 밖의 이름은 없었다. 그는 물론 다른 이름이 있었지만 그 이름이 사람들의 입에 오르지 않기를 바랐다. 그의 익명성은 어레미처럼 많은 구멍이 나 있었지만 그 의도는 자신의 사람됨을 숨기자는 것이 아니라 어떤 사실을 숨기자는 데 있었다. 그 사실이 익명의 벽을 뚫고 누설되는 날이면 그는 자기가 우연히 와 있게 되었던 항구를 갑자기 떠나 다른 항구를 찾아가곤 했는데 대체로 동쪽을 향해 더 멀리 옮겨 갔다. 그는 바다에서 추방된 선원이었기 때문에 항구만 계속 찾아다녔으며 그가 가졌던 추상적 능력도 선박 용품상의 점원 노릇을 제외한 다른 일을 하기에는 적합하지 않았다. 그는 해가 뜨는 방향으로 도망치다시피 차례차례 항구를 옮겨 다니고 있었지만, 그 사실은 우연히 그러나 어김없이 그의 뒤를 좇고 있었다. 이런 식으로 여러 해가 지나는 동안 그는 봄베이, 캘커타, 랑군, 페낭, 바타비아[1] 같은 항구에서 차례로 사람들에게 알려지게 되었지만, 이 모든 체류지에서 그는 그저 선박 용품 상회 점원 짐으로 통했을 뿐이다. 훗날 그 참기 어려운 사실에 대한 민감한 의식 때문에 그는 항구나 백인들을 영원히 버리고 처녀림 속으로 쫓겨 가지 않을 수 없었는데, 그가 그 한심한 민감성을 숨기며 살기로 작정했던 밀림 속의 말레이족 마을 사람들은 단음절(單音節)로 된 그의 익명에다 낱말을 하나 추가해 주었다. 그들은 그를 '투안 짐'이라고 불렀는데, 그것은 영어로 '로드 짐'[2]에 해당하는 명칭이었다.

원래 그는 어느 목사 집안 출신이었다. 많은 훌륭한 상선 선장들이 이런 신앙심이 돈독하고 화목한 목사 집안에서 나왔다. 짐의 부친은 인간으로서는 알 수 없는 세계에 대한 지식이 극진했기 때문에 오두막에 사는 사람들의 의로움을 지켜주면서도 오류 없는 하늘의 뜻에 따라 고대광실에서 살게 된 사람들의 마음의 평화를 해친 적이 없었다. 언덕 위의 작은 교회는 거칠게 우거진 잎의 장막 사이로 보이는 이끼 낀 잿빛 바위 색이었다. 그 교회는 수백 년 동안 그 자리에 서 있었지만, 아마도 주변의 나무들은 기공식 때 첫 돌이 놓이던 일을 기억하고 있을 것이다. 그 아래쪽으로 목사관의 빨간 앞면이 풀밭이며 화단이며 젓나무로 둘러싸인 채 따뜻한 색조로 환하게 빛나고 있었다. 뒤쪽에 과수원이 있었고, 왼쪽에는 포장된 마구간 뜰이 있었으며, 벽돌을 따라 온실의 유리 지붕이 비스듬히 설치

---

1) 오늘날의 자카르타.

2) 굳이 우리말로 옮긴다면 '짐 님' 혹은 '짐 나으리' 정도가 될 것이다.

되어 있었다. 그 목사관에서의 성직(聖職)은 여러 세대에 걸쳐 그 가족의 몫이었다. 다섯 아들 중의 하나였던 짐이 한동안 로맨틱한 문학 작품들을 탐독한 끝에 선원 생활을 직업으로 삼겠다고 선언하자 가족들은 대번에 그를 '상선 간부 양성을 위한 훈련선'[3]으로 보냈다.

그 양성소에서 그는 약간의 삼각법과 웃돛대의 돛가름대를 타고 건너는 법을 배웠다. 주변 사람들은 그를 좋아하는 편이었다. 항해할 때면 그는 세 번째 자리를 차지했고 처음 타본 커터정(艇)[4]에서는 정조수(整調手) 역할을 했다. 뛰어난 체격에다 견실한 판단력을 갖추고 있었기 때문에 그는 돛대 위에서도 아주 영리했다. 그의 위치는 앞돛대에 있는 망루(望樓)였다. 거기서 그는 위기에 부닥쳐야 진가를 발휘할 운명을 타고난 사람처럼 아래쪽에 널려 있는 무수히 많은 지붕들을 멸시하듯 내려다보았다. 그 지붕들은 갈색 조수(潮水)의 양쪽으로 갈라져 있었고 그 주위의 평평한 교외 지방에서는 침침한 하늘을 배경 삼아 가느다란 연필처럼 수직으로 솟아 있는 공장 굴뚝들이 화산처럼 연기를 뿜고 있었다. 그는 멀리 엷은 안개가 낀 바다의 화사한 빛을 배경으로 출항하는 커다란 배며, 끊임없이 오가고 있는 광폭(廣幅)의 나룻배며, 자기 발아래 까마득히 떠다니는 보트 같은 것들이라든지 모험 세계 속에서 약동하는 삶의 희망을 바라볼 수 있었다.

---

3) 리버풀의 머지강 하구에 있던 콘웨이(Conway)호. 선원 교육 시설로 쓰였다.
4) 커터(cutter)는 큰 선박에 부속된 작은 배로서 돛을 달 수도 있다.

200명의 목소리가 혼란하게 뒤섞여 있는 아래층 갑판에서 그는 생각에 잠기곤 했고, 가벼운 문학 작품 속의 선원 생활을 마음속으로 미리 체험해 보기도 했다. 그는 침몰하는 배에서 승객들을 구조한다든지, 폭풍우 속에서 돛대를 잘라 낸다든지, 높은 파도 속에서 밧줄을 잡고 헤엄친다든지, 외톨이 표류자가 되어 맨발에 거의 벗은 몸으로 노출된 암초 위를 걸어 다니면서 허기를 막아 줄 조개 따위를 찾고 있는 자신의 모습을 그려보았다. 그는 또 열대의 해변에서 야만인들과 마주친다든지, 공해에서 선상 반란을 진압한다든지, 대양에 떠 있는 작은 구명보트에서 절망한 사람들에게 용기를 내라고 격려하는 등, 언제나 맡은 임무에 모범적으로 헌신하고 책 속의 주인공처럼 굽힐 줄 모르는 자기 자신의 모습을 그려 보고 있었다.

"사고가 났다. 나오너라."

그는 벌떡 일어났다. 아이들이 줄을 지어 사다리를 오르고 있었다. 위에서는 사람들이 황급히 오가면서 고함을 지르고 있었다. 갑판 출입구를 빠져나왔을 때 그는 마치 넋을 잃은 것처럼 가만히 서 있었다.

겨울날이 저물고 있었다. 정오 무렵부터 강풍이 다시 불기 시작했기 때문에 강 위에는 왕래하는 선박도 없었다. 이제 바람은 태풍의 강도로 발작하듯 몰아치며 대양에서 일제히 사격하는 거대한 함포 소리를 내고 있었다. 억수 같은 비는 바람에 나부껴 비스듬히 퍼부었고, 비가 뜸한 틈틈이 뒹구는 물결이며, 요동치며 해변을 따라 밀려가는 작은 배며, 몰아치는 안개 속에 가만히 서 있는 건물들이며, 닻을 내린 채 육중하게 흔들리고 있는 광폭의 나룻배며, 상하로 요동하며 물보라를 뒤집어쓰고 있는 승선장 같은 것들의 위협적 광경이 짐의 눈에 들어왔다. 광풍이 다시 불면 이 모든 것을 날려 보낼 듯했다. 허공에는 흩날리는 물방울이 가득했다. 강풍 속에는 사나운 목표가 있었고, 절규하는 바람과 야수 같은 천지의 격동 속에는 분노한 열기가 있었는데, 그 목적과 열기가 그를 지목하고 있는 듯해서 그만 그는 압도된 나머지 숨을 죽이고 있었다. 그는 가만히 서 있었다. 그의 몸이 바람에 빙빙 휘둘리고 있는 듯했다.

그는 다른 사람들에게 밀렸다. "커터정에 인원을 배치해라." 소년들이 그의 곁을 지나 달려갔다. 강풍을 피해 항구로 달려오던 연안 항해선 한 척이 정박 중이던 스쿠너 범선과 충돌했는데 훈련선의 교관이 그 사고를 목격했던 것이다. 한 무리의 소년들이 갑판의 난간을 타 넘으며 커터정을 매달고 있던 대빗[5]에 옹기종기 달라붙었다. "충돌 사건이야. 바로 우리 전방이지. 시먼스 선생님이 보셨대." 누군가에게 밀려 그는 비틀거리며 고물대에 부딪혀 밧줄을 붙잡았다. 쇠사슬로 계류되어 있던 낡은 훈련선은 온통 흔들리며 바람을 향해 뱃머리를 굽실거리고 있었고, 보잘것없는 삭구(索具)는 그 배가 아직도 새것이었던 시절에 바다에서 부르곤 하던 숨 가쁜 노래를 깊은 베이스 음으로 흥얼거리고 있는 듯했다. "내려라!" 그는 인원 배치를 끝낸 배가 난간 아래로 뚝 떨어지는 것은 보고

5) 배에서 소형 보트를 올리거나 내리기 위해 쓰는 기둥.

달려갔다. 철썩 소리가 들렸다. "놓아라. 활차(滑車)의 밧줄을 치워라!" 그는 난간 너머로 몸을 내밀었다. 배 옆으로 흐르는 강물은 줄무늬 거품을 내며 끓고 있었다. 짙어 가는 어둠 속에서 조수와 바람의 마력에 걸린 듯한 커터정이 보였다. 그 마력으로 인해 한동안 커터정은 꼼짝 못했고 모선(母船)과 나란히 서서 앞뒤로 요동만 치고 있었다. 커터정에서 누군가의 고함 소리가 희미하게 들려왔다. "이 못난 놈들아, 사람의 목숨을 구하려거든 노를 저어야 할 것 아니냐! 노를 저어!" 그러자 갑자기 커터정은 뱃머리를 높이 들더니 치켜든 여러 개의 노와 함께 파도를 타 넘으며 바람과 조수가 던진 마력을 깼다.

짐은 누군가가 자기 어깨를 꽉 움켜잡는 것을 느꼈다. "너무 늦었다네. 젊은이." 배의 선장이 바다로 뛰어들 것 같은 소년에게 제지의 손길을 뻗쳤던 것이다. 짐은 패배를 의식하는 고통스러운 기색을 눈에 드러내며 쳐다보았다. 선장은 동정의 미소를 지으며 말했다. "다음번에는 운이 좋길 바라네. 이번 일을 교훈 삼아 앞으로는 민첩하게 굴도록."

귀를 찢는 환호성이 커터정을 맞았다. 물이 반쯤 찬 배가 춤을 추듯 되돌아오고 있었고 배 바닥에는 두 명의 기진맥진한 사람이 물을 뒤집어쓰고 있었다. 바람과 바다가 격동하며 가해 오던 위협이 이제는 짐에게 경멸할 만한 것으로 보였고, 그래서 그 아무것도 아닌 위협 앞에서 자기가 압도되었다는 데 대한 후회는 그만큼 더 커졌다. 이제 그는 자기가 그 문제를 어떻게 생각해야 할지 알았다. 그는 자기가 강풍 따위는 조금도 개의치 않을 것 같았다. 그는 그보다 더한 위험도 무릅쓸 수 있었다. 그는 어느 누구보다 위험을 더 잘 감당할 수 있었다. 한 점의 두려움도 없었다. 그럼에도 불구하고, 그날 저녁에 커터정의 정조수 노릇을 했던 그 소녀 같은 얼굴에 눈이 큰 소년이 하갑판에서 영웅 대접을 받고 있는 동안 그는 혼자 떨어져서 곰곰이 생각해 보았다. 몹시 궁금해진 소년들이 그 소년을 둘러싸고 이것저것 물었다. 그는 이야기했다. "그의 머리가 물속에서 까딱이는 것을 보고 갈고리 장대를 물속으로 내밀었지. 그의 바지에 갈고리가 걸리자 나는 물속에 빠질 뻔했지 뭐니. 시먼스 선생이 키의 손잡이를 놓고 내 다리를 붙잡았으니 망정이지 물에 빠지는 줄 알았다니까. 그 통에 배가 거의 물에 잠겼다고. 시먼스 선생은 멋진 분이야. 그가 우리에게 심술궂게 군다고 해도 나는 조금도 상관치 않을 거야. 내 다리를 붙잡고 있는 동안 그는 사뭇 내게 욕을 했지만 그건 나더러 갈고리 장대를 놓치지 말라고 말하는 그 나름의 어법이었을 뿐이야. 시먼스 선생은 지독히 흥분을 잘하는 분이 아니니? 아냐, 그 작은 금발 녀석이 아니고 다른 녀석이었어. 턱수염이 나고 체구가 큰 사람이었으니까. 우리가 그를 끌어당기자 그는 앓는 소리로 "오, 내 다리, 내 다리!"라고 말한 후에 눈까풀을 뒤집으며 정신을 잃더군. 그 큰 체구의 사내가 계집애처럼 기절했다고 생각해 봐! 너희들 같으면 갈고리 장대에 찔렸다고 해서 기절을 하겠니? 나 같으면 아니야. 장대가 그의 다리 속으로 깊이 들어가긴 했지." 그가 아이들에게 보여 줄 목적으로 하갑판으로 가져 왔던 갈고리 장대를 내어놓자 센세이션이 일어났다. "아냐, 바보 같은 소리! 갈고리에 걸려 있던 것은 그의 살이 아니고 바지였다니까. 물론 피는 많이 흘렸지만."

짐은 그 소년의 이야기를 딱한 허영심의 과시라고 여겼다. 그 강풍은 마치 무시무시한 존재인 양 거짓 외양을 띠고 있었지만 그에 못지않게 거짓된 영웅심까지 조장하고 있었던 것이다. 그는 하늘과 땅이 벌인 그 난폭한 격동이 부지불식간에 그를 엄습하여 언제든 목숨을 건 위험을 무릅쓰려고 하던 그의 아낌없는 마음의 태세를 그만 부당하게 제지하고 만 데 대해서 화가 났다. 한편 달리 생각하면, 자신이 그 커터정에 타지 않은 것이 다행이라 싶기도 했다. 왜냐하면 그보다 저급한 성과나마 그에게는 족했기 때문이다. 그는 그 일을 해낸 소년들보다도 더 많은 것을 알게 되었던 것이다. 모든 사람들이 움츠리고 있을 때, 그때 가서야, 자신만이 바람과 바닷물이 벌이는 거짓 위협과 맞서는 법을 알고 있을 것이라는 확신도 섰다. 그는 그날의 일에 대해 어떻게 생각해야 할지 알고 있었다. 냉정하게 생각해 볼 때, 그 일은 경멸할 만한 것으로 보였다. 그는 마음속에서 어떤 감정의 흔적도 찾을 수 없었다. 그래서 한 엄청난 사건의 최종 성과는, 그가 시끄러운 소년들로부터 눈에 띄지 않게 떨어져 나와, 자기에게는 모험을 탐구하려는 열의가 있으며 여러 방면의 용기도 있다는 자신감을 새로이 확인하며 희열을 느꼈다는 것이다.

2장

두 해 동안의 훈련 끝에 그는 바다로 나갔다. 그가 상상력을 통해 그처럼 잘 알고 있던 영역이었건만, 일단 들어가니 이상하게도 거기서 모험이라고는 찾을 수 없었다. 그는 여러 차례 항해했다. 그는 하늘과 바다 사이에서의 삶이라고 하는 마력적인 단조로움을 알고 있었고, 사람들의 비난이며 바다 생활의 고역이며 일상적으로 하는 일의 무미한 가혹함도 견뎌야만 했다. 그 일은 선원들에게 밥을 먹여 주지만 사실 그 유일한 보답은 일에 대한 철저한 사랑에 있다. 그는 그 보답을 찾지 못했다. 그러나 바다에서의 삶보다 더 유혹적이고 더 환멸적이고 더 사람을 사로잡는 삶이란 없기 때문에 그는 돌아설 수도 없었다. 게다가 그의 전망은 밝았다. 그는 신사다웠고 꿋꿋했으며 고분고분한가 하면 자기의 임무에 대한 완벽한 지식도 갖추고 있었다. 때가 되자 아직 젊은 나이인데도 그는 좋은 배의 일등항해사가 되었다. 하지만 바다에서의 어려운 사건들이 가하는 시련들은 아직 겪지 못하고 있었다. 이런 사건들을 겪어야만 한 인간으로서의 내면적 가치와 기질적 특성 및 사람됨 따위가 백일하에 밝혀질 것이고, 선원의 저항력이 지닌 성격이라든지 그가 외면적으로 내세우는 것들의 은밀한 진실이 다른 사람들에게뿐만 아니라 선원 자신에게까지 드러나게 되는데도 말이다.

그 모든 시간이 흐르는 동안 그가 바다의 본격적인 분노를 다시 본 것은 오직 한 번뿐이었다. 그 진실은 사람들이 생각하는 만큼 자주 표출되지 않는 법이다. 모험과 강풍의 위험 속에는 여러 측면이 있으며, 사실의 표면에 어떤 의도의 불길한 폭력성이 드러나는 것도 오직 이따금 있을 뿐이다. 그것은 뭐라 정의하기 어려운 것으로서 인간의 마음과 감정에 하나의 사실을 강압적으로 안긴다. 즉 이 복잡하게 꼬이는 사건들과 자연의 분노가 그를 찾아오되 어떤 악의적 목적과 억제할 수 없는 힘과 가누기 어려운 잔인함을 가지고 찾아와서 그에게서 희망과 두려움과 피로의 고통과 안식의 갈망 따위를 모두 앗아 가려고 하는 동시에, 그가 그동안 보고 사랑하고 미워했던 모든 것과 값을 따질 수 없을 정도로 소중하고 필요한 것들, 이를테면 햇빛, 추억, 장래 같은 것들을 모두 강타해서 부수고 말살하려 하며, 나아가서는 목숨 빼앗기라는 그 단순하고도 무시무시한 행위를 통해 모든 소중한 세계를 그의 안전에서 송두리째 쓸어 버리려 한다는 사실을 강압적으로 안기는 것이다.

스코틀랜드 출신의 선장이 훗날 "정말이지, 그 배가 그걸 겪고도 살아남은 것은 내가 보기에 순전히 기적이야!" 라고 말하곤 하던 그 어려웠던 한 주일이 시작될 무렵에 짐은 넘어지는 돛대에 부딪혀 부상한 채 여러 날 동안 누워 지내며 마치 격동하는 심연의 밑바닥에 처해 있듯이 어안이 벙벙했고 지쳐서 절망하며 고통을 겪고 있었다. 그는 종말이 어떻게 되든 상관치 않았고, 정신이 맑은 순간에는 자기의 무관심을 지나치게 소중히 여겼다. 위험도 직접 목격되지 않을 경우에는 인간의 생각 속에서 불완전하고 막연할 뿐이다. 그러면 두려움도 그림자처럼 실체가 없어지고, 모든 공포를 빚어내어 인간을 괴롭히는 적군 같은 상상력도 자극을 받지 않을 경우에는 탕진된 정서의 둔감함 속으로 가라앉아 가만히 있게 된다. 짐은 요동하는 선실의 어지러운 광경밖에 보지 못했다. 그는 소규모의 파괴 현장이 된 선실에 쓰러져 누운 채 자기가 갑판에 나가서 움직이지 않아도 되어 다행이라고 남몰래 생각하고 있었다. 그러나 이따금 억제할 수 없는 고뇌가 엄습해 와서 그의 육신을 움켜잡고는 그로 하여금 담요 밑에서 헐떡이며 몸을 비틀게 했다. 그러자 이런 감각의 고통에 휩쓸리기 쉬운 존재의 비지적(非知的) 야수성이 어떤 대가를 치르고서도 도피해야겠다는 필사적 욕망을 그에게 가득 채워 주었다. 그러자 좋은 날씨가 회복되었고 그는 그런 생각을 더 이상 하지 않았다.

그러나 그의 절룩거림은 오래갔고, 배가 동양의 어느 항구에 도착했을 때 그는 병원으로 가야 했다. 회복이 더뎠기 때문에 배는 그를 남겨 두고 떠났다.

백인 병동에는 두 사람이 더 있을 뿐이었다. 갑판 출입구에서 떨어져 다리가 부러진 군함의 경리 담당자와 인근 지역에서 철로 청부업자로 있다가 정체불명의 열대병에 걸린 사람이었다. 이 청부업자는 의사를 바보로 여겼고 지칠 줄 모르게 헌신적인 타밀족 하인이 병원으로 들여오는 매약을 은밀히 복용하고 있었다. 그들은 서로 자기네가 살아온 이야기를 했고 더러는 카드놀이도 했으며 파자마 차림으로 하품을 하며 한마디 말도 없이 안락의자에 앉아 종일 무료히 지내기도 했다. 병원은 언덕에 있었는데, 언제나 활짝 열려 있던 창으로 조용한 바람이 불어와서 그 헐벗은 병실에 하늘의 상쾌함이며 대지의 나른함이며 동양 바다의 매혹적인 숨결 따위를 전해 주었다. 그 바람 속에는 여러 가지 향내라든지 영원한 안식의 암시라든지 끝없는 꿈의 선물 등이 들어 있었다. 날마다 짐은 정원의 숲이며 시내의 지붕들이며 해안에 자라는 종려나무들 너머로 동방행 통로인 정박장(碇泊場)을 바라보았다. 화환으로 장식한 듯한 작은 섬들로 점철되고 축제 분위기의 햇빛이 쏟아지는 정박장에서는 장난감 같은 선박들이 휴일 축전을 벌이듯이 활발히 움직이고 있었고 상공에는 동방의 하늘이 영원한 평화로움을 펼치는가 하면 동방의 바다가 미소 짓는 평화로움으로 수평선까지 허공을 차지하고 있었다.

지팡이의 도움 없이 걸을 수 있게 되자마자 그는 고국으로 돌아갈 기회를 엿보려고 시내로 내려갔다. 당장에는 아무 선편도 없었기 때문에 그는 항구에서 같은 직업에 종사하는 사람들을 만나 자연스럽게 어울리게 되었다. 두 부류의 사람들이 있었다. 그곳에서 드물게 눈에 띄던 극소수의 사람들은 해적의 기질에 몽상가의 눈을 가지고서 내막을 알 수 없는 삶을 살면서 손상되지 않은 에너지를 지니고 있었다. 그들은 바다의 어두운 곳에서 문명 세계에 앞장서서 미친 듯이 혼잡하게 얽힌 여러 가지 계획, 희망, 위험 및 사업에 묻혀 살고 있는 듯했다. 그 환상적인 삶에서는 죽음만이 합리적으로 확실한 성과로 보이는 유일한 사건이었다. 대부분의 나머지 선원들은 그 자신처럼 어떤 사고로 인해 그곳에 버림받은 채 지방 선박의 간부 선원으로 남아 있는 사람들이었다. 이제 그들은 고국 선박에서 근무하는 것을 두려워하고 있었는데 그것은 근무 조건이 더 힘들고 더 가혹한 임무를 요구하는가 하면 폭풍우 이는 대양이 위험했기 때문이었다. 그들은 영원히 평화롭기만 한 동방의 하늘과 바다에 익숙해 있었다. 그들은 짧은 항해며 안락한 갑판 의자며 많은 원주민 선원들이며 백인으로서 누리는 특권 따위를 사랑했다. 그들은 고된 일을 생각하며 몸서리쳤고, 곧 어떻게 될지 모르는 안락한 삶을 영위했으며, 언제든 해고될 수 있지만 언제든 다시 고용될 수 있으므로 중국인, 아랍인, 혼혈인 선주들을 가리지 않고 받들고 있었다. 실로 그들은 삶을 편하게만 해 준다면 악마라도 섬기며 살았을 것이다. 그들은 언제나 운수가 대통한 사례들에 대한 이야기만 했다. 누구는 중국 근해에서 선장이 되었는데 그건 아주 쉬운 직책이라는 둥, 또 누구는 일본 어딘가에서 아주 쉬운 일자리를 얻었고, 또 다른 누구는 태국 해군에서 잘 지내고 있다는 등의 이야기들이었다. 그들의 말, 행동, 표정 및 사람됨에서는 어수룩한 점이라든지 썩은 구석이라든지 안전하게 느긋이 살아야겠다는 결의를 찾아볼 수 있었다.

짐이 보기에, 이 호사가들이 처음에는 선원이라기보다는 같은 수의 그림자만도 못한 허깨비 같은 존재였다. 그러나 결국 그는 그들의 모습을 보면서 또 그들이 위험하고 고생스러운 일을 별로 하지 않고도 그처럼 잘 살고 있는 듯하다는 것을 알고 매혹되기 시작했다. 시간이 흐르자 처음에 느끼던 경멸과는 다른 감정이 천천히 생겨났다. 그래서 그는 갑자기 고국으로 돌아가야 한다는 생각을 버리고 파트나호의 일등항해사 자리를 얻었다.

파트나호는 강산만큼 오래된 현지의 기선이었는데, 그레이하운드 종의 개처럼 야윈 데다 못 쓰게 된 물탱크보다 더 녹슬고 부식된 상태였다. 선주는 중국인이었으나 한 아랍인에게 용선(傭船)되어 있었고, 선장으로 고용된 사람은 독일계 뉴사우스웨일스[6] 사람으로서 자기의 조국을 공공연히 저주하고 싶어 하는 일종의 배반자였다. 그는 비스마르크의 기고만장한 정책에 힘입어 자기가 무서워하지 않는 만만한 사람들에게는 난폭하게 대했고, 자줏빛 코와 붉은 콧수염을 곁들인 '철혈(鐵血)의'[7] 용모까지 하고 있었다. 배의 외부에 페인트를 칠하고

6) 호주 동남부의 주 이름.

7) 독일 제국의 초대 수상 오토 폰 비스마르크는 당대의 중요 문제들을 '철혈의' 방법으로 해결해야 한다고 말한 적이 있으며, 역사에서는 그를 '철혈의 재상'이라 부르기도 한다.

내부에는 회칠을 한 파트나호는 목제 방파제와 나란히 서서 증기의 힘을 올리고 있는 동안 800명 안팎의 순례자들[8]을 몰아서 승선시켰다.

순례자들은 세 개의 건널 다리를 통해 물이 흐르듯 배에 올랐고, 천국에 대한 믿음과 소망의 재촉을 받으면서 맨발을 쿵쿵거리거나 질질 끌면서 줄을 지어 승선했는데, 한 마디의 말이나 속삭임도 없었고 뒤를 돌아보는 일도 없었다. 갑판 위에 사방으로 펼쳐져 있던 울타리 난간을 벗어나자마자 그들은 이물이나 고물 쪽으로 흘러갔고, 하품을 하듯 벌어져 있던 갑판 출입구 아래로 넘쳐흘러 내려가는가 하면, 배의 안쪽 구석구석을 가득 채웠다. 그 광경은 물탱크를 채우고 있는 물 같았고, 틈새나 금 사이로 흘러드는 물 같기도 했으며, 그릇의 가장자리로 고르게 소리 없이 불어나는 물 같았다. 믿음과 소망이며 애정과 추억을 가진 800명의 남녀가 남에서 북에서 그리고 동방의 변두리 지역에서 그 배로 모여들었던 것이다. 그들은 밀림 속의 오솔길을 걸어왔고, 강을 따라 내려왔으며, 얕은 근해를 따라 쾌속 돛단배를 타고 왔는가 하면, 작은 카누를 타고 섬에서 섬으로 건너오기도 했는데, 도중에 고생을 했고 신기한 광경과 마주치는가 하면 처음 겪는 무서운 상황에 처하기도 했지만 내내 한 가지 욕구가 그들을 지탱해 주고 있었다. 그들은 밀림 속의 외딴 집에서, 사람들이 많이 사는 마을에서, 또는 바닷가의 촌락에서 모여들었다. 오직 한 가

8) 아라비아의 메카를 향해 나선 순례자들.

지 생각의 부름에 따라 그들은 자기네가 살던 숲이며 숲속에 터놓은 빈터며 통치자들의 보호며 번영이며 빈곤이며 젊은 시절에 살던 환경이며 조상의 무덤 같은 것들을 두고 떠나 왔던 것이다. 그들은 먼지며 땀이며 오물이며 누더기 따위를 뒤집어쓰고 왔다. 힘이 센 사내들은 가족들의 앞장에 섰지만 깡마른 노인들은 돌아온다는 희망도 없이 밀고 나왔다. 어린 소년들은 겁도 없이 호기심 어린 눈을 번쩍였고, 작고 수줍은 소녀들은 긴 머리카락을 흩뜨리고 있었다. 겁을 먹은 아낙네들은 온몸을 감싼 채, 많은 것을 요구하는 신앙 때문에 아무것도 모르면서 순례 길을 따라 나서게 된 잠든 갓난아기들을 더러워진 머리 싸개의 끝자락으로 싸서 가슴에 끌어안고 있었다.

"이 짐승 같은 인간들 좀 보시오." 독일 선장이 새로 고용한 일등항해사에게 말했다.

그 경건한 여정(旅程)의 인도자였던 아랍인이 마지막으로 탔다. 그는 하얀 가운을 입고 커다란 터번을 쓰고 있었는데 점잖고 엄숙하게 갑판을 천천히 걸어갔다. 하인들이 한 줄로 서서 그의 짐을 지고 뒤따랐다. 파트나호는 밧줄을 풀고 후진하며 부두를 떠났다.

배는 두 개의 작은 섬 사이를 향해 범선 정박지를 비스듬히 건넜고 어떤 언덕의 그림자 속에서 반원을 그리며 돈 후 거품 이는 암초가 뻗어 있는 곳을 바짝 붙어 지나갔다. 고물 쪽에 서 있던 아랍인은 바다 여행 기도문을 큰 소리로 외웠다. 그는 하늘에 계시는 지존한 분께 항해를 보살펴 주시기를 호소했고 인간의 고역과 인간의 마음속에 숨어 있는 은밀한 목표에도 축복을 내려 주시기를 기구했다. 기선은 어스름 속에서 해협[9]의 고요한 바다 위를 쿵쿵거리며 항해했다. 순례선의 고물 쪽 멀리 떨어진 곳에는 배가 좌초하기 쉬운 얕은 바다 위에다 불신자들[10]이 나사못 말뚝을 박고 세워 놓은 등대가 있었는데 마치 신앙의 길에 나선 그 배의 항해를 조롱하며 눈을 깜박이는 듯했다.

배는 해협을 빠져나와 벵골만을 횡단한 후 이른바 '북위 1도 항로'[11]를 따라 항해를 계속했다. 고요한 하늘, 구름 없이 작열하는 하늘 아래서 모든 생각을 죽이고 가슴을 억누르며 모든 힘과 에너지의 충동까지 고갈시키는 눈부신 햇빛에 휩싸인 채 배는 홍해를 향해 곧바로 항진했다. 그 불길하게도 화려한 하늘 아래서 심오한 푸른 바다는 흔들림이나 잔물결이나 주름살이 없이 가만히 있었으며 찐득거리며 정체되어 있어 죽은 듯했다. 파트나호는 약간 씩씩거리면서 그 평원 같은 바다 위를 환하게 미끄러지듯 지나가면서 하늘에 검은 리본 같은 연기를 펼치는가 하면 뒤쪽으로는 하얀 리본 같은 거품을 남기고 있었는데, 그 거품은 한 기선의 유령이 생명력 없는 바다 위에 그려 놓은 자취의 허상처럼 이내 사라져 버리곤 했다.

매일 아침 회전하는 태양은 마치 순례선의 항로와 보조를 맞추듯이 선미(船尾)에서 정확히 일정한 거리가 떨어진 곳에서 조용히 빛을 터뜨리며 나타나서 정오에는 배를 따라잡았

---

9) 말레이반도와 수마트라섬 사이의 말라카 해협.

10) 이슬람교도가 아닌 서양 사람들을 가리키는 듯하다.

11) 북위 1도 30분을 직선으로 따라 인도양을 횡단하는 항로.

고 승객들의 경건한 목표를 향해 집중적인 열기를 쏟은 후에 미끄러지듯 기울어져서 저녁마다 선수(船首)와 일정한 거리를 두고 신비하게 바다 속으로 떨어지곤 했다. 배에 타고 있던 다섯 사람의 백인들은 갑판의 중앙부에서 인간 화물들과는 격리된 생활을 했다. 차양이 기둥에서 기둥까지 하얀 지붕을 이루며 갑판을 덮고 있었고, 희미한 흥얼거림이나 슬픈 목소리의 나직한 중얼거림만이 큰불이 붙은 듯한 대양 위에 한 무리의 사람들이 있다는 것을 말해 주고 있었다. 고요하고 덥고 무거운 나날이 이런 식으로 하루씩 과거 속으로 사라졌는데, 마치 배가 지나온 자취 속에 영원히 열려 있는 듯한 심연 속으로 떨어지는 것 같았다. 한 가닥의 연기를 뿜으면서 꿋꿋이 항해하고 있던 외로운 배는 마치 하늘에서 무자비하게 던진 불길에 그을린 듯이 넓고 환한 바다에서 검은 연기를 모락모락 피워 올리고 있었다.

날마다 밤이 축복처럼 배 위에 내렸다.

3장

놀라운 정적이 온 세계에 가득했고, 별들은 그 고요한 빛과 함께 영원한 안정을 지상으로 흘리고 있는 듯했다. 상현(上弦)으로 바뀌어 서녘에서 나직이 빛을 내고 있던 초승달은 금덩어리에서 얇게 깎아 낸 조각 같았다. 얼음장처럼 매끈하고 시원해 보이는 아라비아해는 그 완벽한 평면을 어두운 수평선이 이루는 완전한 원 쪽으로 뻗치고 있었다. 아무 제동을 받지 않으며 돌고 있는 프로펠러 소리는 안전한 우주 체계의 일부처럼 들렸다. 파트나호의 양쪽에서는 주름살이 없는 어렴풋한 빛 속에 영원하고 어두운 바닷물이 두 가닥의 깊은 주름을 이루면서 곧게 갈라지는 물줄기 안으로 나직이 소리 내며 터지고는 소용돌이치는 하얀 거품과 몇몇 작은 파도와 잔물결이며 파문을 거두어들이고 있었다. 이 물결들은 배가 지나간 후 그 뒷전에 남겨진 채 한순간 바다 표면을 어지럽히다가 조용히 출렁이며 가라앉은 후 끝내 바다와 하늘이 이루는 둥근 정적 속으로 잦아들었고, 검은 점이 되어 움직이는 선체만이 그 한복판에 언제까지나 남아 있었다.

선교(船橋)에서 짐은 침묵하는 자연의 모습에서 읽을 수 있는 무한한 안전과 평화에 대한 커다란 확신에 젖어 있었다. 그것은 마치 아이를 키우는 어머니의 고요하고 다정한 얼굴에서나 읽을 수 있는 사랑에 대한 확신 같은 것이었다. 차양 지붕 아래서는 가혹한 신앙 때문에 순례의 길에 나선 사람들이 백인들의 슬기와 용기에 몸을 맡기고 불신자인 백인들의 능력과 그들이 운전하는 기선의 철제 선체를 신임하면서 배의 모든 층 모든 구석에 매트나 담요를 깔고 혹은 맨바닥에서 잠을 잤다. 그들은 물들인 천을 두르거나 더러운 누더기로 몸을 감싼 채 작은 보따리를 머리 밑에 고이거나 굽힌 팔에 얼굴을 묻고 있었다. 남자들, 여자들, 아이들이 있었고, 늙은이들은 젊은이들과 또 노약자들은 원기 왕성한 자들과 섞여 있었는데, 죽음과 형제 관계에 있는 잠 앞에서는 모두들 평등했다.

배의 속도가 자아내는 앞바람이 높다란 방파벽 사이의 길고 어두운 공간 속으로 꾸준히 불어와서 줄지어 누워 있는 사람들 위를 쓸며 지나갔다. 희미하게 불이 켜진 구형(球型) 램프가 마룻대 아래쪽 여기저기에 달랑 걸려 있었다. 아래쪽으로 동그랗게 던져진 빛이 배의 끊임없는 진동 때문에 가볍게 흔들리는 곳에서는 위로 치켜든 턱이며, 한 쌍의 감은 눈이며, 은반지를 낀 검은 손이며, 찢어진 천으로 덮여 있는 야윈 팔이며, 뒤로 젖혀진 머리며, 맨발이며, 마치 단검을 맞으려는 듯이 맨살을 내밀고 있는 목이 보였다. 부유한 사람들은 두꺼운 상자와 먼지투성이의 매트를 가지고 가족들의 안식처를 만들기도 했다. 가난한 사람들은 자기네의 전 재산을 천으로 싼 봇짐을 베고 나란히 누워 안식하고 있었다. 외톨이 늙은이들은 기도할 때 까는 양탄자 위에서 다리를 오므리고 손을 베고 누워 두 팔꿈치로 양쪽 빰을 가린 채 자고 있었다. 한 아버지는 어깨를 들고 이마를 두 무릎에 댄 채 비참하게 졸고 있었는데 그의 등에 업힌 소년은 머리카락이 헝클어진 채 마치 명령을 내리듯이 한쪽 팔을 뻗치고 잠들어 있었다. 시신처럼 한 장의 흰 천을 머리에서 발끝까지 덮고 있던 여인은 오목하게 구부린 양쪽 팔에 한 명씩 벌거벗은 아이를 안고 있었다. 고물 쪽에 쌓아 둔 아랍인의 소유물들은 윤곽이 흐트러진 무거운 더미를 이루고 있었는데, 그 위쪽에는 화물 램프가 흔들리고 있었고 뒤쪽에는 분간하기 어려운 형상들이 대단히 혼잡하게 널려 있었다. 번들거리는 배불뚝이 놋그릇들, 갑판 의자의 발걸이, 창의 날들, 한 더미의 베개에 기대고 있는 고검(古劍)의 곧은 칼집, 주석 커피 주전자의 주둥이 등이었다. 고물의 난간에 있던 특허품 측정기(測程器)는 그 순례선이 한 마일씩 항진할 때마다 주기적으로 땡 소리를 한 번씩 울렸다. 잠을 자는 무리 위로 미약하지만 꾸준한 한숨 소리가 이따금 떠돌았다. 어지러운 꿈에서 발산되는 소리였다. 기선의 깊숙한 내부에서 갑자기 터지는 짤막한 금속음이라든지, 삽으로 거칠게 긁어모으는 소리라든지, 보일러 화덕의 문을 쾅 하고 닫는 소리 따위가 폭발하듯이 사납게 들려올 때면 배의 밑바닥에서 그 신비한 장치들을 다루고 있는 사람들의 가슴에 혹시 격한 분노가 가득한 것이 아닐까 하는 생각이 들 지경이었다. 그러는 사이에 기선의 높다란 선체는 헐벗은 마스트를 흔드는 일 없이 앞으로 평탄하게 나아가며 범접할 수 없이 평화로운 하늘 아래서 바닷물의 깊은 정적만 계속 가르고 있었다.

짐은 갑판을 비스듬히 걸었다. 광대한 정적 속에서 그의 걸음 소리는 마치 하늘에서 지켜보는 별들에 의해 메아리쳐진 듯이 그 자신의 귀에 크게 울렸다. 수평선 근처를 헤매고 있던 그의 눈은 결코 도달할 수 없는 세계를 탐욕스럽게 응시하고 있는 듯했고, 다가오는 사건의 그림자는 보지 못했다. 바다 위에 던져진 그림자라고는 검은 연기의 그림자뿐이었다. 연기는 엔진의 굴뚝에서 거대한 줄기를 이루며 무겁게 쏟아져 나왔고 그 끝자락은 계속 허공에서 분해되고 있었다. 두 사람의 말레이인이 말없이 거의 부동자세로 타륜(舵輪) 양쪽에 서서 배를 조종하고 있었다. 타륜의 놋쇠 테가 나침의 함(羅針儀函)에서 던지는 타원 불빛을 받아 부분적으로 빛나고 있었다. 이따금 검은 손가락으로 빙빙 도는 타륜의 손잡이를 놓았다 잡았다 하던 손이 조명된 부분에 나타나기도 했다. 타륜에 연결된 체인의 고리들이 원통의 홈 속에서 무겁게 마찰하는 소리를 냈다. 짐은 넘치는 편안함을 느끼며 나침반을 흘낏 쳐다보거나, 도달할 수 없는 수평선 주변을 바라보거나, 느긋이 몸을 비틀면서 관절에서 딱, 딱 소리가 날 때가지 기지개를 켜기도 했다. 도저히 극복할 수 없는 평화로움의 외양을 보고 그만 대담해지기라도 한 것처럼 그는 죽는 날까지 자기에게 일어날 수 있는 그 어떤 일에도 상관하지 않을 것 같은 느낌이 들었다. 간혹 그는 조종 장치 케이스의 뒤쪽에 놓인 다리가 셋 달린 나직한 탁자에 네 개의 제도용 핀으로 고정되어 있던 해도를 한가로이 바라보곤 했다. 바다의 깊이를 그린 그 해도는 갑판 기둥에 묶여 있던 볼록렌즈가 달린 각등(角燈)의 불빛 아래서 번쩍이는 표면을 그려 내고 있었는데, 그것은 희미하게 비치는 바다의 표면만큼이나 평평하고 매끈했다. 평행자가 분할 컴퍼스와 함께 그 위에 놓여 있었다. 지난 정오 현재의 배의 위치가 작은 검정색 십자로 표시되어 있었고, 페림에 이르기까지 연필로 확고하게 그어 놓은 선은 배의 진로를 나타냈다. 그 선은 성지와 구원의 기약과 영원한 삶이라는 보답을 찾아가는 영혼들의 통로였다. 한편 뾰쪽한 끝으로 소말리아 해안을 건드리고 있는 연필은 바람막이가 되어 있는 독의 물웅덩이에 떠 있는 돛을 벗긴 돛대처럼 가만히 놓여 있었다. "어쩌면 배가 이토록 꾸준히 항해할 수 있을까!" 짐은 이렇게 생각하며 놀라워했고 극히 평화로운 바다와 하늘에 대해 일종의 감사를 느꼈다. 이런 때면 그의 생각은 용감한 행위로 가득 차곤 했다. 그는 그런 꿈이며 상상 속의 성공적인 업적을 사랑했다. 그런 것들은 삶의 가장 좋은 부분이요 은밀한 진실이며 숨겨진 현실이었다. 그것들은 화려한 활기와 불확실성의 매력을 띠고 그의 앞을 영웅적으로 활보하며 지나갔다. 또 그것들은 그의 넋을 앗아 갔고 그 넋으로 하여금 무한한 자신감이라는 거룩한 미약(媚藥)에 도취케 했다. 그가 맞서지 못할 것은 하나도 없었다. 그런 생각을 하고 너무 기분이 좋아진 나머지 그는 미소를 지었고 눈은 실없이 앞을 향하고 있었다. 문득 눈길을 뒤로 돌리자 배의 용골(龍骨)이 그려 내는 하얀 자취가 보였는데 해도에 연필로 그어 놓은 검은 선처럼 직선이었다.

재를 담은 양동이가 기관실 환기통을 덜커덕거리며 오르내리느라 요란했고, 이 함석 용기의 덜커덕 소리는 그의 당직 근무 시간이 끝날 때가 가까워졌음을 알려 주었다. 그는 만족의 한숨을 지었고 자기 사념의 모험적 자유를 함양해 준 그 평화로움과 하직해야 한다고 생각하니 섭섭하기도 했다. 그는 약간 졸렸고 마치 몸속의 모든 피가 따뜻한 우유로 변한 것처럼 팔다리에 기분 좋은 나른함이 흐르는 느낌이 들었다. 선장이 소리 없이 갑판으로 올라왔는데 파자마 차림이었고 취침 재킷의 앞자락을 활짝 열어젖히고 있었다. 붉은 얼굴에 잠이 덜 깬 그는 왼 눈을 반쯤 감은 채 유리알 같은 오른 눈으로 멍청히 응시하고 있었고 커다란 머리로 해도를 굽어보면서 졸리다는 듯이 옆구리를 긁적이기도 했다. 그의 몸에서 가려지지 않은 부분은 어쩐지 외설스럽게 보였다. 자면서 몸속의 지방을 땀으로 배출한 듯 드러난 그의 가슴은 부드럽게 기름기로 번질거렸다. 그는 줄로 판자의 가장자리를 다듬을 때 나는 마찰음 같은 거칠고 답답한 목소리로 직무와 관계되는 말을 했다. 두 겹으로 접힌 그의 턱은 턱뼈의 관절 아래에 바짝 매달아 놓은 자루 같았다. 짐은 깜짝 놀랐고 그의 대답에는 존경이 어려 있었다. 그러나 어떤 비밀을 드러내는 순간에 처음으로 보게 된 듯한 그 꼴사납게 살진 선장의 모습은 우리가 사랑하는 이 세상에 도사리고 있는 모든 간악하고 비열한 것들의 화신(化身)처럼 오래도록 그의 뇌리에 박히게 되었다. 우리는 마음속으로 우리 자신의 구원을 위해 주위의 사람들이며 눈에 들어오는 풍경이며 귀에 들리는 소리며 허파를 가득 채우는 공기 따위를 신임하며 살아간다.

얇은 황금 조각 같은 달이 천천히 아래로 떠내려가다가 어두운 수면 아래로 사라졌다. 별들이 더욱 반짝거리고 평평한 원반 같은 불투명한 바다를 덮고 있던 반투명한 궁륭(穹窿)의 광택에 어두운 빛이 더 깊어지자, 하늘 저편의 영원함이 지구 쪽으로 한층 가까이 내려오는 듯했다. 배가 너무나 미끄럽게 항해하고 있었기 때문에 그 전진 운동을 인간의 감각으로는 느낄 수 없을 지경이었다. 배는 장차 있게 될 창조의 숨결을 기다리는 무섭고도 고요한 적막 세계 속에서 무수한 천체 뒤쪽의 어두운 공간 속을 내닫고 있는 혼잡한 유성 같았다. "아래쪽 기관실은 이만저만 더운 게 아니야." 누군가가 말했다.

짐은 돌아보지 않고 미소만 지었다. 선장은 꼼짝하지 않고 자기 등을 통째로 보이고 있었다. 상대의 존재를 의식하지 못하는 듯한 표정을 애써 짓는 것은 그 패덕자(悖德者)가 즐겨 쓰는 술수였다. 상대를 삼킬 듯이 눈을 부라린 후에 시궁창에서 쏟아지는 듯한 거품 섞인 욕설을 콸콸 늘어놓은 것이 자기 목적에 부합될 경우는 물론 예외였다. 그는 오직 실쭉한 목소리로 투덜거렸을 뿐이다. 선교 사다리의 머리 부분에서 이등 기관사는 축축한 손바닥으로 더러운 땀수건을 주무르면서 태연하게 불평을 계속했다. 갑판에서 편하게만 지내는 선원들이 있는데 그들이 왜 필요한지 자기로서는 도저히 이해할 수가 없다는 것이었다. 가엾은 기관사들은 어쨌든 배를 움직여야 하니까 선원들이 나머지 일을 하는 것이 좋지 않겠느냐고도 했다. 이렇게 불평을 계속하고 있을 때 독일인 선장은 완강하게 "닥쳐!" 라고 소리쳤다. "네, 닥치지요. 하지만 뭔가 잘못되면 그때는 우리에게 달려오시겠지요." 이등기관사는 계속해서 불평했다. 그는 더위 때문에 쪄 죽을 지경이라고 했다. 그러나 어쨌든 지난 사흘 동안 악인들이 죽으면 가게 되는 지옥의 더위를 견디는 훈련을 잘 받아 두었으므로 이제는 자기가 죄를 아무리 지어도 상관없다고 했다. 그리고 어디 그뿐인가, 배의 밑바닥에서 그 망할 놈의 소음을 들으며 지내느라 귀까지 멀었다고 했다. 우라질 이단 팽창 방식에다 폐증기 표면 응고 방식으로 만든 썩어 빠진 고철 덩이 증기 기관이 마치 갑판의 권양기(捲揚器)처럼 덜커덕거리거나 쿵쾅거렸지만 소음은 더 심하다고 했다. 선박 해체장에서 나온 쓰레기 같은 것들이 57회전의 속도로 돌고 있는 곳에서 무엇 때문에 하느님이 주신 귀한 목숨을 걸고 일해야 하는지 자기로서는 말할 수가 없다고도 했다. 자기는 원래부터 무모한 사람으로 태어났음이 틀림이 없다고도 했다. 이렇게 그가 불평을 계속하자 선장이 사나운 어조로 물었다. "술은 어디서 난 거야?" 나침의 함에서 비치는 불빛 속에서 부동자세로 서 있는 그의 모습은 마치 지방 덩어리를 가지고서 서툴게 빚어낸 사람의 형상 같았다. 짐은 뒷전으로 물러나고 있는 수평선을 바라보며 계속 미소를 지었다. 그의 가슴은 여러 가지의 고매한 충동으로 벅찼고, 그의 사념은 자기의 우월함을 명상하고 있었다. "술이라뇨!" 기관사는 상냥하게 경멸을 보이면서 거듭 말했다. 두 손으로 난간에 매달려 있는 그는 흔들거리는 다리가 달린 허깨비 같았다. "선장께서 주신 건 아니지요. 너무 인색해서 술을 나누어 주실 분이 아니니까. 부하 선원을 죽게 내버려 둘지언정 슈납 주(酒)를 한 방울이나마 나누어 주실 분이 아니지요. 그런 걸 독일인들은 절약이라고 한다면서요. 조금 아끼려다 큰 손해를 보는 어리석은 짓이지요." 그는 감상적으로 되어 갔다. 10시경에 기관장이 그에게 넉넉히 한 잔을 따라 주었던 것이다. "한 잔뿐이었다고요. 정말이지!" 착한 기관장이었지만, 그 사기꾼을 침상에서 끌어내는 일은 5톤 기중기로도 불가능하다고 했다. 그건 불가능했고, 하여간 그날 밤에는 불가능했다. 그는 한 병의 고급 브랜디를 베개 밑에 숨겨 두고 어린이처럼 고이 잠들어 있었다. 파트나호 선장의 굵은 목에서는 나직이 으르렁거리는 소리가 들렸고, 그 속에서 '돼지'라는 뜻의 독일어 낱말이 희미하게 동요하는 공기 속의 변덕스러운 새의 깃처럼 위아래로 퍼덕였다. 그와 기관장은 오랫동안 절친하게 지내 오는 사이였고, 뿔테 안경을 쓰고 붉은 비단 끈으로 잿빛 머리카락을 땋은 점잖은 변발(辮髮)을 한 그 명랑하고도 교활한 중국인 선주를 함께 섬겨 오고 있었다. 파트나호의 선적(船籍)이 있는 항구의 부둣가에 나도는 평판에 의하면 뻔뻔스러운 공금 유용에 있어서 이 두 사람은 "우리가 생각할 수 있는 모든 비행을 함께 저질러 왔다."라는 거였다. 겉으로 보기에 두 사람은 잘 어울리지 않을 듯했다. 한 사람은 눈이 흐리멍덩하고 악의에 찬 분위기를 풍기는데다 물렁한 살이 붙은 몸은 곡선을 여러 곳 드러내고 있었고, 나머지 사람은 깡마른 체격이라 여기저기 움푹 꺼진 곳이 많았고 늙은 말의 머리처럼 뼈가 앙상하게 드러난 긴 머리에다 홀쭉한 뺨, 쑥 들어간 관자놀이, 우묵한 눈의 무관심하고 흐릿한 눈초리를 하고 있었다. 그는 동양의 어디에서 그만 주저앉고 말았는데 그게 광동 아니면 상해였고 어쩌면 요코하마일 수도 있었다. 그는 자기가 주저앉게 된 곳이 정확히 어딘지 그리고 난파의 원인이 무엇인지를 기억하고 싶지 않았을지도 모른다. 그는 이십 년 전이나 그 이전에 자기의 젊음을 불쌍히 여긴 선원들에 의해 배에서 조용히 쫓겨나게 되었다. 그런데 그 대목에 대한 기억에 불행의 흔적이 조금도 없었다는 사실이야말로 그를 위해서는 그만큼 더 나쁜 것일 수도 있었다. 그러다가 증기 기관을 이용한 항해가 이 해역까지 확대되었고 그 기술을 가진 사람이 처음에는 귀했기 때문에 그는 그럭저럭 기관사 노릇을 해낼 수 있었다. 낯선 사람들을 만나면 그는 음침하게 중얼거리면서 자기가 '이곳에서 오랫동안 굴러먹은 사람'임을 알리려고 애를 썼다. 그가 움직일 때면 해골이 그의 옷을 걸치고는 흐느적거리고 있는 듯했고, 걷는 모습도 그저 어슬렁거리는 것으로 보였다. 그래서 기관실에서도 그는 천창(天窓) 주위를 즐겨 어슬렁거리면서 길이가 4피트나 되는 벚나무 줄기 끝에 달린 놋쇠 대통에 조제(調劑) 담배를 담아 피우면서도 맛은 모르고 있었고, 어쩌다 흘낏 보게 된 흐릿한 진리를 근거로 하나의 철학 체계를 펼치려는 사상가처럼 백치 같은 둔중함을 보이고 있었다. 그는 언제나 자기가 저장해 둔 술을 헤프게 나누어 줄 사람은 아니었다. 그러나 그날 저녁에는 그가 평소의 원칙에서 벗어났고, 그래서 와핑 출신의 그 멍청한 이등기관사는, 뜻밖의 대접에 감격했기 때문인지 아니면 독한 술에 취했기 때문인지, 하여간 아주 행복한 기분으로 건방지게 수다를 떨고 있었던 것이다. 독일계 뉴사우스웨일스인의 분노는 극에 달해 있었다. 그는 배기 파이프처럼 분노를 뿜고 있었고, 그 광경에 별로 흥미를 느끼지 못하던 짐은 아래쪽 선실로 내려가게 될 시간을 초조히 기다리고 있었다. 십 분밖에 남지 않은 그의 당직 시간이 불을 댕겨 놓은 화승포처럼 그를 조바심 나게 했다. 그들은 영웅적인 모험의 세계와는 상관없는 사람들이었지만 나쁜 녀석들은 아니었다. 심지어는 선장까지도……. 추잡한 표현으로 된 혼탁한 물방울 같은 투덜거림을 그르럭 그르럭 쏟아내며 헐떡이는 살덩이를 보고 있자니 짐은 메스꺼워졌다. 그러나 그는 너무 기분 좋게 나른했기에 그 장면이나 다른 어떤 광경도 진정으로 혐오하지는 않았다. 그 사람들의 자질은 문제가 되지 않았다. 그는 그들과 어깨를 비비며 살았지만 그들이 그에게 손을 댈 수는 없었다. 그가 비록 그들과 함께 같은 공기를 마시고 있었으나 그는 그들과 달랐다. ……선장이 그 기관사에게 덤벼들 것인가? ……삶은 수월했고 그는 너무나 자신이 있었다. 너무 자신이 있었기에……. 그가 명상하고 있는 건지 아니면 서서 몰래 졸고 있는 건지 분간하는 선은 한 가닥의 거미줄보다도 더 가늘었다.

이등기관사는 자기의 재정 형편과 용기를 한번쯤 생각해 보는 쪽으로 쉽게 옮겨 가고 있었다.

"누가 취했다고요? 내가요? 아니지요, 아니라고요, 선장님! 그런 말은 안 통한다고요. 기관장은 참새 한 마리를 취하게 할 만큼의 술도 나누어 줄 사람이 못 된다는 걸 선장께서 지금쯤은 알고 계셔야지요. 내가 술 때문에 더 나빠졌던 적은 아직 없다고요. 나 같은 사람을 취하게 할 술은 빚어진 적이 없다고요. 선장께서 여러 잔의 위스키를 마시는 것에 대적해서 내가 액화(液火)를 마신다고 해도 나는 냉정함을 잃지 않고 멀쩡할 수가 있다고요. 내가 만약에 취했다고 생각한다면 바다로 뛰어들어 내 자신을 끝장내고 말겠어요. 젠장, 끝장을 낼게요. 당장에 낼게요. 그런데 나는 선교를 떠나지 않을 겁니다. 오늘 같은 밤에는 내가 어디서 바람을 쏘일 것 같습니까? 저 갑판에 있는 벌레 같은 인간들 사이에서요? 그럴 수도 있지 않겠느냐고요? 선장께서 무슨 짓을 한대도 나는 무섭지 않다고요."

독일인은 묵직한 두 주먹을 하늘로 치켜들고는 아무 말도 없이 조금 휘두르고 있었다.

"나는 두려움을 모른답니다." 이등기관사가 진지한 확신을 열렬히 보이며 말했다. "나는 이놈의 썩어 빠진 배에서 온갖 고약한 일을 한대도 두렵지 않다고요. 젠장! 목숨에 대한 두려움이 없는 우리 같은 사람이 이 세상에 있다는 사실이야말로 선장님을 위해서는 다행스러운 일이지요. 우리가 없었다면 선장님이 어떻게 되셨겠어요? 선장님과 이 갈색 포장지 같은 철판으로 된 낡은 배 말입니다. 갈색 포장지 같다고요. 선장님을 위해서는 아주 다행스러운 일이지요. 선장님이야 이래저래 이 배에서 많은 돈을 벌겠죠. 그런데 나는 뭡니까? 한 달에 변변찮은 봉급이랍시고 겨우 150달러를 받으며 이게 내 천분(天分)이라고 개인 장비까지 구입해야 하니까요. 선장님께 존경 어린 마음으로 물어보고 싶습니다. 이런 오라질 놈의 일자리를 그만두지 않을 사람이 어디 있겠습니까. 존경 어린 마음으로 물어보겠다고 했습니다. 이 배는 안전하지가 않다고요. 내가 겁이 없는 사람이니까 망정이지."

그는 잡고 있던 난간을 놓고 자기가 어떻게 얼마나 용감한가를 허공에다 그려 보이려는 듯이 여러 가지 몸짓을 했다. 그의 가느다란 목소리는 바다 위로 길게 끼익 끼익 소리를 내며 번져 나갔다. 자기 발언의 내용을 더욱 강조하기 위해 살금살금 앞뒤로 오락가락하던 그는 마치 몽둥이로 뒤통수를 얻어맞은 것처럼 갑자기 머리를 앞으로 숙였다. 그는 넘어지면서 "젠장!" 이라고 했다. 그 소리에 뒤이어 한순간 침묵이 흘렀다. 짐과 선장도 함께 동작을 맞춘 듯이 앞으로 비틀거렸다가 몸을 가눈 후 아주 꼿꼿이 서서 어안이 벙벙한 표정으로 아무 동요도 없는 바다 표면을 가만히 응시했다. 그러고 나서 그들은 하늘의 별을 쳐다보았다.

무슨 일이 일어난 걸까? 엔진은 계속해서 쿵쿵거리고 있었다. 지구의 운행에 제동이 걸린 걸까? 그들은 이해할 수 없었다. 조용한 바다와 구름 없는 하늘은 미동도 하지 않았지만, 마치 입을 벌리고 있는 파멸의 벼랑 위에서 위태롭게 균형을 잡고 있듯이, 무겁고 불안정해 보였다. 기관사는 온몸을 수직으로 바로 세우더니 다시 넘어져서 정체불명의 더미처럼 되었다. 그 더미에서는 깊은 슬픔을 숨기고 있는 듯한 어조로 "웬일이지?" 라는 소리가 들렸다. 천둥소리, 그것도 아주 먼 곳에서 들려오는 천둥소리 같은 희미한 소음이 천천히 지나갔는데, 그것은 소리라기보다도 진동에 불과한 것이었다. 마치 그 천둥이 물속 깊은 곳에서 으르렁거렸던 것처럼 배는 그 소리에 반응하며 떨렸다. 타륜을 잡고 있던 두 말레이인들의 눈이 백인들을 향했다. 그러나 그들의 검은 손은 타륜의 손잡이를 놓지 않고 있었다. 운행 중이던 선명한 선체는 마치 유연해지기라도 한 것처럼 그 전체 길이가 모두 지나도록 잇달아 몇 인치씩 솟구치는 듯하다가 다시 가라앉더니 잔잔한 바다 표면을 가르는 일로 근엄하게 되돌아갔다. 배가 마치 진동하는 물과 웅얼대는 공기로 가득한 좁은 수로를 모두 건너기라도 한 것처럼, 갑자기 진동이 멈췄고 희미한 천둥소리도 끝났다.

4장

한 달쯤 뒤에 짐이 신랄한 심문에 응답하며 그날 겪었던 일의 진실을 정직히 진술하려 했을 때, 그는 그 배에 대해서 "그게 무엇이었는지 모르지만 뱀이 막대기를 기어 넘듯이 배는 수월하게 그것을 타 넘었습니다."라고 말했다. 그 비유적 설명은 훌륭했다. 심문은 사실을 캐내려 했고, 그 공식 조사는 동양의 어느 항구의 경찰 법정에서 행해지고 있었다. 시원하고 높다란 방에서 그는 타오르는 듯한 뺨을 하고 높다란 증인석에 서 있었다. 그의 머리 위 높은 천장에서 큼직한 풍카 부채[12]가 천천히 앞뒤로 움직이고 있었고, 아래쪽에서는 검은 얼굴, 흰 얼굴

12) 야자 나뭇잎으로 만든 커다란 부채로 천장에서 하인들이나 기계의 힘으로 움직인다.

및 붉은 얼굴을 한 사람들의 많은 눈이 그를 바라보고 있었는데, 좁은 벤치에 질서정연하게 앉아 있던 모든 사람들은 마치 짐의 매혹적인 목소리에 사로잡힌 듯이 마력에 걸린 얼굴로 주의를 기울이고 있었다. 그의 목소리는 아주 우렁찼고 자신이 들어도 놀라울 정도로 쩌렁쩌렁 울렸으며 이 세상에 들리는 유일한 소리 같았다. 왜냐하면 그로부터 답을 짜내려는 무섭도록 분명한 질문들이 그의 가슴속의 고뇌와 고통 속에서 생성된 무서운 양심의 문초처럼 말없이 신랄하게 그에게 다가오는 듯했기 때문이다. 심판정 밖에서는 태양이 이글거리고 있었지만, 실내에서는 커다란 풍카 부채들이 보내는 바람에 몸이 떨릴 지경이었고, 수치심은 얼굴을 화끈거리게 했으며, 노려보는 눈초리들은 찌르는 듯했다. 두 해사(海事) 심판관의 붉은 얼굴 사이에서 깨끗이 면도하고 감정이라고는 전혀 드러내지 않는 심판장의 얼굴이 아주 창백하게 그를 바라보고 있었다. 천장 아래쪽의 넓은 창으로 들어온 빛이 위에서 이 세 사람의 머리와 어깨를 비추고 있었다. 방청석이 응시하는 허깨비들의 눈빛으로 가득한 듯하던 그 심판정의 어스름 속에서 세 심판관만이 눈에 거슬리게 또렷이 보였다. 그들은 사실을 알고 싶어 했다. 사실만을! 마치 사실이 모든 것을 설명할 것처럼 그들은 그에게 사실을 요구했다.

"배가 난파선 같은 부유물과 충돌했을 것이라는 결론을 내렸을 때, 증인은 선장으로부터 앞으로 나가 배의 피해를 확인해 보라는 명령을 받았다고 했습니다. 증인은 충격의 강도로 미루어서 피해가 있을 법하다고 생각했습니까?" 왼쪽에 앉아 있던 심판관이 물었다. 그는 얇은 말발굽 모양의 턱수염에 광대뼈가 두드러진 얼굴이었고, 양쪽 팔꿈치를 탁자에 고인 채 거친 두 손을 얼굴 앞에서 맞잡고서 생각에 잠긴 파란 눈으로 짐을 바라보고 있었다. 나머지 한 사람의 심판관은 멸시하는 듯한 표정으로 무거운 몸을 뒤로 젖히고 앉아서 왼팔을 길게 펼치고는 손가락 끝으로 압지(押紙) 끼우개를 살살 두드리고 있었다. 두 사람 사이의 심판장은 널찍한 안락의자에 꼿꼿이 앉아 머리를 한쪽 어깨 위로 약간 기울인 채 팔짱을 끼고 있었다. 그의 잉크스탠드 곁에 있던 유리 꽃병에는 꽃 몇 송이가 꽂혀 있었다.

"그렇게 생각하지는 않았습니다." 짐이 말했다. "선장은 저에게 공황을 일으킬 염려가 있으니 아무도 부르지 말고 시끄럽게 하지도 말라고 했습니다. 저는 그렇게 조심할 필요가 있겠다고 생각했습니다. 저는 차양 밑에 걸려 있던 램프 하나를 들고 앞으로 나갔습니다. 이물의 선창 출입구를 열자 물이 출렁이는 소리가 들렸습니다. 색구(索具)를 매는 밧줄이 미치는 데까지 램프를 내려 보니까 이물의 선창에는 이미 반이 넘게 물이 차 있었습니다. 흘수선(吃水線) 아래쪽에 커다란 구멍이 났음이 틀림없다는 생각이 들더군요." 그는 말을 그쳤다.

"그렇군." 체구가 큰 심판관이 압지 끼우개을 향해 꿈결 같은 미소를 지으며 말했다. 그의 손가락은 소리 없이 서류를 만지면서 끊임없이 꼼지락거리고 있었다.

「저는 그때 위험을 생각하지는 않았습니다. 약간 놀랐다고 할 수는 있지요. 모든 일이 아주 조용히 그리고 너무 갑자기 일어났거든요. 그 배에는 이물의 선창을 앞쪽 선창과 분리하는 충돌 대비 칸막이 벽 이외에 다른 벽이 없다는 것을 알고 있었습니다. 저는 선장에게 보고하러 되돌아갔습니다. 선교 사다리 밑쪽에서 일어서고 있는 이등기관사와 마주쳤지요. 그는 넋이 나간 듯했고, 자기의 왼팔이 부러진 것 같다고 하더군요. 제가 이물 쪽에 가 있는 동안 사다리를 내려오다가 꼭대기 계단에서 미끄러졌다는 것입니다. 그는 소리쳤습니다. "맙소사! 그 썩어 빠진 칸막이 벽은 이제 언제라도 허물어질 수 있을 거고, 이 망할 놈의 배는 납덩이처럼 가라앉게 될걸." 그는 오른팔로 저를 밀어내고 저보다 앞서 사다리를 기어오르며 소리를 지르더군요. 뒤따라 올라가던 저는 때마침 선장이 달려들어 그를 때려서 바닥에 눕히는 광경을 보게 되었습니다. 선장이 그를 다시 때리지는 않았습니다. 선장은 그를 굽어보면서 조용히 성난 어조로 말했습니다. 갑판에서 소동을 벌일 것이 아니라 가서 엔진이나 중지해야 할 것이 아니냐고 선장은 기관사에게 따지고 있었을 겁니다. 그가 "일어나! 뛰어가! 서둘러!"라고 말하는 소리가 들렸습니다. 그는 욕도 하더군요. 기관사는 우현 쪽 사다리로 미끄러지며 내려가더니 천창을 돌아 좌현 쪽에 있던 기관실 출입구로 달려갔습니다. 그는 달려가면서 신음하더군요.」

그는 천천히 말했다. 그는 재빨리 그리고 극히 생생하게 기억해 냈다. 사실을 원하는 심판관들에게 보다 나은 정보를 제공하기 위해서라면 기관사의 신음까지도 산울림처럼 재생해 낼 수 있었을 것이다. 처음에는 반발을 느끼던 그도 꼼꼼하고 정확한 진술만이 사물의 무서운 표면 뒤에 숨은 진짜 공포를 이끌어 낼 수 있을 것이라는 생각을 하게 되었다. 심판관들이 그처럼 열심히 알아내고자 하던 사실들은 볼 수 있고 만질 수 있는 것이어서 감각기관에 수용 가능하고 공간과 시간 속에서 자리를 점유하고 있는 것이었다. 즉 그것들이 존재하기 위해서는 1400톤짜리 기선과 27분이라는 시간이 필요했다. 그 사실들은 여러 특징이며 미묘한 표정들을 지닌 하나의 전체 또는 눈으로 보아서 기억할 수 있는 하나의 모습이었고, 그 밖에도 무언가 눈에 보이지는 않지만 혐오스러운 육신 속에 들어 있는 악의에 찬 영혼처럼 내면에 살면서 파멸을 인도하는 정령(精靈)을 포함하고 있었다. 그는 이 점을 분명하게 하려고 신경을 썼다. 그것은 평범한 사건이 아니었고 그 속의 모든 것은 지극히 중요했는데, 다행히도 그는 그것들을 모두 기억하고 있었다. 그는 진실을 위해, 그리고 어쩌면 자신을 위해, 진술을 계속하고 싶어 했다. 그의 발언은 숙고된 것이었지만, 그의 마음은 자기 주변에서 솟아올라 여타 선원들로부터 그를 단절시키고 있던 사실들로 구성된 빽빽한 원 주위를 열심히 빙빙 돌고 있었다. 그 마음은 높은 말뚝을 박아서 만든 울타리 속에 갇힌 짐승 같아서 밤이면 미칠 듯이 울타리를 따라 뛰어다니며 허술한 곳이나 틈새나 기어오를 수 있는 곳이나 또는 비집고 빠져나갈 수 있는 구멍이 없는지 찾으려고 애를 썼다. 그 무서운 마음의 움직임 때문에 이따금 그는 진술을 머뭇거렸다.

"선장은 선교에서 이리저리 움직이고 있었습니다. 그는 냉정해 보였지만 몇 차례 넘어지기도 하더군요. 한번은 제가 그에게 말을 하고 있는데 그는 마치 눈먼 것처럼 똑바로 걸어와서 저와 부딪히기도 했습니다. 그는 제 말에 대해 분명한 답을 하지 않았습니다. 그는 혼자서 뭐라 중얼거리고 있었는데, 제가 들을 수 있었던 것은 '망할 놈의 증기'니 '지옥 같은 증기'니 하는 증기와 관계되는 듯한 몇 마디뿐이었습니다. 제 생각으로는……."

그는 사실과 무관한 말을 하고 있었다. 요점만을 요구하는 물음에 그는 몹시 고통을 느끼며 말을 중단했다. 그는 지극히 의기소침했고 지쳐 있었다. 그는 사실을 향해 접근해 가고 있는 중이었다. 사실로 접근해 가다가 무례하게 제지받은 그는 이제 '예'와 '아니오'로만 대답해야 했다. 그는 "예, 그랬습니다."라는 퉁명스러운 말로 참되게 대답했다. 흰 얼굴과 큰 체격에 젊고 음울한 눈을 하고 있던 그는 증인석 위로 어깨를 곧게 세우고 있었지만 그의 영혼은 속에서 몸부림치고 있었다. 그는 요점에 아주 근접하지만 아무 소용도 없는 답을 해야만 했고 다시 기다렸다. 그의 입은 먼지를 먹은 것처럼 입맛을 잃고 메말랐다가 이내 바닷물을 마신 뒤처럼 짜고 쓰기도 했다. 그는 축축한 이마를 훔쳤고 혀로 바짝 마른 입술에 침을 발랐으며, 등골에 전율이 흐르는 것을 느꼈다. 체격이 큰 심판관은 눈꺼풀을 떨어뜨리고 소리 없이 손가락을 톡톡 치고 있었는데 자기는 아무 관심도 없고 애통하다는 표정이었다. 맞잡고 있던 그을린 손가락들 위로 드러난 다른 심판관의 눈에는 다정함이 이글거리는 듯했다. 심판장은 몸을 앞으로 흔들고 있었는데 그의 얼굴이 꽃 근처에서 어른거리다가 의자의 팔걸이 위로 떨어지자 손바닥으로 관자놀이를 받쳤다. 풍카가 보내는 바람이 소용돌이치며 여러 사람들의 머리 위로 불었고, 펑퍼짐하게 천을 두르고 있는 원주민들과 마치 피부처럼 몸에 딱 달라붙는 더운 면직 양복을 입고 둥근 솔라 모자를 무릎에 올려놓은 유럽인들에게로 불어왔다. 한편 긴 백색 코트의 단추를 몸에 조이도록 끼운 원주민 정리(廷吏)들이 맨발로 벽을 따라 바삐 오가고 있었는데 그들은 붉은 허리띠에 붉은 터번을 쓰고 유령처럼 소리는 없었으나 사냥한 짐승을 물고 오려는 같은 수의 사냥개들처럼 긴장하고 있었다.

대답하는 틈틈이 이리저리 두리번거리고 있던 짐의 눈이 한 백인에게 멈췄다. 다른 사람들과는 떨어져서 앉아 있던 그는 얼굴이 지쳐 있었고 어두웠지만 조용한 눈만이 맑게 관심을 보이며 똑바로 쏘아보고 있었다. 짐은 또 하나의 질문에 답하면서 "이런 질문은 무엇 때문에 합니까? 대체 무슨 소용이 있어요?" 라고 소리치고 싶은 유혹을 받았다. 그는 발로 가볍게 톡톡 소리를 냈고 입술을 깨물었으며 사람들의 머리 너머로 내다보기도 했다. 그는 백인의 눈과 마주쳤다. 짐 쪽을 향하고 있던 눈초리에는 다른 사람들과는 달리 매혹적인 노려봄이 없었다. 그것은 지적 의지의 행위였다. 한 질문에서 다음 질문으로 넘어가는 사이에 짐은 어떤 생각에 잠겨 볼 여유를 가질 수 있을 정도로 자기의 처지를 잊고 있었다. 그것은 이 사람이 내 어깨 너머에 있는 사람이나 물체를 보듯이 나를 바라보고 있구나 하는 생각이었다. 예전에 이 사람과 마주친 적이 있는 듯한데, 아마도 길거리에서였겠지. 그에게 말을 건 적이 없음은 분명했다. 여러 날 동안, 참으로 여러 날 동안, 그는 아무에게도 말을 하지 않았고 감방에 갇힌 죄수처럼 혹은 황야에서 길을 잃은 나그네처럼 침묵하며 조리 없이 자기 자신을 상대로 한없는 대화만 해 오고 있었던 것이다. 그는 이제 목적은 있지만 중요하다고는 할 수 없는 질문들에 응답하고 있었지만, 앞으로 그의 여생 동안 다시 자기 생각을 시원히 말할 기회를 가지게 될 것인지가 의심스러웠다. 진실을 진술하고 있던 그의 목소리가 이제 자기에게는 언변이 영영 아무 소용도 없을 것이라는 신중한 견해를 확인하고 있었다. 거기 있던 그 사람은 짐의 절망적 곤경을 인지하고 있는 듯했다. 짐은 그를 바라보다가 마치 마지막 이별을 한 뒤처럼 결연히 머리를 돌리고 말았다.

그런데 훗날 이 세상의 여러 먼 곳에서 말로[13]는 짐을 기억하려는 의지를 여러 번 보였다. 그는 짐을 기억하되 길게 상세히 그리고 귀에 들리는 이야기의 형태로 기억했다.

아마도 만찬이 끝난 후 어느 베란다에서 그 이야기를 했을 것이다. 그곳은 흔들리지 않는 잎으로 뒤덮이고 꽃으로 장식되어 있었는데 짙은 어둠 속에서 불이 붙은 여송연 토막의 반점들이 여기저기 보였다. 길게 편 등나무 의자마다 한 사람씩 말없이 앉아서 이야기를 듣고 있었다. 이따금 빨갛게 타던 작

---

13) 말로는 이 소설의 주 서술자이며, 콘래드의 다른 작품들, 이를테면, 『청춘』(1898), 『암흑의 핵심』(1899) 및 『기연』(1913) 등에서도 서술자로 등장한다.

은 담뱃불이 갑자기 움직이면 빛이 확대되면서 나른한 손가락들과 깊은 휴식에 잠긴 얼굴의 일부가 보였고, 주름살 없는 이마 아래 우묵이 자리 잡은 생각에 잠긴 두 눈에서 진홍빛이 번뜩이기도 했다. 첫마디가 발언되면서부터 자기 자리에 편히 뻗어 있던 말로의 육신은 꼼짝도 하지 않았는데, 마치 그의 정령(精靈)이 흘러간 시간 속으로 날갯짓하며 들어간 후 그의 입술을 빌려 과거로부터 말을 하고 있는 것 같았다.

5장

「아, 그럼. 나도 그 조사를 방청했었지.」 그가 말하곤 했다. 「그런데 내가 뭣 하러 그런 곳에 갔는지 오늘날까지도 모르겠어. 나는 우리들 각자에게 수호천사가 있다고 믿고 싶어. 물론 우리들 각자에게는 늘 따라다니는 악마도 있다는 것을 자네들이 시인한다는 전제하에서 하는 말이네. 자네들의 시인을 바라는 이유는 나 자신이 어떤 식으로든 예외적이라고 느끼고 싶지 않기 때문이야. 나에게도 그런 악마가 있다는 것을 알고 있거든. 물론 내가 그 악마를 본 적은 없지만 그게 있다는 정황 증거를 두고 하는 말이지. 악마는 으레 있기 마련이고 악의를 품고 있기 때문에 나를 그런 일에 끌어들이지. 그게 무슨 일이냐고? 그야 그 조사라든지 그 누렁이 개 한 마리와 관계되는 것이지 뭐겠나. 사람들이 불결한 떠돌이 개 한 마리를 사람들의 발에 걸리도록 심판정의 베란다에 내버려 둘 거라고는 자네들이 생각도 하지 않을 거야. 그런 일은 어떤 우회적이며 예기치도 못했던 참으로 악마적인 방식으로 나를 충동하여 약점이나 강점 또는 감춰진 병반점(病斑點)을 가진 사람들과 마주치게 할 뿐더러, 그 사람들이 나를 보고는 끔찍한 내용의 이야기를 은밀히 늘어놓을 수 있도록 그들의 혀를 풀어놓기도 하지. 정말이지, 마치 나에게는 남에게 들려줄 은밀한 이야기가 전혀 없는 것처럼 말일세. 그리고 맙소사, 마치 나에게는 내게 기약된 삶이 끝나는 날까지 내 자신의 영혼을 괴롭히고도 남을 만한 은밀한 이야기가 없는 것처럼 말일세. 도대체 내가 무슨 짓을 했기에 그런 대접을 받아야 했는지 알 수가 없어. 나는 내 주변에 있는 어느 누구 못지않게 근심거리가 많고, 이승에서의 삶이라는 이 골짜기에서 길을 가고 있는 여느 보통 사람에 못지않게 많은 것을 기억하고 있다고 말하고 싶어. 그러므로 내가 다른 사람들의 고백을 들어주기에는 특별히 적합하지 않은 사람임을 자네들은 알 거야. 그렇다면 왜? 나도 모르겠어. 정찬이 끝난 후에 혹시 소일하는 데 쓰라는 걸까? 이봐, 찰리, 자네가 낸 만찬은 기막히게 맛있더군. 그 결과로 여기 이 사람들은 조용한 카드놀이마저 마치 소란스러운 일로 여기게 되었지 뭔가. 그들은 안락한 의자에 늘어져서 속으로 "만사가 귀찮군. 저기 저 말로에게 이야기나 시켜 보지 그래."라고 생각한다고.

「이야기를 하라니! 그렇게 하지. 짐 도련님에 대한 이야기야 아주 하기가 쉬우니까. 잘 차린 음식을 먹었겠다, 해발 200피트나 되는 높다란 곳에 맛 좋은 여송연까지 한 통이나 마련되어 있겠다, 상쾌하고 별빛 어린 축복 받은 저녁이겠다, 그러니 우리들 중의 가장 훌륭한 사람들까지도 우리는 이 세상에서 유예(猶豫) 상태에 있을 뿐이며 여러 십자광(十字光)을 받으며 헤쳐 나가야 하고, 모든 귀중한 순간 및 모든 돌이킬 수 없는 발걸음을 조심하고, 결국은 잘 해낼 수 있을 것이라고 믿으면서도 도무지 자신은 없고, 또 좌우로 팔꿈치를 서로 스치면서도 다른 사람들의 도움이라고는 별로 기대할 수 없다는 사실을 잊어버리게 돼. 물론 만찬을 마친 뒤에 여송연을 피우듯이 인생을 대하는 사람들도 여기저기 더러 있기는 하지. 그들은 안이하고 즐겁게 살면서도 공허할 것이고 아마도 남이 겪은 갈등 이야기나 들으며 기운을 내겠지만 이야기가 끝나기도 전에, 혹시 그 이야기에 끝이 있다 하더라도 그 끝에 이르기도 전에, 이야기를 잊어버리고 말 테지.

「그 조사를 하는 동안 나는 처음으로 그의 눈과 마주쳤어. 어떤 식으로든 바다와 관련되어 있던 사람들은 모두 그 자리에 나왔다는 것을 알아야 해. 아덴에서 온 그 영문 모를 전보를 받고 놀란 우리가 낄낄댄 후 그 사건은 벌써 여러 날 동안 악명을 떨치고 있었기 때문이야. 내가 '영문 모를'이라는 말을 쓴 것은 그 전보가 적나라한 사실, 즉 더없이 적나라하고 흉측한 사실을 담고 있었는데도 그 사실이 어떤 의미에서는 영문 모를 일이었기 때문이야. 부두에서는 사람들이 그 이야기밖에 하지 않았다니까. 내가 아침에 선장실에서 옷을 입을 때면 가장 먼저 듣게 된 것도 바로 칸막이를 통해 들려오는 그 이야기였어. 파르시교도(教徒)[14] 통역원이 주방에서 특별히 차 한 잔을 얻어 마시면서 스튜어드와 파트나호에 대해 떠벌리고 있었던 거야. 상륙하자마자 나는 몇몇 친지들을 만났는데, 가장 먼저 듣게 되는 것은 언제나 "세상에 이보다 더 기막힌 이야기를 들어 본 적이 있어요?"라는 물음이었지. 그리고 그가 어떤 부류의 인물이냐에 따라 냉소적인 미소를 짓거나 슬픈 표정을 하거나 또는 한두 마디의 욕을 하기도 했어. 전혀 처음 보는 사람들끼리도 친근하게 다가가서 그 이야기에 대한 견해들을 늘어놓곤 했으니까. 시내에서 떠돌고 있던 녀석들도 모조리 그 사건을 놓고 술판을 벌이곤 했지. 항만 사무실에서, 모든 선박 중개상 사무실에서, 온갖 선박 대리점에서, 또 백인들, 원주민들, 혼혈인들 사이에서, 그리고 사람들이 오르내리는 돌계단 위에서 반쯤 벗은 몸으로 웅크리고 있는 모든 보트 선원들에게서 그 이야기를 들을 수 있었거든. 정말이지, 그들의 운명이 어떻게 되었을까에 대해서는 약간의 분노와 몇 가지 농담 및 끝없는 토론이 있었지. 이런 식으로 두어 주일 넘게 시간이 흘렀다고. 그리고 그 사건에서 해명되지 않은 부분은 모두 비극적이었음이 밝혀질 것이라는 견해가 지배적으로 되어 가고 있던 어느 날 아침이었어. 내가 항만 사무실 계단 곁의 그늘에 서 있는데 네 명의 사내가 부두를 따라 내 쪽으로 걸어오더군. 한동안 그 괴이한 무리가 어디서 나

---

14) 이슬람교도의 박해를 피해 8세기 경에 페르시아에서 인도로 이주한 조로아스터교도.

타났을까 궁금했지만, 문득 나는 "이게 바로 그들이구나!"라고 혼자서 소리쳤지.

「그들 중의 세 사람은 보통 체격이었지만 나머지 한 사람은 어느 누가 당당히 내세울 수 있는 것 이상으로 허리둘레가 크더군. 그들은 그날 아침 해가 뜬 후 한 시간쯤 지났을 때 입항해서 지금은 출항 예정인 데일 라인의 기선에서 아침을 잘 얻어먹고 막 상륙하는 참이었지. 틀림없었어. 나는 파트나호의 그 잘난 선장을 한눈에 알아보았거든. 우리가 사는 이 지구를 완전히 한 바퀴 돌아보아도 열대지방에서 그만큼 뚱뚱한 사람은 없었다니까. 더욱이 약 아홉 달쯤 전에 나는 그를 사마랑에서 만난 적이 있었거든. 그의 기선은 항구 밖 정박장에서 짐을 싣고 있었고, 그는 독일 제국의 포악한 풍습을 남용하며 드종의 뒷 가게에서 날이면 날마다 하루 종일 맥주만 마시고 있었어. 눈까풀 하나 깜빡하는 일이 없이 한 병에 1길더씩 물리고 있던 드용도 결국은 나에게 손짓을 해서 옆으로 나오게 하더니 가죽처럼 보이는 그 작은 얼굴을 잔뜩 찌푸리며 몰래 말하더군. "선장님, 장사를 하자니 맥주를 팔기는 합니다만, 저 사람을 보면 매스꺼워집니다. 퉤!"

「나는 그늘에 서서 그를 바라보고 있었어. 그는 약간 앞선 채 서둘러 가고 있었고, 그에게 쏟아지던 햇빛으로 인해 큰 덩치가 놀랍게 돋보이더군. 그를 보니 뒷발로만 걷도록 훈련된 새끼 코끼리가 생각났어. 그의 차림도 지나치게 화려하더군. 밝은 초록색 바탕에 진한 귤색 수직 줄무늬가 있는 더러운 잠옷을 걸치고, 맨발에다 조잡한 짚 슬리퍼를 신고 있었고, 누군가 버린 더러운 솔라 모자를 큰 머리에 얹고 마닐라 로프로 동여매고 있었는데 그 사이즈가 그의 머리 크기보다는 두 치수나 작은 것이더라고. 자네들도 짐작하겠지만, 그런 체구라면 옷을 빌려 입을 데가 거의 없었을 테니까. 그건 그렇다 치고, 그는 좌우를 살피지도 않으며 종종 걸음으로 내 앞을 3피트쯤 떨어져서 지나더니 마음속으로 아무 죄책감도 없이 자기의 진술인지 보고인지를 하러 위층의 항만 사무실로 서둘러 올라가더군.

「그는 수석 선원 감독관에게 최초의 보고를 했던 모양이야. 아치 루스벨은 막 출근해서 부하 서기장에게 야단을 치면서 분주한 하루 일과를 시작하려는 참이었다는 거야. 자네들 중에도 그 서기장을 아는 사람이 있을걸. 작은 체구의 친절한 혼혈 포르투갈 사람이었는데 비참할 정도로 목이 깡말랐고 늘 선장들에게서 소금에 절인 돼지고기 조각이니 비스킷 봉지니 몇 개의 감자 같은 먹을 것을 얻어 내려고 뛰어다녔지. 생각해 보니, 언젠가 한번 항해 도중에 나는 남은 식량에서 살아 있는 양 한 마리를 그에게 팁으로 주었어. 그에게 무슨 부탁을 하려 해서가 아니었어. 부탁을 들어줄 능력도 없는 녀석이었으니까. 직무상의 부수입을 얻어 낼 신성한 권리가 자기에게 있다는 그의 유치한 믿음이 내 마음을 동하게 했기 때문이었지. 그 믿음은 너무 강해서 거의 아름답다고 해야 할 지경이었으니까. 그의 민족성 탓이었겠지. 아니야, 두 민족성이 섞인 탓이었다고 해야겠군. 기후 탓이었는지도 몰라……. 하지만 그런 것에 신경 쓸 건 없어. 일생 동안 변치 않을 친구를 얻을 수 있는 곳이 어딘지 나는 잘 알고 있으니까.

「그건 그렇고, 루스벨이 그러는데 자기는 서기장에게 직책상의 도덕성을 놓고 가혹한 훈시를 하고 있었다는 거야. 그때 그의 등 뒤에서 쉬쉬하는 소동이 있어서 돌아다보니 뭔가 둥글고 큼직하게 생긴 것이 보였나 봐. 1600파운드짜리 설탕 상자에 줄무늬 플란넬 옷을 입혀 위로 묶어서 사무실의 널따란 마루 가운데에 놓아둔 듯하더라는 거야. 그는 너무 놀란 나머지 상당한 시간이 흐르도록 그 물체가 살아 있다는 것조차 알지 못한 채 도대체 그게 무슨 일로 어떻게 자기 책상 앞까지 운반되어 왔을까 의아해하면서 가만히 앉아 있었다는 거였어. 곁방으로 통하는 아치형 통로에는 풍카를 흔드는 사람들이며 소제부며 경찰의 심부름꾼들이며 항구의 똑딱선 정장(艇長) 및 선원 등으로 혼잡했는데 모두들 목을 빼고 서로의 등을 기어오르다시피 했다니 상당한 소동이었겠지. 그 무렵에 녀석은 모자를 당겨 머리에서 벗고는 가볍게 절을 하며 루스벨 쪽으로 가고 있었지만, 루스벨은 그 모습에 너무 당혹한 나머지 그 유령이 무엇을 원하는지 알 수가 없어서 한동안 듣고만 있었다는 거야. 유령은 거칠고 애처로우면서도 대담한 목소리로 말을 했고, 아치 루스벨에게는 "이게 파트나호 사건과 관계되어 있구나." 하는 생각이 조금씩 떠올랐겠지. 자기 앞에 와 있는 사람이 누구인지 알게 되자 그는 아주 불편해지더라는 거야. 아치는 아주 동정심이 많으면서도 쉽게 속상해하는 편이었지만, 기운을 내서 "그만둬요! 당신의 이야기를 내가 들을 순 없어요. 당신은 항만청장에게 가야 하오. 내가 당신 이야기를 들을 순 없다니까. 당신이 만나고 싶어하는 사람은 엘리엇 선장이오. 이리로 오시오, 이리로."라고 소리쳤어. 그는 벌떡 일어나서 기다란 카운터를 돌아가더니 그를 당기거니 밀거니 했어. 상대방은 처음에 놀랐지만 순종하면서 그가 하는 대로 내버려 두다가 청장의 개인 집무실 문 앞에 이르러서야 모종의 동물적 본능 때문인지 뒤로 주춤하면서 불깐 황소처럼 놀라서 씩씩거리고 있었어. "이봐! 왜 이래? 놓아! 이봐!" 아치는 노크도 하지 않고 문을 활짝 열었어. "청장님, 파트나호의 선장입니다."라고 그는 소리쳤지. "선장, 들어가시오." 그는 연만한 청장이 무언가를 쓰고 있다가 고개를 획 쳐드는 통에 코안경이 떨어지는 것을 보며 문을 쿵 닫고는 자기 책상으로 도망쳤다는 거야. 그의 책상에는 서명을 기다리는 몇 장의 서류가 놓여 있었거든. 그러나 거기서 벌어진 소동이 너무 끔찍해서 그는 자기 이름의 철자를 기억해 낼 수 있을 만큼의 정신도 가다듬을 수 없었다는 거야. 아치야말로 이 지구의 동서 반구(半球)에 걸쳐 가장 민감한 선원 감독관이었거든. 그는 자기가 마치 굶주린 사자에게 한 사내를 던져 준 듯한 기분이었다고 말했어. 그 소동이 대단했다는 것은 분명해. 내가 아래층에서도 소리를 들었으니까. 그 정도의 소동이면 해안 산책로 건너편의 밴드 스탠드까지도 들렸을 것이라고 말할 수 있지. 엘리엇 어르신네는 사용하는 어휘가 풍부했고 호통을 치기도 하는 분이었는데 그럴 때는 상대를 가리지 않았거든. 여차하면 총독에게도 호통을 쳤을 거야. 그는 늘 내게 말했지. "나는 지위가 오를 만큼 올랐다네. 내 연금은 안전하게 보장되어 있고, 돈도 몇 푼은 저축해 두었지. 그러니 직무에 대한 나의 생각을 그들이 싫어한다면 나는 당장 사임하고 귀국할 수도 있어. 나는 늙은이가 아닌가. 그래서 늘 하고 싶은 말은 하며 살아왔지. 지금 내게 걱정거리가 있다면 죽기 전에 딸들을 시집보내는 것뿐이야." 바로 이 딸 문제와 관련해서만은 그도 약간은 제정신이 아니었어. 그에게는 세 딸이 있었는데 놀라울 만큼 아버지를 닮긴 해도 모두들 지극히 상냥했다고. 그가 딸들의 혼인에 대한 암담한 생각을 하면서 잠이 깬 날 아침이면 사무실 직원들이 그의 눈빛에서 그것을 읽고 벌벌 떨었지. 그런 날이면 어김없이 그가 조반 삼아 누군가를 잡아먹을 듯이 굴곤 했다니까. 그러나 그날 아침에는 그 배신자를 조반으로 삼지는 않았어. 이왕에 나온 은유니 좀 더 빌려 쓴다면, 어르신네께서는 그 배신자를 잘근잘근 씹어 보다가 어이구! 하며 뱉고 말았던 거야.

「그래서 잠시 후에 나는 그 무지하게 큰 체구가 황급히 내려와 바깥쪽 계단에 가만히 서 있는 모습을 보게 되었어. 그는 곰곰이 생각해 보기 위해 내 바로 곁에 서 있었던 거야. 그 큼직한 자주색 뺨이 떨리고 있었어. 그는 엄지손톱을 물어뜯었고 얼마쯤 후에는 화난 곁눈질로 날 유심히 바라보더군. 그와 함께 상륙했던 다른 세 녀석들은 조금 떨어진 곳에 모여서 기다리고 있었지. 핏기 없는 얼굴에 야비하게 생긴 몸집 작은 녀석은 팔을 멜빵에 걸치고 있었고, 청색 플란넬 코트를 입고 있던 키다리는 나무토막처럼 말랐고 마른 빗자루처럼 부피가 없는 체구에 회색 콧수염을 늘어뜨리고는 백치처럼 으스대며 주위를 두리번거리더군. 세 번째 사람은 어깨가 벌어진 꼿꼿한 젊은이였는데 이야기에 열중하고 있는 듯하던 다른 두 사람에게 등을 돌린 채 두 손을 주머니에 집어넣고 텅 빈 해안 산책로 너머를 응시하고 있었어. 곧 쓰러질 듯한 마차 한 대가 온통 먼지를 뒤집어쓰고 베네치아 풍의 장막을 두른 채 세 사람의 맞은편에 다가와 멎더군. 마부는 오른발을 무릎에 걸치더니 발톱을 면밀히 살펴보고 있었어. 그 젊은이는 꼼짝하지 않았고 심지어는 머리조차 까딱하지 않으며 그저 햇살을 응시하고 있었을 뿐이야. 내가 짐을 본 것은 그때가 처음이었어. 그는 젊은이들에게서만 볼 수 있는, 나 몰라라 하면서 접근을 허용하지 않는 그런 표정이더군. 멀쩡한 사지에 깨끗한 얼굴을 하고 확고한 자세로 서 있던 그는 일찍이 세상에 태어난 그 어떤 소년 못지않게 장래성이 있어 보였어. 그가 알고 있던 모든 것뿐만 아니라 그 이상의 내용까지 약간 더 알고 있던 나는 그를 바라보자 화가 나더군. 마치 거짓 핑계를 대고 내게서 무언가를 앗아가려고 하는 그의 음모를 밝혀낸 듯한 기분이 들더라니까. 그가 그렇게 멀쩡한 표정이나 짓고 있을 일이 아니었거든. 나는 이런 유형의 인간이 그처럼 잘못될 수 있다면…… 하면서 혼자 생각해 보았어. 그러자 나는 그만 괴로웠고 모자라도 던지고 춤을 추듯 짓밟았으면 좋겠다는 느낌이 들더군. 언젠가 한번 나는 선박들로 가득한 어느 정박장에서 급하게 정박하려던 부하 간부 선원이 그만 닻을 잘못 다루자 한 이탈리아인 선장이 화를 내면서 그런 몸짓을 하는 걸 지켜본 적이 있었거든. 그가 겉으로 보기에 그처럼 편안한 자세로 서 있는 것을 보자 나는 속으로 "이 친구는 바보일까? 무감각한 걸까?" 하고 생각했어. 그는 어떤 곡을 하나 휘파람으로 불기 시작할 듯하더라니까. 다른 두 녀석들의 행동에 대해서는 내가 조금도 상관치 않았다는 걸 말해 두어야겠군. 그 두 사람이야, 어떤 의미에서는, 이미 온 세상 사람들이 다 알고 있었을 뿐만 아니라 곧 공식 조사까지 받게 되어 있던 그 이야기에 잘 어울리는 인물들이었다고 할 수 있으니까. "저 위층의 늙고 미친 악한이 글쎄 나를 개라고 부르더라고." 파트나 호의 선장이 말했어. 그가 나를 알아보았는지 어쩐지는 잘 모르겠어. 알아보았을 거야. 어쨌든 우리 두 사람의 눈은 마주쳤으니까. 그는 눈알을 부라렸고 나는 미소를 지었지. 개라는 말은 열려 있던 창을 통해 내 귀에도 들렸지만 아주 부드러운 형용어였어. "그분이 그런 말을 합디까?" 나는 이상하게도 혀를 묶어 둘 수가 없어서 물어보았지. 그는 고개를 끄덕이고 나서 다시 엄지손톱을 물어뜯으면서 숨을 죽이고 욕설을 하더군. 그러고 나서 그는 머리를 쳐들더니 내게 실쭉하게 열띤 무례함을 보이며, "젠장, 태평양은 넓은 곳이야, 친구. 당신네 못난 영국인이 몹쓸 짓을 해도, 나 같은 사람들을 받아 줄 곳이 많이 있다는 것을 나는 알고 있다고. 아피아니 호놀룰루니 하는 곳에 가면 아는 사람들이 많으니까."라고 말하더군. 그는 자기가 한 말을 다시 생각해 보며 말을 그쳤고, 나는 그런 곳에서 그가 잘 알고 있다는 사람들이 어떤 부류의 인간들일지 쉽게 짐작할 수 있었어. 나 자신도 그런 부류의 인물들을 적잖게 알고 있다는 사실을 숨기지 않겠네. 우리가 어떤 사람들과 사귀든 삶이 한결같이 즐거운 것처럼 처신해야 할 때가 더러 있는 법이야. 나는 그런 경우를 겪어 왔어. 더욱이 나는 그럴 필요성이 있었다는 데 대해 이제 와서 불쾌하게 여기는 척하지도 않겠네. 왜냐하면 내가 어울려야 했던 나쁜 인간들 중의 다수는, 도덕적(뭐라고 할까)도덕적 허식이 없기 때문에 또는 그와 비슷한 다른 이유로, 자네들이 그 어떤 현실적 필요성도 없이 그저 습관적이거나, 겁이 나서거나, 심성이 착해서거나, 그 밖의 오만 가지 비열하고 부당한 이유로 자네들의 식탁에 초대하곤 하는 그 늘 존대해 보이는 도둑 장사꾼들보다는 두 배나 더 배울 것이 있고 스무 배나 더 재미있기 때문이지.

「"당신네 영국인들은 모두 악당이야." 플렌스보르크[15] 인지 슈테틴[16]인지 하는 독일 항구 출신의 애국심에 불타는 호주인은 계속해서 말했어. 발트해 연안의 어느 점잖은 항구가 그 잘난 인간의 출생지가 되었던 탓에 그만 그 이름을 더럽히게 되었는지 확실한 지명이 도무지 기억나지 않는군. "당신네가 뭔데 고함을 지르는 거야. 응? 말해 보라고. 당신네라고 다른 민족보다 나을 게 뭐야. 그런데도 그 늙은 악한은 나에게 야단을 치더라니까!" 그 시체 같던 두툼한 몸집은 기둥 같은 두 다리에 의지한 채 떨고 있었어. 머리에서 발까지 온통 떨고 있었지. "당신네 영국인들은 늘 그렇다니까. 사소한 일에도 늘 야단을 친단 말씀이야. 그 이유는 내가 당신네 나라에서 태어

15) 독일 북부의 항구 도시 플렌스부르크를 가리키는 듯하다.
16) 독일 북부의 오데르강 하구에 있는 항구 도시. 제2차 세계대전 후에 폴란드에 귀속되었다.

나지 않았기 때문이지. 내 선장 자격증을 박탈하려거든 박탈해. 그까짓 자격증은 필요 없어. 나 같은 사람에게는 당신네의 그 썩어 빠진 자격증이 필요하지 않다니까. 침이나 뱉을까 보다." 그는 침을 뱉더군. "나는 미국 시민이 될 테야." 그는 초조히 거품을 물고 소리를 지르는가 하면, 그곳을 떠나지 못하도록 그를 붙잡아 두려는 눈에 보이지 않는 정체불명의 힘으로부터 자기 발목을 해방시키려는 듯이 발을 질질 끌기도 했어. 그가 하도 열을 올리고 있으니 동그란 총알 모양의 머리에서 본격적으로 김이 나더라니까. 그 어떤 신비한 힘이 있어서 내가 그곳을 떠나지 못하게 했던 건 아니야. 호기심이야말로 인간의 감정 중에서도 가장 명백한 것이 아닌가. 바로 그 호기심이 나를 그곳에 붙잡아 두고 사건의 전말이 판명될 경우 그 젊은이에게 어떤 영향을 끼칠 것인지 살피게 했어. 그는 주머니에 두 손을 넣고 보도 쪽으로 등을 돌린 채 해안 산책로의 풀밭 너머로 말라바 호텔의 노란색 주랑(柱廊) 현관을 응시하고 있었는데 마치 친구가 준비를 마치는 대로 함께 산책이라도 나서려는 사람 같더라니까. 그게 그의 표정이었으니 쳐다보기가 거북할 수밖에. 나는 그가 압도되어 어쩔 줄 모르며, 바늘로 고정되는 갑충처럼, 꾹꾹 찔리며 꿈틀거리는 것을 지켜보기 위해 기다리고 있었던 거야. 자네들이 내 말을 이해할지 모르겠지만, 나는 그런 꼴을 보게 될까 겁이 나기도 했어. 단순한 범죄가 아니라 범죄보다 더한 나약함을 저지르다가 발각된 사람을 지켜보는 일보다 더 끔찍한 것은 없거든. 가장 평범한 형태의 강건함만 있어도 우리가 법률적 의미의 죄인이 되는 것을 막을 수 있지. 하지만 우리 중의 어느 누구도 나약함으로부터는 안전할 수가 없어. 마치 이 지구의 몇몇 곳에는 숲속에 치명적인 독을 품은 뱀이 있지 않겠느냐고 생각하듯이, 인간에게는 잘 알려지지 않은 나약함이 있지 않겠느냐고 생각할 수 있지. 또 반생이 넘도록 우리에게 숨겨져 있어서 더러는 그것을 감시하기도 하고 못 보기도 하고, 또 더러는 기도로써 그것을 막으려 하고, 사내답게 멸시해 버리고, 또는 억압하고 무시하기도 하지만, 그런 나약함으로부터 안전할 수 있는 사람은 아무도 없단 말일세. 우리는 덫에 걸려 여러 가지 일을 하게 되고 그것 때문에 욕을 먹기도 하고 교수형을 당하기도 하지. 그렇지만 정신만은 살아남는 법이야. 저주를 이겨내고 목을 매는 밧줄도 뿌리치고 살아남지. 그런데도 세상에는 아주 사소해 보이는 것들이 여럿 있고 그런 것으로 인해 우리 중의 몇몇은 철저하게 완전히 망할 수도 있어. 나는 거기서 있던 그 젊은이를 지켜보고 있었지. 그의 외모가 내 마음에 들었던 거야. 그런 외모를 난 잘 안다고. 그는 출신이 좋은 사람이거든. 그는 우리들 중의 한 사람이라 할 수 있어. 거기서 그는 자기 부류 사람들의 태생(胎生)을 대표하고 있었어. 결코 영리하거나 재미있지는 않지만 정직한 믿음과 본능적인 용기에 존재의 근거를 두고 있던 선남선녀를 대표하고 있었지. 나는 군대의 용기라든지 시민적 용기라든지 또는 그 어떤 특별한 종류의 용기를 말하려는 건 아니야. 내가 의미하는 것은 그저 유혹과 정면으로 맞설 수 있는 타고난 능력으로서 이지적이지는 못하되 허식이 없는 마음의 태세이기도 해. 그것은 저항력이기도 한데, 자네들이 보기에는 투박할지 모르나 아주 귀중한 능력이지. 또 그것은 외면적이거나 내면적인 공포나 자연의 위력이나 인간의 유혹적인 부패와 마주치면 본능적으로 맞서는 축복 받은 꼿꼿함으로서, 사실의 힘이나 모범의 감화력이나 이념의 호소 앞에서도 취약해지지 않는 믿음의 뒷받침까지도 받고 있어. 젠장, 이념이라니! 그것은 떠돌이요 방랑자로서 우리 마음의 뒷문을 찾아와 두드리고, 우리의 자질을 조금씩 앗아 가며, 이 세상에서 점잖게 살다가 편안하게 죽게 되길 바라는 사람들이라면 누구나 고수해야 하는 몇 가지의 단순한 관념에 대한 믿음의 부스러기마저 얼마쯤 가져가 버리기도 하지.

「이념이 짐과 직접 관련 있는 건 아니야. 오직 겉으로 보기에 그가 전형적으로 대표하고 있는 부류의 인간들이란 우리가 생활하다가 좌우에서 지나가는 걸 보면 기분이 좋아지는 사람들, 그리고, 뭐라 할까, 변덕스러운 지성이나 변태적인 신경으로 인해 혼란을 겪는 일이 없는 사람들이지. 단순히 비유적으로 말하든 아니면 전문 항해술을 두고 말하든, 우리는 그의 용모만 믿고 그에게 갑판 일을 책임지게 하고 싶었어. 나 같으면 그렇게 하겠어. 그리고 나라면 마땅히 알고 있어야 해. 나도 한때는 많은 젊은이들을 배출해서 상선의 깃발을 받들며 일하게 하지 않았던가? 선원직의 비결은 짧게 한 마디로 표현할 수도 있겠지만 젊은이들의 머릿속에 그걸 매일같이 새로이 심어 줌으로써 그들이 깨어 있는 시간에는 생각의 일부가 되게 하고 또 그들이 젊은이답게 단잠을 자며 꿈을 꿀 때마다 그 속에 나타나도록 해야 하는 법이지. 바다는 늘 나를 잘 대해 주었어. 그간 내 손을 거쳐 간 소년들이 더러 지금은 성인이 되었고 더러는 이미 익사했겠지만 모두가 바다 생활에 적합한 자질을 가지고 있었다는 것을 회고할 때 나 또한 그 일에서 그리 보람이 없었다고는 생각하지 않아. 내가 만약에 내일 고국으로 돌아간다면 미처 이틀이 지나기도 전에 어떤 도크의 출입문이나 뭐 그런 곳에서 햇볕에 그을린 젊은 일등 항해사 한 사람이 내 뒤를 쫓아올 것이고 내 모자 뒤에서 싱싱하고 깊은 목소리로 "선장님, 저를 기억하지 못하세요? 제가 바로 그 난쟁이 아무개라고요. 무슨무슨 배를 탔었지요. 그게 제 첫 항해였답니다."라고 말해 올 걸세. 그러면 나는 그 어리둥절하던 애송이를 기억해 낼 거야. 그의 키는 이 의자의 등받이보다도 높지 않았고, 부두에는 그의 모친과 누이인 듯한 사람들이 나와 있었지만 아주 과묵하고 너무 속이 상한 나머지 부두 사이를 미끄러지듯이 빠져나가고 있던 배를 향해서 손수건조차 흔들지 못하고 있었지. 아니면 아마도 점잖게 생긴 중년의 부친이 아들을 배웅하러 일찌감치 배를 찾아왔다가 권양기에 흥미를 보이며 오전 내내 머물게 되었고 너무 오래 머문 나머지 마지막 순간에 황급히 배에서 내리느라 아들에게 작별의 인사조차 할 시간을 가지지 못했을 수도 있어. 얕은 바다를 전문으로 하는 도선사(導船士)가 고물에서 느린 말투로 노래하듯 말했어. "배를 잠시 동안만 부두로 붙이세요, 항해사님. 신사 한 분께서 내리고 싶어 하십니다…… 이젠 내리시죠. 자칫했다간 탈카우아노까지 실려 갈 뻔했지 뭡니까. 내리셔야죠. 그렇지요, 그렇게 하면 됩니다…… 좋습니다. 감속 전진하세요." 파멸의 구덩이처럼 연기를 뿜던 예인선들이 배를 장악하고는 강물을 격하게 교란하고 있었어. 부두에서 신사는 무릎을 털고 있었고, 마음씨 고운 급사는 그의 뒤로 우산을 던졌어. 모든 일은 제대로 끝났던 거야. 그 신사는 자기 몫의 제물을 바다에 바쳤던 거야. 이제 그는 그 일을 아무렇지 않게 여기는 척하면서 집으로 돌아가고 있었을지도 몰라. 자기가 원해서 제물이 된 그의 어린 아들은 이튿날 아침이 되기도 전에 뱃멀미를 심하게 앓고 있었을 거야. 그건 그렇고, 그 아이가 바다의 모든 신비로움과 선원직 수행을 위한 하나의 큰 비결을 익히게 되면 바다가 그의 운명을 점지하는 대로 살기도 하고 또는 죽기도 할 테지. 시합을 할 때마다 으레 바다 쪽이 이기곤 하는 이 바보 게임에 일찍이 손을 댄 사람이라면 훗날 어떤 젊은이의 묵직한 손이 자기의 등을 때리면서 물개 새끼 같은 명랑한 목소리로 "선장님, 저를 기억하세요? 제가 바로 그 난쟁이 아무개라고요."라고 하는 소리를 듣고는 즐거워할 걸세.

「그건 기분 좋은 일이지. 그건 일생을 살면서 적어도 한번은 일을 올바로 했다는 것을 말해 주니까. 누가 이렇게 내 등을 때릴 때면 그 무거운 손길에 나는 움찔 놀라곤 했지만, 그런 날에는 그 정다운 때림 덕분에 하루 종일 상기된 기분으로 지내다가 이제는 덜 외롭다는 느낌을 가지고 잠자리에 들게 돼. 그 난쟁이 아무개를 내가 기억하지 못할 리가 있겠나! 나는 외모만 보고도 올바른 선원을 가려낼 수 있어야 한다니까.

나는 한 번만 흘낏 보고도 그걸 근거로 젊은이에게 갑판 일을 맡기고는 두 눈을 감고 잠을 잤을 거야. 하지만 맙소사! 그렇게 했더라면 배가 안전하지 못했을지도 몰라. 그런 생각을 하니 여러 겹의 공포를 느끼지 않을 수 없군. 그는 1파운드짜리 새 금화처럼 진짜로 보였지만 그 순금 속에는 모종의 무서운 합금이 들어 있었어. 얼마만큼이냐고? 아주 적지만 무언가 희귀하고 저주받은 합금이 미량이나마 들어 있었지. 미량으로 들어 있었다니까. 하지만 나 몰라라 하는 태도로 거기 서 있던 그를 보니 아마 그가 놋쇠보다도 더 귀할 것이 없는 존재가 아닐까 하는 생각이 들더군.

「나는 그걸 믿을 수 없었어. 나는 그가 선원직의 명예를 위해서 몸부림치는 모습을 보고 싶었단 말이네. 다른 두 못난이들은 자기네 선장을 알아보고 우리가 있는 쪽으로 천천히 움직이기 시작했어. 그들은 말을 하며 걸어오고 있었지만, 마치 그들이 내 육안에 보이지 않는 것처럼 나는 관심이 없었지. 그들은 서로 쳐다보며 빙그레 웃고 있었는데, 내 짐작으로는 농담이라도 나누고 있었던 모양이야. 그중의 한 사람이 팔에 골절상을 입은 듯했고, 잿빛 콧수염을 하고 있던 키다리로 말하자면 기관장이었는데 여러 모로 꽤 평판 나쁜 인물이었지. 그들은 하찮은 인물이었어. 그들은 다가오고 있었어. 선장은 무기력하게 자기의 두 발 사이를 응시하고 있더군. 그는 어떤 무서운 병에 걸렸거나 아니면 정체불명의 독약이 신비하게 작용하는 통에 몸이 부자연스러울 정도로 부어오른 것 같았어. 그는 머리를 들어 자기 앞에 기다리고 있는 두 사람을 바라보더니 부어 오른 얼굴을 범상치 않게 빈정거리듯이 비틀면서 입을 열더군. 부하들에게 말을 걸기 위해서였지. 그러나 그때 어떤 생각이 떠올랐던 모양이야. 그는 두툼한 자줏빛 입술을 소리 없이 다물더니 무슨 결심이라도 한 듯이 어기적어기적 마차 쪽으로 걸어가서 출입문의 손잡이를 당기기 시작했는데 참을 수 없다는 듯이 너무나 맹목적으로 난폭하게 당겼기 때문에 나는 그만 마차가 조랑말이며 마부와 함께 옆으로 뒤집히지나 않을까 싶을 지경이었어. 자기의 발바닥을 보며 생각에 잠겨 있다가 마차가 흔들리는 통에 정신을 차린 마부는 곧장 격한 공포의 표정을 지었고 두 손으로 지탱하면서 자리에서 몸을 돌리더니 그 큰 시체 같은 인물이 마차 속으로 들어오려고 마구 애를 쓰는 걸 바라보더군. 작은 마차는 요란하게 흔들리며 요동을 쳤어. 그 숙인 진홍색 목덜미라든지, 힘을 쓰느라 긴장한 두 넓적다리의 굵기라든지, 녹색과 귤색의 줄무늬가 있는 더러운 잠옷을 걸친 등허리의 엄청난 상하 운동이라든지, 번질거리는 더러운 고깃덩이가 굴이라도 파고들려는 듯이 온통 애를 쓰고 있는 광경 등이, 마치 열에 들뜬 사람을 기겁하게 하거나 매혹시키는 괴이하고도 명료한 환영(幻影)처럼, 우스꽝스럽고도 무서운 효과를 내며 우리에게 저럴 수가 있을까 하는 느낌이 들게 했어. 그의 모습이 사라지더군. 마차의 지붕이 둘로 쪼개지고 바퀴 위에 얹혀 있던 작은 상자가 잘 익은 면화 씨주머니처럼 터져서 열리게 되지나 않을까 싶더라니까. 그러나 바퀴의 스프링이 철컥하며 납작이 가라앉았을 뿐이었고 갑자기 한쪽 베네치아 풍의 장막이 덜거덕거리며 내려오더군. 작은 창문에 낀 그의 어깨가 다시 보였어. 그는 밖으로 머리를 쭉 빼서 붙잡혀 있는 풍선처럼 쳐들고 성난 얼굴로 땀을 흘리며 다급한 소리를 내고 있었어. 그는 생고기 덩이처럼 맥 빠진 붉은 주먹을 마부 쪽으로 간악하게 휘두르며 왜 가지 않느냐고 호통을 치더군. 어디로 가자는 것이었을까? 아마도 태평양으로 가자는 것이었겠지. 마부가 채찍질을 하니까 조랑말은 히힝 콧소리를 내며 두 앞발을 한번 쳐들었다가 빠른 속도로 달려가더군. 어디로? 아피아로? 호놀룰루로? 그가 가서 즐겁게 지낼 만한 곳으로는 6000마일에 걸친 열대 지방이 있었거든. 나는 정확한 주소를 듣지는 못했어. 히힝거리는 조랑말 한 마리가 눈 깜박하는 사이에 그를 영원 속으로 데리고 갔고 나는 그를 다시는 보지 못했지. 더욱이, 삐걱거리는 마차를 탄 그가 내 시야를 떠나 하얀 먼지를 숨 막히게 일으키며 길모퉁이를 돌아가 버린 뒤에는 그를 다시 보았다는 사람도 만나지 못했어. 그는 떠났다고 할까 사라졌다고 할까 하여간 물러나서 종적을 감추었지. 참으로 해명하기 어려운 일이지만, 그는 마차까지 데리고 간 것 같았어. 그 후에 나는 한쪽 귀가 갈라져 있던 밤색 조랑말이며 쓰린 발 때문에 고생하던 멍청한 타밀족 마부와 다시 마주친 적이 없었으니까. 태평양은 참으로 넓은 곳이거든. 그가 거기서 자기의 재주를 발휘할 곳을 찾았든 찾지 못했든 하여간 마녀처럼 빗자루를 타고 허공 속으로 날아가 버렸다는 것만은 엄연한 사실이야. 팔을 멜빵에 걸치고 있던 그 키 작은 녀석은 마차를 뒤쫓으면서 "선장님! 보세요. 선장님! 좀 보시라니까요."라고 소리치고 있었지. 그러나 몇 발짝 따라가다가 멈추고는 머리를 숙이고 천천히 되돌아오더군. 날카롭게 덜컥거리는 바퀴 소리에 그 젊은 녀석도 서 있던 자리에서 획 돌아서더군. 그는 다른 동작이나 몸짓이나 손짓을 하지 않았고, 마차가 시야에서 사라지자 다른 쪽을 향하고 있었어.

「이 모든 일은 지금 내가 이야기를 하는 데 걸리는 시간보다도 훨씬 짧은 시간에 일어났어. 나는 지금 자네들을 위해서 시각적 인상의 찰나적 효과를 느린 말로 해석하려고 애를 쓰는 중이니까. 바로 그 다음 순간에 아치가 파트나호의 표류자들을 좀 살펴보고 오라고 보낸 혼혈인 서기가 현장에 당도했어. 그는 모자도 쓰지 않고 열심히 달려 나와 좌우를 살폈는데 자기가 띠고 온 사명에 대한 자부심이 대단해 보이더군. 그가 찾고 있던 그 우두머리와 관계되는 한 그의 사명은 실패로 끝나게 되어 있었지. 하지만 그는 잘난 척 법석을 떨면서 다른 사람들에게 다가가더니 이내 멜빵에 팔을 걸치고 있던 녀석과의 격한 말다툼에 휘말리더군. 그 다친 녀석은 소동이라도 벌여야겠다고 작정하고 있었거든. 그는 이래라저래라 하는 명령을 들을 생각이 없다고 하면서 "젠장, 나는 안 돼."라는 거였어. 건방진 혼혈인인 주제에 펜대나 잡고 사는 그 하급 서기가 아무리 거짓말을 해도 자기는 협박을 당하지 않겠다는 거였어. 그의 이야기가 '아무리 진실'이라고 해도 자기는 '그런 종류의 일' 때문에 협박당할 생각이 없다고도 하더군. 그는 잠자리에 들고 싶다는 자기의 희망이며 욕망이며 결심만 큰 소리로 떠벌리고 있었지. 그가 "당신이 신의 저주를 받은 포르투

갈인이 아니라면 내가 지금 찾아가야 할 곳이 병원이라는 것쯤은 알고 있을 거요."라고 고함 지르는 것을 나는 들었어. 그는 다치지 않은 팔의 주먹을 서기의 코밑으로 들이밀더군. 사람들이 모여들기 시작했지. 난처해진 혼혈인은 위엄을 잃지 않으려고 최선을 다하면서 자기의 의도를 설명하려고 하더군. 나는 그 장면을 끝까지 보지 않고 가버렸어.

「마침 그 당시 내가 알고 있던 사람이 병원에 입원 중이었어. 조사가 시작되기 전날 그 사람의 용태를 알아보러 병원에 갔다가 나는 백인 병동에서 그 키 작은 녀석이 팔에 부목을 대고 아주 경망스럽게 병상에 누워 뒹굴고 있는 것을 보게 되었지. 참으로 놀랍게도 흰 콧수염을 늘어뜨리고 있던 키다리도 병원에 와 있었어. 언쟁이 벌어지자 그가 발을 깡충거리거니 질질 끌거니 하면서 슬그머니 빠져나가면서도 겁 먹은 표정은 짓지 않으려고 애쓰던 것을 보았던 기억이 나더군. 그에게는 그 항구가 낯선 곳이 아니었던 것 같아. 그래서 그는 곤경에 처해서도 장터 근처에 있던 마리아니의 당구장 겸 선술집을 곧장 찾아갈 수가 있었어. 형편없는 떠돌이였던 마리아니는 그 사람을 이미 알고 있었고 다른 곳에서 한두 번 그의 비행을 방조한 적도 있었던가 봐. 그가 나타나자 마리아니는, 말하자면, 코를 땅에 댈 듯이 굽실거리면서 그 평판 나쁜 소굴의 위층 방에다 그를 가두어 놓고 여러 병의 술까지 가져다주었지. 그는 자기 신상의 안전에 대해 막연한 불안을 느끼고 숨어 있길 바랐던 것 같아. 그러나 그 후 오랜 시간이 흐르고 나서 어느 날 마리아니가 나의 급사에게 여송연 값 지불을 독촉

하기 위해 배에 올라왔을 때 나에게 말하기를, 그 녀석을 위해서라면 자기가 아무것도 묻지 않고 그 이상의 대접도 해주었을 것이라고 하더군. 내가 짐작하기로는, 그가 여러 해 전에 어떤 불미로운 일로 그 녀석에게 신세를 진 데 대해 고맙게 여기고 있었던 거야. 그는 자기의 거무스레한 가슴을 두 번 치더니 눈물을 글썽이는 검고 흰 눈을 휘둥그렇게 굴리며 말하더군. "이 안토니오는 잊지 않는답니다. 안토니오는 결코 잊지 않는다고요!" 그가 무슨 부도덕한 일을 하다가 신세를 졌는지 나는 아직도 몰라. 하지만 그 내용이야 어떻든 녀석은 자물쇠로 잠근 방에서 온갖 편의를 제공받고 있었어. 의자와 탁자가 있었고 한쪽 구석에는 매트리스가 하나, 그리고 마룻바닥에는 떨어져 내린 횟가루가 흩어져 있었고, 근거도 없이 겁을 내면서 그는 마리아니가 대준 강장제를 먹으며 기운을 차리고 있었던 거야. 이렇게 지내던 중 사흘째 되던 날 저녁에 여러 마리의 지네가 나타나자 그는 겁에 질려 몇 차례 비명을 지른 후 안전한 곳으로 도망쳐 나오지 않을 수 없게 되었지. 그는 문을 열어젖히고 사람 좀 살려 달라는 듯이 그 형편없는 계단을 단숨에 뛰어내려 마리아니 앞에 앉더니 벌떡 일어나서 토끼처럼 거리로 뛰어나가더라는 거야. 이른 아침에 경찰이 녀석을 쓰레기 더미 근처에서 붙잡았는데, 처음에 그는 경찰이 자기를 교수형장으로 끌고 가는 줄 알고 벗어나려고 용감하게 싸웠다는 거야. 하지만 내가 그의 병상 옆에 앉게 되었을 때는 그가 이틀 동안이나 조용히 지내고 있던 중이었어. 만약에 멍하게 반짝이는 그의 눈초리 속에 도사린 유령 같은 경악의 암시가 유리창 뒤에서 말없이 웅크리고 있는 어떤 막연한 공포의 형체를 닮지만 않았더라면, 하얀 콧수염이 달린 깡마른 청동색 머리가 베개 위에 놓여 있는 모습이 마치 아이 같은 영혼을 지닌 역전의 용사의 머리처럼 편안하고 침착해 보였을 거야. 그는 지극히 침착했기 때문에 나는 그 유명한 사건을 자기 관점에서 설명하는 것을 들을 수도 있겠구나 하는 기발한 희망까지 품기 시작했다니까. 나는 아무 빛도 나지 않는 고된 작업의 공동 수행 및 행동 규범의 성실한 준수를 통해 결속하는 이름 없는 선원들 중의 한 사람으로서 그 사건에 관심을 가졌을 뿐인데, 무엇 때문에 그 개탄할 만한 사건의 세부 내용을 파고들어 가고자 했는지 도무지 설명할 수가 없군. 자네들은 그걸 건전치 못한 호기심이라고 부를지도 모르나, 나에게는 무언가를 찾아내겠다는 분명한 생각이 있었어. 아마도 무의식적으로, 나는 어떤 심오한 속죄적 명분이랄까 자비로운 해명이랄까 희박하지만 설득력 있는 변명의 여지 같은 무엇을 찾게 되길 희망했을 수도 있지. 내가 불가능한 것들을 희망했다는 걸 지금 나는 잘 알고 있어. 인간이 만들어 낸 유령 중에서 가장 완강한 유령, 즉 안개처럼 일어나서 벌레처럼 은밀히 물어뜯고 죽음의 확실성보다 더 냉혹하게 괴롭히는 불안한 의혹이랄까 어떤 고정된 행위 규범 속에 자리 잡은 주체적 힘에 대한 의혹을 물리칠 수 있기를 희망했으니 말일세. 그것은 가서 부딪혀 보기에는 너무나 딱딱하고, 절규하는 공포와 상당히 사소하고 조용한 비행을 많이 빚어내는 무엇이며, 진정한 재앙의 그림자이기도 하지. 내가 기적을 믿었느냐고? 그리고 내가 왜 기적을 그처럼 열망하고 있었느냐고? 내가 그 젊은 녀석을 위한 변명의 여지를 조금이나마 찾고 싶어 한 것이 내 자신을 위해서였을까? 나는 전에 그를 만난 적이 없지만, 그의 외모만은 그의 약점을 알고 떠올리게 된 여러 생각에다 개인적 관심이라는 색깔까지 더해 주었을 뿐만 아니라 그 약점으로 하여금 불가사의와 공포를 지닌 무엇, 즉 한때 그와 유사한 젊은 날을 보냈던 우리 모두를 위해 마련된 파멸적인 운명을 암시하는 무엇처럼 보이게 했어. 내가 그의 문제를 들여다보게 된 은밀한 동기는 바로 그런 것이 아니었던가 싶어. 나는, 정말이지, 일종의 기적을 찾고 있었던 거야. 이처럼 시간이 흐른 지금 내게 기적적으로 느껴지는 것이 있다면 그건 내 자신이 어쩌면 그토록 바보였을까 하는 것뿐이야. 나는 그 망가진 허깨비 같았던 병자로부터 유령 같은 의혹을 씻어 낼 방안을 얻어 내게 되길 진정으로 희망하고 있었던 거야. 나는 또 꽤 필사적으로 덤비고 있었음이 틀림없어. 왜냐하면 내가 그 사건과는 무관한 말을 한두 마디 정답게 건네고 그가 점잖은 환자라면 누구나 그랬을 것처럼 나른한 어조로 기꺼이 응답한 후, 나는 다짜고짜 파트나라는 말을 한 묶음의 보드라운 명주실로 감싸듯 교묘한 질문 속에 감싸서 끄집어냈기 때문이야. 나는 이기적이라 할 만큼 교묘하게 물었어. 그를 놀라게 하고 싶지도 않았어. 나는 그를 위한 걱정을 조금도 하지 않았지. 그에 대해 화를 내거나 딱하게 여기지 않았어. 그의 체험은 중요하지 않았고 그의 속죄도 내게는 아무런 의미가 없었으니까. 그는 사소한 잘못을 저지르며 나이를 먹었고 그래서 이제는 혐오감이나 연민을 자아내지도 않았다고. 그는 파트나호 말이냐고 되물은 후 잠시 기억을 더듬더니, "그래요. 나는 이곳에서 오래 굴러먹은 사람이랍니다. 그 배가 가라앉는 것을 보았지요."라고 말했어. 그런 바보 같은 거짓말에 내가 화라도 내려는 참인데 그는 거침없는 어조로 "그 배에는 파충류가 가득했었지요."라고 덧붙이더군.

「그 말을 듣고 나는 말문이 막혔어. 그게 무슨 뜻이었을까? 그 유리알 같은 눈 뒤에 숨은 불안한 공포의 유령이 가만히 서서 내 눈을 곰곰이 들여다보고 있는 듯하더군. "야반 당직 시간에 나는 침상에서 끌려 나와 그 배의 침몰을 지켜보게 되었답니다." 그는 회상하는 듯한 어조로 말을 이었어. 그의 목소리가 갑자기 놀랍게도 우렁차지더라고. 나는 내 바보 같은 짓이 언짢아지더군. 그 병동의 경내에는 눈처럼 흰 모자를 쓴 간호원이 뛰어다니는 모습이 전혀 보이지 않았어. 그러나 길게 줄지어 있던 텅 빈 병상 저쪽에는 정박 중인 배에서 사고를 당해 입원한 환자 한 사람이 이마에 하얀 붕대를 맵시 있게 감고 갈색의 깡마른 모습으로 앉아 있더군. 갑자기 내게 흥미를 느끼던 환자가 곤충의 더듬이처럼 가는 팔을 휙 내밀더니 내 어깨를 움켜잡고 말했어. "내 눈만은 아직도 쓸 만하답니다. 나는 시력이 좋기로 유명하니까요. 그래서 사람들이 날 불러낸 것이라 생각합니다. 그 배가 사라지는 것을 빨리 볼 수 있는 사람이 없었던 거예요. 하지만 다른 사람들도 배가 가라앉는 것을 보기야 했지요. 그래서 함께 말했답니다. 이렇게……." 이리의 울부짖음 같은 소리가 내 영혼의 구석구석을 뒤지고 있었어. 사고로 입원한 다른 환자가 화가 나서 "오, 그 사람 입 좀 다물게 하세요!"라고 소리치더군. "선생께서는 내 말을 믿지 않으시겠죠." 내가 상대하던 사람이 말 못할 자부심을 보이며 계속했어. "페르시아만 이쪽에는 나만큼 눈이 좋은 사람이 없다니까요. 이 침대 아래를 좀 보세요."

「물론 나는 즉시 허리를 굽히고 보았지. 그럴 때 시키는 대로 하지 않았을 사람이 있거든 나와 보게. "무엇이 보입니까?" 그가 묻더군. "아무것도 없는데요." 나는 지독한 수치를 느끼며 대답했어. 그는 거세게 상대를 위축시키는 경멸을 보이며 내 얼굴을 빤히 바라보더니 "바로 그거지요. 내가 보려고 했다면 보였을 겁니다. 나처럼 눈이 밝은 사람은 없을 테니까요."라고 말했어. 그는 자기의 비밀을 은밀히 말해 줌으로써 후련해지기를 갈망하듯이 다시 나를 움켜잡고 자기 쪽으로 끌어당기더군. "분홍 두꺼비 같은 인간들이야 무수히 많지요. 하지만 나처럼 눈이 좋은 사람은 없어요. 분홍 두꺼비 같은 인간들은 무수히 많아요. 하지만 배가 침몰하는 걸 바라보는 것보다 더 괴롭지요. 침몰하는 배야 바라보면서 종일이라도 담배를 피울 수도 있지요. 왜 내 파이프는 돌려주지 않을까요? 이 두꺼비들을 지켜보며 담배나 피웠으면 좋겠는데. 그 배에는 그런 두꺼비들이 가득했거든요. 그들을 감시해야 했다고요." 그는 우스꽝스럽게 눈을 끔벅했어. 내 머리에서 땀방울이 그에게로 떨어지더군. 내 무명 코트가 젖은 등에 달라붙었어. 오후의 바람이 줄지은 병상 위로 휘몰아쳤어. 커튼의 딱딱한 주름들이 놋쇠 막대에서 딸그락거리며 수직으로 흔들리고 있었지. 텅 빈 병상의 줄을 따라 병상 커버들이 헐벗은 마룻바닥 가까이로 소리 없이 흩날리고 있었고, 나는 골수에 사무치게 몸서리쳤어. 그 헐벗은 병동에서는 열대 지방의 부드러운 바람도 마치 고국의 낡은 창고 속에 부는 겨울철 폭풍처럼 살벌하더라니까. "선생, 그 사람이 큰 소리를 내지 못하게 하시라니까요." 저쪽에서 사고로 입원해 있던 환자의 성난 고함이 마치 터널을 따라 들려오는 떨리는 소리처럼 두 벽 사이로 울려왔어. 나를 움켜잡고 있던 손이 내 어깨를 끌어당기더군. 그는 알 만하지 않느냐는 듯이 내게 곁눈질을 했어. "배에는 두꺼비들이 가득 타고 있었지요. 그래서 우리는 아주 은밀하게 배에서 빠져나와야 했답니다." 그는 극히 빠른 어조로 속삭였어. "온통 분홍, 분홍색이었지요. 크기가 마스티프 종의 개만 했고 머리 꼭대기에 눈이 하나 달려 있었고 흉측한 주둥이 주위는 온통 집게발들이 있었다고요. 어! 어!" 마치 전기 충격을 받은 듯 빠르게 움찔거리자 평평한 이불에 가려진 채 떨고 있던 비쩍 마른 다리의 윤곽이 드러나더군. 그는 내 어깨를 놓더니 허공 속의 무엇을 잡으려는 듯이 팔을 내밀었어. 그의 몸은 당겼다 놓은 하프의 현처럼 팽팽하게 떨리더군. 내가 내려다보고 있는 동안 그를 사로잡고 있던 유령 같은 공포가 유리알 같은 시선을 통해 터져 나왔어. 늙은 군인의 얼굴처럼 고귀하고 침착한 윤곽을 드러내던 그의 얼굴이 순식간에 은밀한 간교함이며 혐오스러운 조심성이며 절망적인 두려움 따위의 타락적 작용으로 인해 내 눈앞에서 와해되고 있었지. 그는 비명을 억누르며 "쉿! 저 아래층에서 사람들이 무얼 하고 있나요?"

라고 물었고, 목소리와 몸짓을 기막히게 조심하며 마룻바닥을 가리켰는데, 그 의미가 불길하게 번쩍하며 내게 전해지자 나는 그만 내 명석함에 진저리가 날 지경이었어. "사람들은 모두들 잠들어 있소." 나는 그를 면밀히 살피면서 대답했지. 바로 그거였어. 그게 바로 그가 듣고 싶었던 거야. 그것만이 그를 진정시킬 수 있는 정확한 말이었다고. 그는 길게 숨을 쉬더군. "쉿! 조용히, 가만히 계세요. 나는 이곳에서 오랫동안 굴러먹은 사람이라고요. 나는 그 짐승 같은 놈들을 잘 알아요. 맨 먼저 동요하는 놈의 머리를 후려쳐야지요. 그런데 그들의 수는 너무 많고 배는 10분 이상 떠 있을 것 같지가 않군요." 그는 다시 헐떡이기 시작했어. "서둘러야지." 그는 갑자기 소리 질렀고 계속 비명을 지르며 말을 계속했어. "모두 잠이 깼군. 수백만 명이야. 그들이 나를 짓밟고 있다고. 기다려! 오, 기다리라니까! 마치 파리 떼처럼 무더기로 그들을 후려쳐야지. 날 기다리라고! 도와줘! 도와 다알라아고!" 끝없이 지속되는 고함 소리 때문에 그만 내 당혹감도 극에 달했지 뭔가. 사고로 입원한 환자는 멀찍이 떨어져서 견딜 수 없다는 듯이 두 손을 들어 붕대 감은 머리를 움켜잡고 있었어. 턱까지 오는 앞치마를 걸친 의무 보조원이 병동의 그 좁고 긴 통로에 나타났는데 마치 망원경을 거꾸로 들여다볼 때처럼 보이더군. 나는 자신이 보기 좋게 참패했음을 인정하며 더 이상의 소동을 벌이지 않고 긴 창문 중의 하나를 거쳐 바깥 회랑으로 도망쳐 나왔지. 고함 소리는 마치 복수라도 하듯이 나를 뒤쫓더군. 내가 아무도 보이지 않는 층계참에 들어서자 주위의 모든 것이 조용해졌어. 나는 정적 속에서 아무 장식도 없이 번쩍이는 층계를 내려갔고, 그 정적 덕분에 산란한 생각들을 가다듬을 수 있었지. 아래층에서 나는 레지던트 외과 의사 한 사람을 만났는데, 그는 뜰을 건너오다가 나를 붙들어 세우더군. "선장님, 부하 선원을 만나러 오셨나요? 내일은 그 사람을 퇴원시킬까 한답니다. 하지만 그 바보 같은 사람들은 자신들을 돌볼 생각을 도무지 하지 않는군요. 그 순례자 수송선의 기관장이었던 사람이 이곳에 있거든요. 참 기이한 사례랍니다. 진전섬망증(振顫譫妄症)[17] 중에서도 최악의 경우거든요. 그는 사흘 동안이나 그 희랍인인지 이탈리아인이 경영하는 술집에서 죽어라고 술을 퍼마시고 있었대요. 얼마나 마셨을 것 같습니까? 그 따위 브랜디를 하루에 네 병씩이나 마셨다고 들었습니다. 사실이라면 놀라운 일이지요. 배 속에 보일러 강판이라도 깐 모양입니다. 머리요? 말도 마세요. 머리는 물론 돌았지요. 하지만 신기한 것은 그가 떠벌리는 소리에 모종의 체계가 있다는 것입니다. 그래서 내가 그걸 찾아내고자 한답니다. 참으로 이례적인 경우지요. 그 심한 섬망증에 그런 논리의 실오라기가 들어 있다니. 전통적으로는 그런 증세를 보이는 사람이면 뱀을 보고 있어야 한답니다. 그러나 그는 그렇지가 않아요. 오늘날에는 오래된 전통도 에누리해서 받아들여야 한다고요. 네? 그가 보고 있는 환상은 개구리 계통의 동물이지요. 하! 하! 아뇨. 참말이지, 내가 진전섬망증에 이토록 흥미를 느꼈던 적이

17) 무의식적으로 손발을 떨고 헛소리와 잠꼬대를 하는 병징 현상.

이전에는 없답니다. 이런 잔치 같은 실험이 끝나고 난 후에 그가 죽어야 할 텐데요. 오, 그는 강인한 사람이더군요. 열대 지방에서만 이십사 년을 보냈다니! 선장님께서도 그 사람을 한번 살펴보시죠. 꼴좋은 술꾼이니까요. 나는 이런 별난 사례를 본 적이 없다고요. 물론 의학적으로 말입니다. 관심이 없나요?"

「나는 늘 그랬듯이 인사 삼아 사뭇 흥미를 보이는 척했어. 하지만 시간이 없어서 유감스럽게 되었다고 어물거리면서 황급히 의사의 손을 잡고 흔들었지. "저, 말씀드리고 싶은 것이 있어요." 그는 내 등을 향해 소리쳤어. "그가 심문에 참석할 수 없다는 거예요. 그 사람의 말이 실질적 증거가 될 수는 없거든요, 안 그래요?"

「"조금도 증거가 될 수 없을 겁니다." 나는 문간에서 뒤돌아보며 말했어.」

6장

「당국자들도 같은 의견이었음이 분명했어. 심문은 연기되지 않았고, 법규를 충족시키기 위해 지정된 날에 열렸어. 방청인들이 많았던 것은 그 사건에 대한 인간적인 관심 때문이었을 거야. 사실에 관해서는 불확실한 것이 전혀 없었지. 구체적인 사실 말일세. 어떤 경위로 파트나호가 피해를 입게 되었는지를 알아내기란 불가능했어. 심판정에서는 그걸 기대하지도 않았고, 전체 방청객들 사이에도 관심을 두는 사람은 하나도 없었지. 그러나, 앞서 말한 대로, 항구에 있던 선원들은 모두 방청했고 선구상들도 전부 나왔어. 그들이 의식하고 있었는지는 알 수 없으나, 그들을 심판소로 끌어들인 관심은 순전히 심리적인 것이었고, 인간의 정서가 지닌 힘, 능력 및 공포에 관해 무언가 본질적인 것이 밝혀지리라는 기대였어. 그런 종류의 것은 밝혀질 수 없는 것이 당연하지. 심판을 받을 수 있고 또 받으려 했던 유일한 사람을 조사해 보았자 잘 알려져 있던 사실의 변죽만 부질없이 울리는 격이었어. 그 사실에 대한 심문을 해보았자 알아낼 것이 없었던 것은 마치 쇠 상자 속에 무엇이 들어 있는지를 알아내기 위해 망치로 상자를 두드리는 것이나 마찬가지였거든. 그렇지만 당국의 공식적 조사는 그럴 수밖에 없었어. 그 목적은 사건의 본질적인 '왜?'가 아니라 피상적인 '어떻게?'에 있었으니까.

「그 젊은 녀석이 그들에게 말해 줄 수는 있었을 테고, 바로 그것이 방청객들의 흥미를 끌었지만, 실제로 그에게 던져진 질문들은, 가령 내가 보기에, 알 만한 가치가 있는 유일한 진실로부터 그를 당연히 멀어지게 했을 뿐이야. 우리는 심판 당국의 구성원들이 한 인간의 영혼의 상태랄까 아니면 그저 그 사람의 간장[18] 상태만이라도 탐색할 수 있으리라고 기대하지 않아. 그들이 하는 일은 사건의 결말에 집착하는 것뿐이었으니까. 그리고 정말이지, 어쩌다 동원된 치안판사 한 명과 해사 심판원 두 명이 할 수 있는 게 그것밖에 더 있겠나? 그 사람들이 우둔하다는 뜻으로 하는 말은 아니야. 치안판사는 아주 참을성이 많았어. 그리고 심판원 중의 한 사람은 어떤 범선의 선장이었는데 붉은 턱수염에 경건한 성품을 가진 분이었지. 나머지 한 사람은 브라이얼리였다네. 빅 브라이얼리라고 알려진 사람 말일세. 자네들 중에는 빅 브라이얼리에 대한 이야기를 들

18) 서양에서는 애정이나 용기니 하는 정서의 근원이 간(肝)에 있다고 여겼다.

은 사람이 있을 거야. 블루 스타 선박 회사의 그 멋진 배를 타던 선장 말이야. 그가 바로 그 사람이지.

「그는 자기 자신에게 떠맡겨진 영광스러운 역할 때문에 몹시 따분해하고 있었어. 그는 일생동안 잘못을 저지른 적이 없었고 사고도 없었고 불운한 일을 당하지도 않았으며 꾸준한 승진에 아무런 제약도 받은 적이 없었지. 그래서 그는 우유부단함을 몰랐고 자기 불신이라는 것은 더더구나 모르고 있던 그런 운이 좋은 녀석들 중의 한 사람처럼 보였어. 나이 서른두 살에 그는 이미 동방 무역을 하고 있던 가장 좋은 배 중의 하나를 거느리게 되었거든. 더욱이 그는 자기가 누리고 있던 것들을 대단히 소중하게 여기고 있었어. 이 세상에는 그가 누리고 있는 것에 비견될 만한 것이 다시는 없었고, 혹시 누가 그에게 단도직입적으로 묻는다면, 그는 아마도 자기 의견으로는 자기만큼 많은 것을 누리는 선장이 다시는 없을 거라고 고백했을 거야. 그러니 심판원의 선정은 올바로 되었던 셈이지. 그 16노트로 달리는 강철 기선 오싸호에서 선장 노릇을 하지 못하는 나머지 사람들이야 꽤 보잘것없는 인간들일 테니까. 그는 바다에서 인명을 구했고, 곤경에 처한 선박들을 구조했고, 그런 공을 기념해서 보험업자들은 그에게 금시계를 선물했고, 어떤 외국 정부는 그럴듯한 명각(銘刻)을 한 쌍안경을 수여하기도 했지. 그는 자기의 공적과 그것에 대한 포상을 예민하게 의식하고 있었어. 내가 아는 몇몇 사람들이, 그것도 아주 온유하고 다정한 사람들이, 그를 도저히 견디기 어려운 사람이라고 여기기도 했지만, 나는 그를 아주 좋아했었지. 그가 자기 자신을 나보다 훨씬 더 우월하다고 여기고 있었음을 나는 조금도 의심하지 않아. 사실, 우리가 동양과 서양을 지배하는 황제라고 하더라도 그의 앞에서만은 열등감을 느끼지 않을 수 없었을 거야. 그러나 나는 실질적으로 어떤 불쾌감도 느끼지 않았다니까. 그는 내가 피할 수도 있었던 어떤 일이라든지 나 자신의 사람됨을 이유로 날 경멸하지는 않았어. 알겠나? 나는 무시해도 좋을 만큼 함량이 모자라는 사람이었을 뿐이니까. 그 이유는 내가 이 지상에서 그처럼 운 좋은 사나이가 되지 못했기 때문이요, 오싸호의 선장 몬테이그 브라이얼리가 아니었기 때문이었고, 나의 탁월한 선원 정신과 불굴의 용기를 증언해 줄 명각된 금시계며 은으로 장식된 쌍안경을 가지고 있지 못하기 때문이요, 검정 사냥개가 바치는 사랑과 숭배뿐만 아니라 내 자신의 공적이나 포상에 대해서 어떤 예리한 자부심도 가지지 못하기 때문이었지. 그 개는 사냥한 짐승을 물고 오는 개 중에서도 가장 훌륭한 놈이었는데, 그런 훌륭한 개의 사랑을 브라이얼리만큼 받아본 사람도 없을 거야. 이 모든 사실을 받아들이지 않을 수 없었다는 것은 아주 속상한 일임이 틀림없어. 그러나 십이억이나 되는 다른 보통 인간들과 함께 내가 이 숙명적으로 불리한 여건을 공유한다는 것을 생각할 때, 나는 그 사람 속에서 찾을 수 있는 불확정적이면서도 매력적인 무엇을 위해서라면 그의 선의(善意) 어린 멸시적 연민 중에서 내가 받는 몫을 견뎌 낼 수 있다고 생각했지. 나는 그 매력이 어떤 것인지 스스로 정의해 본 적이 없어. 그러나 내가 그를 부러워했던 순간은 여러 차례 있었지. 삶의 가혹함이 그의 자기만족적인 영혼에 아무런 해를 끼칠 수 없었던 것은 마치 바늘을 가지고서 바위의 반질반질한 표면에 아무런 흠집을 낼 수 없는 것이나 마찬가지였어. 바로 그 점이 부러웠다고. 겸손하고 창백한 얼굴로 그 조사를 주재하고 있던 치안판사의 한쪽 옆에 브라이얼리가 자리 잡고 있는 것을 바라보고 있을 때, 나와 세상 사람들에게 그의 자기만족은 마치 화강암의 표면처럼 딱딱해 보였어. 그런데 그는 심판을 내린 뒤에 얼마 되지 않아 자살하지 않았겠나.

「짐의 경우가 그를 질리게 했다는 것이 놀라운 일은 아니야. 조사를 받고 있던 젊은이에 대한 그의 경멸이 엄청나겠다고 생각하며 내가 두려움에 가까운 감정을 느끼고 있는 동안, 그는 아마도 자기 자신의 경우를 말없이 탐색하고 있었을 거야. 그 판결은 경감되지 않은 죄에 대한 것이었음이 틀림없고, 그가 바다에 뛰어들 때 그 증거의 비밀까지 가져가 버린 거야. 내가 인간에 대해서 조금이나마 이해한다면, 그 문제가 가장 중대한 의미를 띠고 있음은 의심할 수 없어. 그것은 여러 이념을 일깨우는 사소한 일들 중의 하나지만 어떤 사념을 활성화할 경우에 그런 사념을 동반하고 지내는 데 익숙하지 못한 사람은 그것과 더불어 살 수 없음을 알게 되지. 나는 그것이 돈 문제가 아니고, 술도 아니고 여자 문제도 아님을 알고 있을 만한 위치에 있어. 그는 조사가 끝난 후 미처 일주일도 되지 않아 갑판에서 뛰어내렸는데 그건 그가 출항한 지 사흘이 될까 말까 할 때였지. 마치 바다 한복판에 있는 그 정확한 지점에서 저 세상으로 통하는 문들이 그를 맞이하기 위해 활짝 열리는 것을 그가 갑자기 보게 된 것처럼 말이야.

「하지만 그 자살이 갑작스런 충동의 결과는 아니었어. 잿빛 머리카락을 한 그의 항해사는 일급 선원이요 낯선 사람들에게도 상냥하게 대하는 녀석이었지만 그의 선장에게만은 내가 유례를 본 적이 없을 정도로 퉁명스럽게 대하는 일등항해사였는데, 눈에 눈물을 머금고 그 이야기를 해 주더군. 그가 새벽에 갑판으로 나왔을 때 브라이얼리는 해도실(海圖室)에서 무언가를 쓰고 있었던 모양이야. "아직 4시 10분 전이라 물론 야반 당직의 교대 전이었지요." 그가 말했어. "그분은 선교에서 이등항해사에게 말을 걸고 있던 내 목소리를 알아듣고는 나더러 안으로 들어오라고 하십디다. 나는 들어가고 싶지 않았어요, 정말 그랬다고요, 말로선장님. 부끄러운 말씀입니다만, 나로서는 가엾은 브라이얼리 선장을 견디기 어려웠거든요. 우리는 인간이 무엇으로 형성되어 있는지를 영영 모르고 산답니다. 그분은 나 말고도 수없이 많은 사람들의 머리를 타 넘고 승진을 해왔었어요. 게다가 그분에게는 '굿 모닝' 하며 아침 인사를 하는 태도 하나만 가지고서도 능히 상대방을 왜소하게 느끼도록 만드는 고약한 버릇이 있었습니다. 그래서 나는 공식 임무를 수행할 경우를 제외하고는 그에게 '서(Sir)'라는 경칭을 쓰지 않았고, 내 말이 무례해지지 않도록 하기 위해서 내가 들인 노력은 고작 그 정도였지요." (이 대목에서 그는 우쭐해하고 있었지. 나는 항로의 중간점을 지날 때까지만이라도 브라이얼리가 어떻게 자기 항해사의 그런 태도를 견뎌 낼 수 있었을까 가끔 궁금해지기도 한다네.) "나에게는 처와 자식들이 있답니다."

그가 말을 잇더군. "나는 회사에서 십 년이나 근무하면서 늘 다음 차례에는 선장에 임명되겠지 하며 기다리고 있었지 뭡니까. 정말 바보였지요. 그분은 늘 으스대는 목소리로 '이리 들어오세요. 존스 씨.'라고 말했습니다. '들어오세요, 존스 씨.'라고요. 내가 들어가니 그분은 손에 분할 컴퍼스를 쥐고 해도 위로 몸을 굽힌 채 '배의 위치를 기입해 둡시다.'라고 말했습니다. 근무 규정에 따라 당직을 끝낸 항해사는 교대를 하면서 해도 기입을 하게 되어 있었거든요. 그렇지만 나는 아무 말도 하지 않고 그가 작은 십자로 배의 위치를 표시하고 날짜와 시간을 기입하는 동안 바라보고 있기만 했습니다. 지금 이 순간에도 그분이 깨끗한 숫자로 8월 17일 오전 4시라고 기입하던 모습이 눈에 선하군요. 연도(年度)는 해도의 윗부분에 붉은 잉크로 기입되어 있었지요. 그분은 자기의 해도를 일 년 이상은 사용하지 않았거든요. 브라이얼리 선장은 그랬다고요. 나는 지금도 그 해도를 가지고 있어요. 그는 기입을 끝내고 자기가 기입한 표지를 내려다보면서 혼자 웃고 나서 날 쳐다보았습니다. 그리고 그는 '배가 이렇게 32마일을 더 항해하고 나면 우리는 위험을 벗어날 겁니다. 그때 가서 진로를 남쪽으로 20도 변경해도 좋습니다.'라고 말했지요."

「그 항해에서 우리는 헥터 대륙붕의 북쪽을 지나고 있는 중이었어요. 나는 "알았습니다, 선장님."이라고 대답하면서도 진로를 변경하기 전에 선장을 부르게 되어 있는데 무엇 때문에 그가 이렇게 미리 법석을 떠는지 모르겠다고 생각했습니다. 바로 그때 종이 여덟 번 치더군요. 우리는 선교로 나왔고 이등항해사는 자리를 뜨기 전에 늘 그랬듯이 "측정기(測程器)는 71을 가리키고 있습니다."라고 말했습니다. 브라이얼리 선장은 나침반을 바라본 후 사방을 둘러보더군요. 아직 어두웠으나 맑은 날씨였습니다. 위도가 높은 지역의 싸늘한 밤처럼 모든 별들이 또렷하게 보였습니다. 별안간 그는 가벼운 한숨을 쉬며 말했답니다. "고물 쪽으로 가서 내가 대신해서 측정기를 0에 맞추어 둘 테니 착오 없도록 하세요. 이 항로로 32마일을 더 항해하고 나면 안전지대에 이르게 됩니다. 어디 봅시다. 측정기 상의 오차 수정으로 육 퍼센트를 추가해야 하고, 그러니까 다이얼로 30을 달리고 나면 즉시 우현으로 20도 돌아도 좋겠습니다. 더 가서 돌 필요는 없지요, 안 그래요?" 그가 한꺼번에 그렇게나 말을 많이 한 적이 없는데다 내가 보기에는 모두 소용없는 말이었습니다. 나는 아무 말도 하지 않았답니다. 그는 사다리를 내려갔고, 그가 가는 곳이면 어디든 밤낮을 가리지 않고 졸졸 따라다니던 개가 앞으로 미끄러지며 그의 뒤를 따랐습니다. 그의 구두 굽이 고물 쪽 갑판을 톡톡 때리는 소리가 들렸고, 그는 걸음을 멈추더니 개에게 말하더군요. "돌아갓, 로버. 선교로 갓. 가라니까." 그러고 나서 그는 어둠 속에서 내게 소리쳤습니다. "저 개 좀 해도실에 가두어 주시겠습니까. 존스 씨."

「"그게 내가 들었던 그의 마지막 목소리였습니다. 말로 선장님, 그게 그러니까 살아 있는 사람들이 듣는 곳에서 그가 했던 마지막 말이었지요." 이 대목에서 그 늙은 녀석의 목소리는 아주 흔들리더군. "그 가엾은 짐승이 자기 뒤를 따라 바다로 뛰어들까 그분은 두려워하고 있었던 거죠." 그가 떨리는 목소리로 말을 이었어. "네, 말로 선장님. 그분은 날 위해서 측정기를 맞추어 놓았고, 믿으실지 모르겠습니다만, 기계에 기름까지 한 방울 쳐 두었더라고요. 근처에 그가 놓아둔 기름 주입기가 보였으니까요. 5시 30분에 갑판 차장이 고물을 씻어 내리려고 호스를 가지고 고물 쪽으로 왔습니다. 얼마 후에 그는 일을 중지하고 선교로 올라오더니 말하는 거예요. '존스 씨, 고물 쪽으로 좀 와 보시겠어요? 이상한 일이에요. 손을 대고 싶지가 않군요.' 그건 브라이얼리 선장의 금시계였는데 시곗줄이 난간에 조심스럽게 매어져 있었습니다."

「"내 눈이 그 시계에 떨어지자, 어떤 생각이 번쩍 들었고 나는 알았답니다. 두 다리에서 힘이 빠지더군요. 그가 난간을 넘어가는 것을 보는 듯했고, 그가 얼마나 멀리 떨어져 있을 것인가도 알았습니다. 고물 난간의 측정기는 18과 4분의 3마일을 가리키고 있었고, 메인마스트 주위에 있던 밧줄 감는 쇠 핀 네 개가 보이지 않습디다. 그분께서 물속에 가라앉는 데 도움이 되게 주머니에 넣고 간 거지요. 하지만 말예요, 브라이얼리 선장 같은 힘이 좋은 사람에게 쇠 핀 네 개가 무슨 소용이 있었겠습니까? 아마도 그분의 자신에 대한 믿음이 마지막 순간에 흔들렸던 거지요. 그분이 일생에 걸쳐 드러낸 동요의 징후는 그때뿐이었으리라고 생각하고 싶습니다. 하지만 나는 그분을 대신해서 대답할 용의가 있습니다. 만에 하나라도 자기가 사고로 바다에 빠지게 되는 날이면 하루 종일이라도 물 위에 떠 있을 만한 용기를 가졌겠지만, 자살을 하기 위해 바다에 뛰어들 경우에는 수영을 하기 위해 한 번이라도 허우적거리지 않았을 거라는 대답 말입니다. 네, 그렇지요. 언젠가 내가 엿들은 그분의 혼잣말대로, 그분이 자기는 어느 누구에게도 뒤지지 않는다고 말했다면 실제로 그런 분이셨지오. 야반 당직 시간에 그분은 유서를 두 통 써 두었더군요. 하나는 회사로 보내는 것이고 또 하나는 나에게 쓴 것이었습니다. 그분은 항해에 관한 많은 지시를 내렸습니다. 그가 태어나기도 전에 이미 오랫동안 선원 노릇을 하고 있던 나였는데 지시를 내렸더라고요. 그러고는 내가 오싸호의 선장으로 임명되기 위해서는 상하이에 있는 우리 회사 사람들에게 어떻게 처신해야 할 것인지에 대한 힌트도 주었답니다. 말로 선장님, 그분께서는 마치 아버지가 사랑하는 아들에게 하듯이 내게 편지를 썼지 뭡니까. 나야 그분보다 스물다섯 살이나 더 연장자이고 그분이 반반한 사내 바지를 걸치고 다니기도 전에 나는 이미 짠물을 맛보며 다니고 있었는데도 말입니다. 선주(船主)에게 보낸 편지는 내가 읽어볼 수 있도록 봉하지 않았더군요. 그 편지에서 그분은 회사가 맡긴 임무를 자기는 늘 충실히 수행해 왔으며 그 순간에도 회사의 신임을 배반하는 것은 아니라고 했습니다. 그분은, 글쎄 바로 나를 가리키면서, 나 같은 가장 능력 있는 선원에게 배를 맡기고 떠나므로 회사를 배반하는 것은 아니라는 거였지요. 그분은 또 회사 사람들에게 말하기를, 자기 일생의 그 마지막 행동이 자기에 대한 회사의 신임을 모두 앗아가지 않았다면, 자기의 죽음으로 생기게 된 그 공석을 채울 때 나의 충실한 근무와 그의 따뜻한 추천에 무게를 실어 주기를 바란다고 말하기도 했습니다. 그런 내용을 더 많이 써 두었더라고요. 나는 내 눈을 믿을 수 없을 지경이었어요. 온통 이상한 기분이 들었다고요." 그 늙은 녀석은 크게 심란하다는 듯이 말을 계속하면서 압설자(壓舌子)만큼이나 넓은 엄지손가락 끝으로 눈 가장자리에 고여 있던 것을 짓누르고 있었어. "선장님께서는 마치 그분이 한 불운한 선원에게 마지막 출세의 기회를 마련해 주기 위해 바다로 뛰어들었다고 생각하시겠죠. 그분이 이렇게 훌쩍 떠나시는 것을 보고 받은 충격 때문에 그리고 그 기회에 내가 출세하게 되었다는 생각을 했기 때문에 나는 한 주일 동안이나 미칠 듯한 기분이었답니다. 그러나 그렇게 되지는 않았다고요. 펠리언호의 선장이 오싸호로 전임되어 상하이에서 승선했거든요. 그 양반은 회색 체크 무늬 양복을 입은 작은 멋쟁이였는데 머리 가운데로 가르마를 타고 있었습니다. '어…… 내가…… 어…… 당신의 새 선장이오. 미스터…… 미스터…… 어…… 존스라고요?' 말로 선장님, 그는 향수 통에 빠졌었는지 냄새를 꽤나 풍기더군요. 내 눈초리에 질려 그가 그만 말을 더듬게 되었으리라 장담합니다. 그는 내가 실망한 것도 당연하다느니, 자기가 데리고 있던 일등항해사가 펠리언호의 선장으로 승진했다는 사실을 내가 당장에 알아두는 것이 좋겠다느니, 자기는 물론 그런 인사 조처에 아무 관련이 없으며 회사 측에서 가장 잘 알아서 했을 것이 아니냐느니, 미안하게 되었다느니 중얼대더라고요. 그래서 나는 '선장님, 이 늙은 존스에 대해서는 괘념치 마십시오. 존스의 영혼을 위해서는 딱한 일이지만, 그런 대접을 받는 데에 아주 이골이 났답니다.'라고 대답했지요. 내 말이 그의 민감한 귀에 충격을 주었다는 것을 당장에 알 수 있었습니다. 그래서 우리가 처음으로 식사를 함께 하게 되었을 때 그는 선내의 이런저런 일에 대해 고약하게 트집을 잡기 시작했습니다. '펀치 앤드 주디' 쇼에서도 그런 목소리를 들어 본 적은 없었답니다. 나는 이를 악물고 눈을 접시에서 떼지 않으며 가능한 오랫동안 잠자코 있었습니다. 그러나 결국은 한마디하지 않을 수 없더군요. 그랬더니 그는 발끝에 의지하며 벌떡 일어나더니 마치 작은 싸움닭이 깃을 세우고 덤비듯이 단정한 자세를 헝클어뜨렸습니다. '앞으로 당신이 상대해야 할 사람은 브라이얼리 선장과는 다르다는 걸 알게 될 거요.' 나는 '이미 알고 있답니다.'라고 침통히 대답했지만 스테이크를 먹느라 여념이 없는 척했지요. 그러자 그는 나를 향해 '당신은 늙은 악인이군요. 미스터, 어…… 존스. 어디 그뿐이겠소. 당신은 업계에서 악인으로 알려져 있다고요.'라고 소리를 지르지 않겠어요. 주위에서는 허드레 일꾼들이 귀를 기울이며 입이 찢어질 듯하더군요. 나는 대꾸했지요. '내가 다루기 어려운 놈인지는 모르겠지만, 당신이 브라이얼리 선장의 자리에 앉아 있는 꼴을 보며 참을 수 있을 만큼 못난 놈은 아니랍니다.' 그렇게 말하면서 나는 나이프와 포크를 놓았답니다. '이 선장 자리에 당신이 앉게 되길 바랐던 거죠. 그래서 속이 상하는 거죠.' 그는 빈정거렸습니다. 나는 살롱을 떠나 내 보따리를 꾸렸고 부두 노동자들이 다시 일을 시작하기 전에 내 짐을 모두 가지고 부두에 내려와 있었지요. 십 년간의 근무를 끝내고 뭍에서 떠돌게 된 거지요. 가였은 아내와 네 자식이 6000마일이나 떨어진 곳에서 내 봉급의 반액에 의지해서 호구지책을 찾고 있는데도 말입니다. 네, 선장님! 브라이얼리 선장을 모욕하는 소리를 듣느니 차라리 그만두었던 겁니다. 그분은 나에게 야간용 쌍안경을 남겨 주셨는데 바로 이거지요. 그분은 또 내게 자기 개를 돌봐 달라고 했는데, 그 개도 바로 여기 있습니다. '안녕, 로버. 불쌍한 것! 네 선장님은 어디 계시니, 로버?' 개는 슬픔에 젖은 노란 눈으로 우리 쪽으로 바라보더니 쓸쓸히 컹 짖고는 탁자 아래로 기어 들어가더군."

「이 모든 일은 브라이얼리가 자살한 뒤 2년 이상이나 지나서 있었는데, 이 존스라는 사람이 맡고 있던 폐선 같던 파이어퀸호의 선상에서였지. 그는 어떤 우스운 인연으로 매더슨으로부터 그 배를 인수했는데, 사람들이 미치광이 매더슨이라고 부르던 그자는 점령 시절이 시작되기 전에 하이퐁에서 떠돌고 있던 바로 그 녀석이 아니겠나. 늙은 존스는 애처로운 목소리로 이야기를 계속했어.

「"네, 선장님. 브라이얼리 선장이 이 세상의 다른 곳에서는 몰라도 이곳에서만은 기억될 겁니다. 나는 그분의 부친께 상세한 편지를 드렸지만 답신을 받지는 못했습니다. 고맙다는 말도 질책하는 말도 없었다고요. 아마도 그분들은 알고 싶지도 않았겠죠."

"눈물을 글썽이던 늙은 존스가 붉은 면손수건으로 자기 대머리를 훔치고 있는 광경이라든지, 개가 애처롭게 짖는 소리라든지, 그의 기억을 간직하는 유일한 사원(寺院)처럼 보이던 파리가 들끓는 간부 선원 식당의 지저분함 등이 기억 속에 떠올린 브라이얼리의 모습에 말할 수 없이 천박한 페이소스를 베일처럼 씌우고 있는 듯하더군. 이는 자기 자신이야말로 참으로 화려한 존재라는 믿음으로 인해 자기의 삶에 당연히 곁들어 있는 공포마저 없는 것처럼 거의 자기기만을 하다시피 살아왔던 그가 바로 그 믿음 때문에 사후(死後)에 당해야 하는 운명의 보복이기도 했어. 거의 자기기만을 하다시피 했다기보다는 아마도 철저한 자기기만을 했을 거야. 그가 자기의 자살에 대해 얼마만큼이나 높은 자부심을 갖도록 스스로를 유인했는지는 아무도 모를걸.

「"말로 선장님, 그분이 무엇 때문에 그런 경솔한 짓을 저질렀다고 생각하십니까?" 존스가 두 손바닥을 합치고 누르며 묻더군. "무엇 때문에? 나로서는 도저히 상상할 수가 없답니다. 무엇 때문이죠?" 그는 주름 진 낮은 이마를 찰싹 때리더군. "혹시 그분이 가난했다든지 나이가 많았다든지 빚을 졌다면 또 몰라도, 그런 기색을 보인 적은 없었다고요. 그런 이유가 없었다면 미쳤던 거죠. 하지만 그분은 미칠 사람이 아니었지요. 그분만은 아니었어요. 제 말씀을 믿으세요. 부하 항해사가 선장에 대해서 알지 못하는 것이 있다면 그런 건 알 가치조차 없으니까요. 젊고 건강했겠다, 유복한데다 아무 걱정도 없었지요…… 나는 이따금 여기 앉아서 생각에 생각을 거듭해 보지만, 결국 내 머리만 어지러워질 뿐이라고요. 무슨 이유든 있긴 있었을 텐데."

「"존스 선장님, 우리 두 사람이라면 크게 심란해하지도 않왔을 만한 이유가 있었음이 분명합니다." 내가 입을 열었지. 그랬더니 늙은 존스는 그 혼란한 머릿속에 빛이 번쩍 비치기라도 한 것처럼 놀랍게 심오한 마지막 한 마디 말을 하더군. 그는 코를 풀고 나서 나에게 애통한 표정으로 고개를 끄덕이면서 말했어. "네, 네. 선장님, 선장님이나 나는 우리 자신을 그처럼 대단하게 여긴 적이 없으니까요."

「내가 브라이얼리와 나누었던 대화 내용에 대한 회고가 그 후 이내 그의 종말을 알게 됨으로 해서 영향을 받게 된 것도 당연하지. 그 조사 도중에 나는 그와 마지막 대화를 했거든. 첫 휴정이 있고 난 후였는데 그는 길에서 날 따라왔더군. 그가 격앙된 상태에 있는 것을 눈여겨보고 나는 놀랐어. 왜냐하면 그가 자세를 낮추어서 사람들과 대화라도 할 경우에 그의 태도는 늘 철저히 냉랭했고 마치 대화의 상대가 있다는 것이 상당한 우스개 거리라도 되어 재미있다는 듯이 아량의 기색까지 보이곤 했기 때문이야. "당국에서 날 붙잡아 놓고 이런 걸 조사하게 하는군." 그는 말을 시작했고 매일같이 심판정에 나오기가 불편하다며 장황하게 불평을 늘어놓았어. "이 조사가 얼마나 끌지는 아무도 모르지. 한 사흘쯤 걸릴까?" 나는 잠자코 그의 불평을 끝까지 들어주었어. 그 당시의 내 생각으로는 그렇게 하는 것이 편을 드는 척하는 최선의 길이었거든. "이게 모두 무슨 소용이 있어? 세상에 이처럼 바보 같은 일이 또 있을까?" 그는 열띤 어조로 말을 계속했어. 내가 달리 어떻게 할 도리가 없지 않느냐고 말했더니, 그는 격한 심정을 속으로 억누르며 내 말을 가로챘어. "나는 사뭇 바보가 된 기분이라네." 나는 그를 쳐다보았지. 브라이얼리로 말하자면, 그 정도면 아주 흥분한 것이라 할 수 있었어. 그는 말을 중단하고 내 옷깃을 잡고 가볍게 당기면서 "우리가 무엇 때문에 그 젊은 녀석을 괴롭히고 있는 거야?" 하고 묻더군. 이 물음은 내 마음속에 있었던 어떤 생각의 울림과 너무 잘 공명했기 때문에 나는 당장에 그 패덕자가 몰래 배를 빠져나가는 모습을 눈에 떠올리면서 "난들 그 이유를 어떻게 알겠어? 우리가 자기를 괴롭히도록 그 녀석이 허용하고 있는 게 아니라면 말일세."라고 대답했어. 내 대답은 꽤나 알쏭달쏭했을 텐데 그가 내 말에 동조하는 것을 보고 나는 깜짝 놀랐어. 그는 노한 어조로 말하더군. "그래. 녀석은 그 형편없는 선장이 도망치는 걸 보지도 못했나? 무슨 꼴을 더 보겠다는 거야. 그를 구제할 길은 전혀 없어. 이젠 끝장이라니까." 우리는 말없이 몇 걸음을 더 걸었어. "왜 그 모든 모욕을 당하고 있는 거지?" 그는 동양인처럼 표현에 힘을 주며 말하더군. 동경 50도 이동(以東)의 지역에서는 우리가 찾을 수 있는 힘의 흔적이라야 그런 종류의 것뿐이었으니까. 나는 그의 생각의 방향에 대해 전혀 갈피를 잡을 수 없었어. 그러나 지금은 그 말이 그의 성격과 엄밀히 일치되는 게 아닐까 하는 생각이 들기도 해. 가엾은 브라이얼리가 마음속으로는 자기 자신을 생각하고 있었음이 틀림없어. 나는 그에게 파트나호의 선장이야 자기가 살 궁리를 잘 해둔 사람으로 알려져 있으니 어디서든 도망칠 방안을 찾을 수 있었을 것임을 지적했어. 짐의 경우는 사정이 달랐지. 정청(政廳)에서는 그가 잠시 동안 선원의 집에 머물 수 있게 했지만,

아마도 그의 주머니에는 생광스럽게 쓸 수 있는 돈이 한 푼도 없었을 테니까. 도망치자면 돈이 들지. "그럴까? 늘 그렇진 않지." 그는 쓴웃음을 지으며 말했고, 내가 뭐라고 더 말을 하자 그는 "그렇다면 좋아. 그가 땅속으로 20피트쯤 기어 들어가서 살게 하세. 젠장! 나 같으면 그렇게 하겠어." 그의 어조가 왜 내 감정을 촉발했는지 모르겠어. 그래서 나는 "도망해도 뒤쫓을 사람이 없을 것임을 잘 알면서도 모욕을 당하고 있는 것을 보면 그에게는 용기가 있는 거라네."라고 말했지. "망할 놈의 용기겠지!" 브라이얼리가 소리치더군. "그 따위 용기는 사람을 바르게 하는 데 아무 소용이 없어. 그런 용기는 내게 조금도 흥미 없다니까. 자네가 혹시 그걸 일종의 비겁함이나 심약함이라고 부른다면 또 몰라도. 이봐, 자네가 100루피를 내면 나도 200루피를 낼 테니 내일 아침 일찍 이 못난 녀석이 빠져나가게 하자고. 그 녀석은 비록 손대고 싶지도 않은 인간이지만 신사이기야 하지. 그는 이해할 거야. 이해해야지. 이 사건이 무섭게도 대중의 관심사로 되어 버렸다는 것은 너무나 충격적이거든. 그가 심판정에 앉아 있는 동안 못난 원주민들과 인도인 선장들 및 선원들 그리고 조타원들이 그를 수치심으로 불태워 재가 되게 하고도 남을 정도의 증거들을 들이대고 있으니. 참으로 끔찍한 일이야. 자, 말로, 자네는 이 일을 지긋지긋하다고 생각하거나 느끼지 않는가? 자네도 선원이니까 말해 봐. 안 그런가? 그 녀석이 도망친다면 이 모든 일도 당장에 끝날 거야." 브라이얼리는 보통 때는 볼 수 없던 활기를 보이며 그 말을 하고 나서 마치 지갑이라도 끄집어 낼 듯한 동작을 하더군. 나는 그를 제지하면서 내가 보기에 그 네 사람의 비겁함은 그리 중요해 보이지 않는다고 냉정하게 말했지. "그러고도 자네는 선원으로 자처할 건가?" 그는 성을 내며 말했어. 나는 내가 선원으로 자처할 것이며 또 선원이기를 바란다고 말했지. 그는 내 말을 끝까지 듣고 나더니 그 큰 팔로 내 개별적 인격을 박탈하고 나를 일반 군중과 한 무리로 취급하겠다는 듯한 몸짓을 했어. "최악의 문제는 자네들 모두가 존엄성이 무언지 모른다는 거야. 자네들은 마땅히 지켜야 할 본분을 충분히 중요시하지 않고 있어."

「그동안 우리는 천천히 걷고 있었는데 항만청 건너편에서 걸음을 멈추었지. 그곳에서는 파트나호의 몸집 큰 선장이 폭풍 속에서 흩날리는 작은 깃처럼 사라지던 바로 그 지점이 보였어. 나는 미소를 지었고, 브라이얼리는 말을 잇더군. "이건 명예를 더럽히는 짓이야. 우리 중에는 온갖 인간들이 있고, 그중의 몇몇은 성유(聖油)를 바른 악당이야. 하지만, 젠장, 우리는 선원으로서의 직업적 존엄성을 지켜야 해. 그렇지 않고야 아무 거리낌 없이 떠도는 많은 땜장이들보다 더 나을 게 뭔가. 우리는 신임을 받고 있어. 알겠는가? 신임을 받는다고! 솔직히 말해, 나는 아시아에서 온 그 모든 순례자들에 대해서는 조금도 관심이 없어. 하지만 존엄성이 있는 선원이라면 넝마 짐짝을 가득 싣고 가는 경우에도 그 따위로 처신하지는 않을 거야. 우리는 조직화된 인간 집단은 아니야. 그러므로 우리를 결속하게 하는 것은 그런 존엄성이라는 명분뿐이지. 이런 사건은 우리의 신념을 파괴해 버린다고. 일생 동안 굳세게 행동하라는 소명(召命)을 전혀 받지 않은 채 선원 생활을 거의 마치는 사람도 있기야 하지. 그러나 일단 그런 소명이 있을 경우에는……. 아!……. 만약에 내가…….”

「그는 이야기를 중단했다가 어조를 바꾸어 말했어. “내가 자네에게 지금 200루피를 주겠네, 말로. 그러니 그 녀석에게 말 좀 해 주게나. 망할 녀석! 그가 이 지역으로 오지 않았어야 하는 건데. 사실은, 우리 집안에 그의 가족을 알고 있는 사람들이 있어. 그의 부친은 교구 목사라네. 작년에 내가 에섹스에 사는 사촌 집에 머물고 있을 때 그분을 만난 적이 있지. 내 기억이 옳다면, 그의 부친은 선원이 된 아들에 대해 상당한 자부심을 가지고 있었던 것 같아. 무서운 일이 아닌가. 그러니 내가 나설 순 없어. 하지만 자네라면…….”

「이리하여 짐의 일과 관련해서 나는 그만 브라이얼리가 자기의 실체와 허상을 모두 바다의 처분에 맡겨 버리기 며칠 전의 참모습을 흘낏 보게 되었지. 물론 나는 관여하길 거절했어. 가엾은 브라이얼리는 “하지만 자네라면…….”이라는 말을 할 수밖에 없었겠지만, 그 말에는 내가 곤충처럼 남의 눈에는 띄지도 않을 존재라는 뜻이 함축되어 있는 것 같아서, 나는 그만 그 제안을 대해 화를 냈지 뭔가. 바로 그 도발적인 말 때문에, 또는 다른 어떤 이유로 인해, 나는 그 조사야말로 짐에게는 가혹한 처벌이 될 것이며, 그가 사실상 자발적으로 조사를 받고 있는 것도 그 혐오스러운 사건에서는 하나의 긍정적인 측면이라고 마음속으로 다지고 있었어. 그전까지는 별로 확신이 없었다고. 브라이얼리는 서둘러 가 버리더군. 그 당시에 나에게는 그의 심경이 지금보다도 더 불가사의해 보였어.

「이튿날 늦게 심판정에 들어온 나는 혼자 앉아 있었어. 물론 나는 브라이얼리와 나누었던 대화를 잊을 수 없었고, 두 사람의 모습도 바로 내 눈앞에 있었지. 그중 한 사람의 태도는 음울하게 뻔뻔스러웠고, 나머지 한 사람은 경멸적으로 지루함을 드러내고 있었어. 하지만 한쪽 태도가 다른 쪽 태도보다 더 진실하지 않을 수도 있었고, 그중의 한쪽이 진실하지 않음을 나는 알고 있었지. 브라이얼리는 지루하지 않았고 격분하고 있었을 뿐이야. 그렇다면 말인데, 짐 또한 뻔뻔스럽지는 않았을지도 몰라. 나의 이론으로는 그가 뻔뻔스럽지는 않았어. 나는 그가 절망하고 있다고 생각했지. 우리들의 눈이 마주친 것은 그때였지. 우리의 눈은 서로 마주쳤고, 그가 나에게 던진 눈초리는 그에게 말을 걸어 볼까 하던 내 의도를 좌절시키고 있었어. 그의 뻔뻔스러움과 절망 중 어느 쪽을 가정하든, 내가 그에게는 아무 소용이 없을 것임을 나는 알고 있었어. 그날은 두 번째 심리가 있던 날이었는데, 눈이 마주친 후 얼마 되지 않아서 조사는 이튿날까지 연기되더군. 백인들은 당장에 자리를 뜨기 시작했어. 짐은 얼마쯤 전에 증인석에서 내려와도 좋다는 말을 들었기 때문에 맨 먼저 떠나는 사람들 틈에 끼어서 나갈 수 있었어. 나는 문간에서 빛을 받는 그의 어깨와 머리의 윤곽을 바라보았지. 나는 우연히 내게 말을 걸어온 어떤 낯선 사람과 이야기를 나누며 천천히 걸어 나오고 있었는데, 심판정 안쪽에서 바라보니 그는 베란다의 난간에 두 팔꿈치를 기댄 채 몇 개 되지 않는 계단을 드문드문 내려가는 사람들에게 등을 돌리고 있었어. 여러 목소리들이 웅얼거리고 있었고 구둣발이 질질 끌리는 소리도 들리더군.

「그 다음 사건은 어떤 대금업자에게 가한 폭행 구타 사건이었던 것 같아. 하얀 수염을 곧게 기른 연로한 마을 사람이었던 피고인은 바로 문밖에 있던 매트 위에 앉아 있었고, 아들, 딸, 사위들과 그들의 아낙들이 합석하고 있더군. 아마도 마을 사람들 중의 반수가 그의 주위에서 웅크리고 앉았거나 서 있었을 거야. 몸이 가늘고 피부가 검은 아낙 하나가 등의 일부와 한쪽 어깨를 드러내고 금 코걸이를 한 채 갑자기 심술궂고 새된 목소리로 말하기 시작했어. 나와 함께 있던 사람은 본능적으로 그녀를 바라보았지. 우리는 그때 막 문간을 지나 짐의 건장한 등 뒤를 지나던 참이었어.

「마을 사람들이 그 누런 개를 데리고 왔는지 어쩐지 나로서는 알 수 없어. 하여간 그곳에는 개가 한 마리 있었고, 원주민들의 개가 으레 그렇듯이 그놈도 소리 없이 살금살금 사람들의 가랑이 사이를 들락거리고 있더군. 내 동행자는 그 개를 타넘고 걸어야 했는데, 개가 소리 없이 깡충 뛰며 가 버리자, 그는 천천히 웃으면서 약간 높인 목소리로 "저 못난 개[19] 좀 봐요!"라고 말했지. 그 직후에 밀치고 들어오는 많은 사람들로 인해 우리는 갈라지게 되었어. 그 낯선 사람이 계단을 내려가서 사라지고 있는 동안 나는 잠시 뒤로 물러나 벽에 기대고

---

19) 여기서 '개'라고 번역된 영어 낱말은 'cur'인데, 이 낱말은 '못난 놈' 또는 '망종'이라는 뜻으로도 흔히 쓰인다.

서 있었는데 짐이 휙 돌아서더군. 그는 한 걸음 앞으로 나서며 내 길을 가로막았어. 우리 두 사람뿐이었는데 그는 완강한 결의를 보이며 나에게 눈알을 부라리더군. 나는 마치 곤경에 빠진 기분이었어. 그 무렵에 이미 베란다는 비어 있었고, 심판정에서는 소음과 동요도 어느새 끝났더라고. 그 건물에는 무거운 정적이 내려앉았고, 건물 속 멀리 어디선가 한 동양인의 목소리가 비참하게 울부짖기 시작했어. 그 개는 문간에서 살금살금 기어 들어가려다가 문득 주저앉아 벼룩 사냥을 하더군.

「"저에게 한 말입니까?" 그는 앞으로 몸을 굽히며 아주 나직이 말했어. 나를 향했다기보다는 나에게 덤빌 듯이 말했다는 것이 더 정확할 거야. 나는 당장에 "아닐세."라고 답했지. 그의 조용한 어조 속에 실려 있던 무언가가 나에게 경계하는 것이 좋겠다는 경고를 해 주었어. 나는 그를 지켜보고 있었지. 곤경 속의 대결 같았지만 쟁점은 더욱 불명확하기만 했어. 왜냐하면 그는 아마도 내 돈이나 목숨 또는 내가 투명한 양심을 가지고 내어놓거나 지킬 수 있는 무엇을 원하지는 않았기 때문이지. "말하지 않았다고요? 들었는데요." 그가 아주 심각하게 말하더군. 그래서 나는 너무 곤혹스러운 나머지 그에게서 눈을 떼지 않고 "뭔가를 오해했겠지."라고 항의했어. 그의 얼굴을 지켜보니 마치 천둥이 치기 전에 어두워지고 있는 하늘을 지켜보는 것 같았고, 정적 속에서 폭력의 기미가 성숙해 가고 있는 가운데 어둠의 그늘이 모르는 새에 겹겹이 쌓이고 암울함이 영문 모르게 강렬해지는 것을 지켜보는 기분이 들더라니까.

「"내가 알기로는, 자네가 듣는 곳에서 내가 입을 연 적은 없다네." 나는 완벽한 진실을 내세우며 주장했어. 어쩌다 그런 대결을 하게 되었나 싶어 약간 화도 나더군. 지금 생각하니까 내가 일생 동안 구타를 당할 뻔한 상황에 그토록 가까이 갔던 적이 없었어. 여기서 구타라는 말은 문자 그대로 주먹으로 때리는 것이야. 결국 그렇게 될 것 같은 기미가 감도는 것을 내가 희미하게 예감하고 있었던 것 같아. 그가 본격적으로 나를 위협하고 있었다는 건 아니야. 오히려 반대로 그는 신기하리만큼 수세였어. 하지만 그는 상을 찌푸리고 있었고, 예외적으로 큰 체구는 아니었지만 담이라도 허물어뜨릴 수 있을 듯한 그런 표정이었어. 그때 날 안심시키는 징후가 눈에 띄었다면 그건 그의 느릿하고 묵직한 망설임이었는데, 나는 그걸 내 태도와 어조에 드러난 진솔함에 바치는 예의라고 여겼지. 우리는 서로 마주 보고 있었어. 법정에서는 구타 사건에 대한 공판이 진행되고 있었지. 내 귀에는 "네, 물소를(막대기로) 저는 너무 겁이 나서 그만……." 어쩌고 하는 말이 들리더군.

「"오전 내내 절 노려보시던데 그 의도가 무엇이었습니까?" 짐이 드디어 말했어. 그는 위아래를 훑어보더군. "우리가 자네의 민감한 기분을 존중해서 사뭇 눈을 아래로 내리깔고 앉아 있을 줄 알았는가?" 나는 날카롭게 대꾸했어. 나는 그의 어이없는 짓에 고분고분 굴종하고 싶지 않았던 거야. 그는 다시 눈을 치켜뜨더니 이번에는 줄곧 빤히 바라보고 있더군. "아뇨. 좋습니다." 그는 이 말의 진실성에 대해 혼자 곰곰이 생각하는 듯한 태도로 말했어. "좋습니다. 그건 문제 삼지 않겠습니다. 다만.” 이 대목에서 그의 어조는 약간 빨라지더군. “어느 누구든 이 심판정 밖에서 저에게 욕을 하는 걸 저는 허용하지 않을 겁니다. 어떤 녀석이 선생과 함께 있던데, 선생께서는 그에게 말을 하고 계셨지요. 오, 네, 전 알아요. 그건 좋습니다. 선생께서는 그에게 말을 하고 계셨는데, 제가 들으라고 한 건지…….”

「나는 그가 지독한 망상에 빠져 있다고 말해 주었어. 나는 어쩌다 일이 그렇게 되었는지 도무지 알 수가 없더군. “선생께서는 제가 그 소리를 듣고도 겁이 나서 분개하지 않을 줄 아세요?” 그가 희미하게 쓰라린 표정을 지으며 말했어. 나는 그 표현의 가장 미묘한 결까지도 분별할 수 있을 정도로 그에게 관심이 있었지만 그가 왜 그러는지 전혀 알 수 없었어. 그의 말 또는 아마도 그의 억양 속에 무엇이 들어 있었기에 갑자기 내가 그를 위해 모든 가능한 것을 참작해 주도록 유도되었는지 지금까지도 알 수가 없어. 내가 뜻밖에 처하게 된 궁지에 대해 나는 우려하지 않았어. 그는 무언가를 오해하고 있었던 거야. 그는 실수하고 있었고, 그 실수가 난감하고도 불행한 것이라는 생각이 직감적으로 들더군. 나는 개인적 품위를 위해서라도 그런 장면은 끝내고 싶었어. 마치 누군가가 찾아와서 원하지도 않는데 끔찍한 내용의 이야기를 몰래 들려주겠다고 할 때 그걸 중단시키고 싶은 거나 마찬가지였지. 그런데 가장 우스운 것은, 내가 이런 비교적 고차원적인 고려를 하고 있는 가운데서도 이 대결이 모종의 창피스러운 싸움으로 끝나되 그 싸움의 원인은 해명되지 않고 나만 우스꽝스러운 꼴이 되고 말지도 모른다는 가능성이랄까, 아니, 그런 개연성을 놓고 내가 전율하고 있음을 알게 되었다는 거야. 나는 파트나호의 항해사에게 구타당해 눈에 시커멓게 멍이 들거나 뭐 그런 꼴을 하고 한 사흘간 유명해지는 걸 원하지 않았어. 십중팔구 그는 자기의 행동에 대해 별로 개의치 않았고, 그 자신의 생각으로는 어떤 행동을 하고도 정당화될 수 있다고 여겼을 거야. 그가 아주 조용하고 무기력한 태도를 보이고 있음에도 불구하고 실은 무언가에 대해 무섭게 화를 내고 있다는 것을 알아내기 위해서는 마술사의 눈까지 필요하지는 않았으니까. 내가 그 방도만 알았다면, 무슨 대가를 치르고도 그를 진정시키고 싶어했음을 부인하지 않겠어. 하지만 자네들도 짐작하겠지만, 그 방도를 모르겠더군. 한 가닥 빛도 보이지 않는 암흑 속에 있는 듯했다니까. 우리는 말없이 서로 대결하고 있었어. 그는 약 십오 초쯤 결단을 내리지 못하고 있었더니 한 걸음 다가오더군. 나는 한 가닥의 근육도 움직이지 않았지만 그의 주먹을 물리칠 태세는 하고 있었어. 그가 아주 부드럽게 말하더군. "선생께서 설혹 두 사내를 합친 만큼 체격이 크고 여섯 사내를 합친 만큼 힘이 세다 하더라도, 제가 선생을 어떻게 생각하는지를 말하겠습니다. 선생이야말로……" 이때 내가 "그만둬."라고 소리를 치니까, 그 소리에 그는 잠시 멈칫하더군. "자네가 날 뭐라고 여기는지 말하기 전에." 내가 재빨리 말을 이었어. "내가 도대체 무슨 말을 했고 무슨 짓을 했기에 이러는 것인지 말 좀 해 보게." 곧이어 대화가 중단된 동안에 그는 화가 난 듯이 나를 훑어보고 있었고, 나는 초인적인 노력을 들여서 기억을 더듬고 있었지만 법정에서 거짓말이라는 비난에 대항해서 열띤 어조로 수다를 떨며 타이르는 한 동양인의 목소리 탓에 내 노력은 방해받고 있었어. 그러자 우리는 거의 동시에 입을 열었지. 그는 "제가 그런 사람이 아님을 선생께 보여주겠습니다."라고 상황이 절박했음을 암시하는 어조로 말했고, 그와 동시에 나는 "도무지 무슨 말을 하고 있는지 모르겠네."라고 열렬히 항변했어. 그는 경멸 어린 눈초리로 날 짓누르려고 했지. "제가 겁이 없다는 걸 알고는 살금살금 빠져나가려고 하는군요." 그가 말했어. "누굴 보고 개라고 한 겁니까. 말해 보세요." 그러자 나는 마침내 알 수가 있었어.

「그는 주먹으로 때릴 곳을 찾고 있듯이 내 모습을 곰곰이 살피고 있었던 거야. "저는 어느 누구에게도 허용치 않을 겁니다……." 그는 위협적으로 투덜대고 있었어. 정말 끔찍한 오해였다고. 그는 무심결에 자기의 속내를 모두 드러내고 말았지. 그때 내가 얼마나 큰 충격을 받았는지 이루 말할 수가 없어. 그의 표정이 약간 변한 것을 보니, 내 얼굴에 드러난 감정을 그가 보았던 것 같아. "맙소사!" 나는 말을 더듬고 있었어. "내가 그런 말을 했다고 생각하는 건 아니겠지……." 그러자 그는 그 개탄할 만한 대결이 시작된 후 처음으로 목소리를 높이면서 "하지만 저는 그 소리를 확실히 들었는데요."라고 주장했어. 그러고 나서 경멸 어린 목소리로 "그렇다면 선생이 아니었군요. 좋습니다. 그 말을 한 사람을 찾아야겠습니다."라고 덧붙이더군. "바보 같은 짓을 하지 말게나." 내가 화를 내며 소리쳤어. "전혀 그게 아닐세." 그는 흔들리지 않는 암담한 인내의 빛을 보이며 다시 "들었는데요."라고 말했어.

「그가 끈질기게 덤비는 걸 보았다면 사람들이 웃었을 거야. 나는 웃지 않았지. 오, 나는 웃지 않았어. 그 자신의 선천적 충동 때문에 그처럼 무자비하게 속을 드러낸 사람은 없었을 거야. 낱말 하나가 그의 분별력을 앗아 갔거든. 인간의 내면적 존재의 품위를 위해서는 육신의 단정함을 위해 옷이 필요한 것 이상으로 분별력이 필요하지 않겠나. "바보 같은 짓을 하지 말게." 내가 거듭 말했어. "하지만 함께 있던 사람이 그런 말을 한 것을 부인하시지는 않겠지요." 그는 이 말을 분명히 한 후 굽힘 없는 자세로 내 얼굴을 들여다보더군. "그래, 부인하지는 않겠네." 나는 그를 되쏘아 보며 말했지. 드디어 그는 시선을 내리면서 내가 손가락으로 가리키는 방향을 보았어. 처음에 그는 이해가 안 된다는 표정이더니 다음에는 당황했고 결국은 마치 개가 유령이라도 되듯 혹은 일찍이 개를 본 적이 없는 것처럼 놀라 겁을 먹는 듯했어. "아무도 자네를 모욕할 생각을 하지 않았네." 내가 말했어.

「그는 변변찮은 그 개를 곰곰이 바라보고 있었는데, 개는 우상처럼 가만히 앉아 있더라고. 개는 그 뾰족한 주둥이를 문간으로 향하고 귀를 쫑긋 세운 채 앉아 있다가 기계처럼 갑자기 파리 한 마리를 덥석 물더군.

「나는 그를 쳐다보았어. 복숭아 털이 보이는 그의 뺨에서는 태양열로 익은 흰 살결의 붉은빛이 점점 깊어지더니 이마 쪽을 침범했고 곱실거리는 머리카락의 뿌리까지 번져 나갔어. 그의 귀는 지독히 빨갛게 변했고, 맑고 파란 눈빛은 머리로 치솟은 피로 몇 겹이나 더 어두워 보이더군. 그의 비쭉 내민 입술은 곧 울음이라도 터뜨릴 듯이 떨리고 있었어. 나는 그가 과도한 굴욕감 때문에 말을 한마디도 할 수 없다는 것을 알았지. 실망감 때문이었을 수도 있지만 누가 알겠나? 아마 그가 나에게 가하려고 했던 그 구타의 기회는 자신을 회복하고 달래기 위함이었을지도 몰라. 한바탕 소동을 벌일 기회에서 그가 어떤 구원을 기대했는지는 아무도 모를 거야. 그는 무슨 기대라도 할 수 있을 만큼 순진했지만 그 경우에는 부질없이 자신의 본색만 드러내고 만 셈이야. 그런 식으로나마 모종의 효과적인 반박을 해야겠다는 희망에 걷잡을 수 없이 휘말린 나머지 그만 그가 나에게는 물론이고 자기 자신에게까지 너무 솔직히 속을 드러내고 말았던 거야. 그러니 그의 운수를 좌우하는 별이 아이러니하게도 그에게 불리하게 작용했던 셈이야. 그는 머리를 얻어맞고도 아직 완전히 정신을 잃지 않은 사람처럼 목구멍으로 알아듣기 어려운 소리를 냈어. 가엾은 모습이었지.

대문을 완전히 벗어나기까지 나는 그를 따라잡지는 못했어. 마지막 순간에 나는 약간은 뛰다시피 했지. 헐떡이며 그의 곁에 다가선 내가 그더러 도망가는 문제를 놓고 따졌더니 그는 "절대로 도망가지 않아요!"라고 말하고는 곧 궁지에 몰린 짐승처럼 대드는 거야. 나는 그가 나를 버리고 도망간다는 뜻으로 한 말이 아니었다고 설명했어. 그랬더니 그는 완강한 태도로 "아무에게서도, 이 세상의 어느 누구에게서도, 도망가지는 않겠어요."라고 단호한 태도로 말하더군. 나는 세상에서 가장 용감한 사람들에게 적용해도 괜찮을 만한 예외적인 도망이 있다는 것을 지적해 주려다가 그만두고 말았어. 그 자신이 곧 알게 될 것이라고 생각했기 때문이야. 내가 할 말을 생각하고 있는 동안 그는 참을성 있게 날 바라보고 있었어. 내가 얼떨결에 아무 말도 하지 못하자 그는 계속 걷기 시작하더군. 나는 그를 따라갔고, 그를 놓치고 싶지 않아서 그가 나에 대해서 잘못된 인상을 가지고 있는 것을 알면서도 그냥 내버려 두고 떠나고 싶지는 않다고 서둘러 더듬거리며 말했어. 내가 말을 끝내려고 애쓰는 동안 그 말이 그만 바보 같은 소리로 들리는 통에 나는 놀라고 말았어. 하지만 원래 한 문장이 지니는 힘은 그것이 구성하는 의미나 논리와는 아무 상관도 없는 법이야. 내가 바보처럼 중얼댄 것이 그의 마음에 들었던 모양이야. 그는 내 말을 가로채면서 "전적으로 제 잘못이에요."라고 말했는데, 그 어조의 정중한 침착성은 그에게 엄청난 자제력이나 아니면 정신의 놀라운 탄력성이 있음을 입증하고 있었지. 그 말을 듣고 나는 크게 놀랐어. 마치 그가 어떤 사소한 사건을 언급하고 있는 듯했기 때문이야. 그는 그 개탄할 만한 의미를 이해하지 못하고 있었을까? "절 용서해 주시길 바랍니다." 그는 이렇게 말한 후 약간 침통하게 말을 이었어. "심판정에서 노려보고 있던 방청객들이 너무나 바보 같아서 제가 생각한 대로일 수도 있었을 테니까요."

「이 말을 듣자 갑자기 그의 새로운 모습이 놀랍게도 내 눈앞에 펼쳐지더라고. 나는 호기심을 가지고 그를 바라보았고 태연하지만 속을 알 수 없는 그의 눈과 마주쳤어. "저로서는 이런 일을 참기가 어렵군요." 그는 순박하게 말했어. "게다가 참을 생각도 없어요. 하지만 심판정에서는 사정이 달라요. 참을 수밖에 없다고요. 참을 수도 있고요."

「내가 그를 이해할 수 있었다고 자처하지는 않겠네. 내가 볼 수 있도록 그가 허용해 준 자신의 모습은 짙은 안개 속의 갈라진 틈으로 흘낏 보이는 풍경들 같았어. 그 생생하지만 순간적으로 사라지고 마는 세부 광경의 조각들은 한 지역의 전체적인 경치에 대해서 조리 있게 알 수 있도록 해주진 않아. 그 조각들은 호기심을 부추기기만 했을 뿐 충족시켜 주지는 않았어. 그 조각들은 그 지역에 대한 방위(方位) 잡기라는 목적을 위해서 아무 소용이 없었으니까. 대체로 말해서 그는 나를 오도(誤導)하고 있었을 뿐이야. 그날 저녁 늦게 그가 떠난 후 내가 종합한 그의 모습은 대체로 그런 것이었어. 나는 마침 말라바 하우스에서 며칠간 묵고 있었는데, 나의 간절한 초대로 그는 그곳에서 나와 함께 식사를 하게 되었지.」

7장

「그날 오후에는 고국에서 온 우편선 한 척이 기항했기 때문에 그 호텔의 넓은 식당 좌석은 주머니에 100파운드짜리 세계 일주 티켓을 넣고 다니는 승객들로 반이 넘게 차 있었지. 여행 도중 가정적으로 되기는 했으나 서로 권태를 느끼고 있는 듯한 부부들이 보였고 크고 작은 단체 여행자들이 있는가 하면 혼자 여행하는 사람들이 있어서 엄숙히 식사하거나 야단스럽게 잔치를 벌이기도 했지만, 모두들 고국에서 늘 하던 것처럼 생각하고 담소하고 농담했으며 상을 찌푸리기도 했어. 그리고 그들은 위층에 놓여 있는 그들의 여행 트렁크에 새로이 자국이 생기듯이 새로운 인상들을 이지적으로 수용하고 있었지. 그때부터 그들은 이런저런 곳을 거쳐 왔다는 딱지를 달고 다닐 것이고 그들의 여행 가방에도 그런 딱지를 붙였을 테지. 그들은 자기네를 남들과 구별해 주는 그 딱지들을 소중히 여길 것이고 가방에 부착된 표를 서면 증거 또는 그들의 사업 개선을 영원히 입증하는 유일한 흔적으로 간주하며 잘 보존할 거야. 검은 얼굴의 하인들이 넓고 반질거리는 마루 위에서 소리 없이 경쾌하게 움직였고, 이따금 소녀의 웃음소리가 그녀의 마음만큼 순진하고 공허하게 들리는가 하면, 식기들이 부딪히는 소리가 갑자기 잠잠해지면 한 재치꾼이 식탁 가득히 빙그레 웃고 있는 사람들을 위해 일부러 길게 빼는 목소리로 배에서 있었던 최신 스캔들을 분식(扮飾)해서 이야기하는 것도 들을 수 있었어. 사람들을 뇌쇄(惱殺)시킬 만한 옷차림으로 유랑 중이던 두 명의 노처녀가 메뉴를 신랄하게 들여다보면서 속삭이고 있었는데 입술 색이 바래고 얼굴이 나무토막처럼 기이해 보여 마치 화려하게 차려입힌 두 허수아비 같았지. 약간의 포도주가 짐의 마음을 열었고 그의 말문도 열리더군. 보아하니 그의 식욕도 좋더라니까. 우리가 처음 사귀는 계기가 되었던 그 사건을 그는 어딘가에 묻어 버린 듯했어. 그것은 도대체 더 물어볼 것이 없는 일처럼 되어 버렸던 거야. 내 앞에는 저녁 내내 내 눈을 똑바로 쳐다보던 그 소년티 나는 파란 눈이며 젊은 얼굴이며 건장한 어깨며 금발 머릿단의 뿌리 아래쪽으로 하얀 줄이 보이는 넓고 그을린 이마가 있었고, 솔직한 모습, 꾸밈 없는 미소 및 젊음이 넘치는 진지함을 드러내는 그의 외모는 바라보기만 해도 내 동정심을 불러일으키기에 족했지. 그는 올바른 인간이요 그래서 우리들 중의 한 사람이라 할 수 있었어. 그는 차분하고 허심탄회하게 이야기했고 그 조용한 태도는 사내다운 자제력이며 건방짐이며 냉담함이며 엄청난 무의식이며 거대한 기만 같은 것들이 빚은 결과였을지도 몰라. 그걸 누가 알 수 있겠나. 누가 우리의 어조만 가지고 추측했다면 우리들이 제3자나 축구 시합이나 지난해의 기후 따위에 대해 이야기하고 있다고 여겼을 거야. 내 마음은 바다처럼 넓은 억측 속을 떠돌다가 결국 대화의 전기를 맞게 되자 조사 때문에 그가 꽤 고통스럽겠다는 말을 그의 귀에 그리 거슬리지 않게 할 수 있었어. 그는 식탁보 위로 팔을 불쑥 내밀더니 접시 옆에 놓여 있던 내 손을 덥석 잡고 나를 빤히 바라보더군. 나는 놀랐어. 그가 말없이 이런 감정 표시를 해오자 심란해진 나머지 나는 더듬는 어투로 "지독히 고통스럽지?"라고 말했어. 그는 숨을 죽인 소리로 "고통스러워요. 지옥 같다고요."라고 털어놓더군.

「옆 테이블에서 빈틈없이 잘 차려입고 세계를 여행 중이던 두 남자가 아이스 푸딩을 먹다가 짐의 동작과 어투에 놀라서 쳐다보더군. 나는 일어섰고 우리는 커피를 마시고 담배를 피우기 위해 앞쪽 갤러리로 나갔어.

「작은 팔각 탁자 위에는 유리공 속에서 양초가 타고 있더군. 잎이 빳빳한 관목 덤불이 아늑한 등나무 의자 세트들을 갈라놓고 있었어. 짝을 지어 늘어선 원주(圓柱)의 불그레한 주신(柱身)은 높다란 창에서 비치는 빛을 길게 받아들이고 있었고, 별빛 반짝이는 어두운 밤은 화려하게 드리운 천처럼 걸려 있는 듯했어. 멀리 배의 정박등(碇泊燈)들은 지는 별처럼 깜박이고 있었고 외항 너머의 언덕은 정지해 있는 검고 둥근 천둥

구름처럼 보이더군.

「"저는 도망칠 수 없었답니다." 짐이 입을 열었어. "선장은 도망쳤지요. 그분에게는 잘된 거지요. 하지만 저는 도망칠 수 없었습니다. 도망치고 싶지도 않았고요. 모두들 이래저래 빠져 나갔지만 저는 그렇게 할 수 없었습니다."

「나는 주의를 집중해서 듣고 있었고 의자에서 꼼짝도 하지 않았어. 나는 알고 싶었지만 오늘까지도 모르겠고 오직 짐작할 수 있을 뿐이야. 그는 자신만만했는가 하면 의기소침했고, 마치 자기의 선천적 결백에 대한 모종의 신념이 마음속에서 꿈틀거리는 진실을 고비마다 억제하는 듯했어. 그는 이제 자기 고향으로 돌아갈 수 없다는 말부터 시작했는데, 그 어조는 20피트나 되는 담을 자기 힘으로는 타 넘을 수 없다는 것을 자인하고 있는 사람의 어조였지. 이 말을 듣자 '에섹스에 있는 그 연만한 사제(司祭)가 선원이 된 아들에 대해 적잖게 자랑스럽게 여기고 있는 듯'하다던 브라이얼리의 말이 생각나더군.

「부친의 특별한 사랑을 받았다는 것을 짐 자신이 알고 있었는지 나로서는 알 수 없어. 하지만 그가 '나의 아버지'라고 언급을 할 때의 말투는 그 착한 시골 사제가 창세 이래로 대가족에 대한 걱정 때문에 시달렸던 분들 중에서도 가장 훌륭한 분이었을 거라는 생각을 내게 심어 주려고 했지. 그가 그런 말을 실제로 하지는 않았지만 그 점에 아무 착오도 없게 해야겠다는 마음 씀씀이 속에 암시되고 있었고, 바로 그 마음은 실로 참되고 매력적이었지만 먼 고국의 삶에 대한 사무치는 정감을 그 이야기의 여타 요소에다 보태주기도 했지. "그분이 지금쯤은 고국의 신문을 통해 모든 것을 알게 되었을 겁니다." 짐이 말했어. "이제 저는 그 가엾은 어른을 다시는 대면할 수 없습니다." 이 말에 나는 감히 눈을 들지 못하고 있었는데, 결국 그는 "저로서는 영영 변명할 수가 없을 겁니다. 그분도 이해하실 수 없을 거고요."라고 덧붙이더군. 그때 나는 머리를 들었어. 그는 생각에 잠겨 담배를 피우고 있었는데, 얼마 뒤에 마음을 가다듬으며 말을 잇더군. 곧 그는 자기가 동료 선원들과 함께 그 죄를(글쎄, 그걸 죄라고 부를 수 있다면 말일세.) 범하기는 했지만 자기를 그들과 혼동하지 말아달라는 희망을 말했어. 그는 그런 동료들과 한 무리가 아니었고, 도대체 사람의 됨됨이가 달랐거든. 나는 그의 말에 동의하지 않는다는 내색을 전혀 하지 않았어. 살벌한 진실을 위해서 내가 그에게 찾아올지 모르는 구원의 은총에서 극히 적은 일부라도 빼앗을 의도는 없었으니까. 그 자신이 그걸 얼마나 믿고 있는지 나로서는 알 수가 없었어. 그가 무엇이건 마음먹고 있었다 하더라도 나로서는 알 수가 없었고, 그 자신도 그게 무언지 몰랐을 거라고 생각해. 자기 인식이라는 음침한 그늘에서 도피하기 위해 자신이 쓰는 교활한 술책을 전적으로 알고 있는 사람은 없을 거라는 게 내 믿음이야. '그 바보 같은 조사가 끝나고 나서' 그가 어떻게 하는 것이 좋을지를 생각해 보느라고 나는 아무 소리도 하지 않았지.

「법이 정해 놓은 이 심판 절차에 대해서는 그도 또한 브라이얼리처럼 경멸적인 견해를 가지고 있었던 것이 확실해. 그는 자기가 어떻게 처신해야 할지 알 수 없다고 고백했지만, 나에게 말했다기보다 속으로 크게 외치고 있었던 것이 분명해. 선원 자격증은 박탈될 거고, 출세의 전망은 없어졌고, 도망하려고 해도 돈이 없고, 자기가 아는 한 일자리도 얻을 수 없다는 거였어. 고국에서라면 무언가 얻을 수가 있을 테지만 그건 가족들에게 도움을 청하는 걸 의미하니 그러고 싶지는 않았겠지. 도움을 찾기 위해서는 평선원 자격으로 배를 타는 수밖에 없었어. 기선에서 조타원이 될 수는 있었을 테지……. "조타원이 될 생각이 있는가?" 내가 무자비하게 물었어. 그는 벌떡 일어서더니 석조 난간 쪽으로 가서 밤하늘을 내다보고 있더군. 얼마 후에 그는 돌아와서 내 의자 곁에 우뚝 섰는데 그 젊은 얼굴에는 감정을 억누르는 고통으로 구름이 끼어 있었어. 그는 내가 그의 조타 능력을 의심하지 않는다는 걸 잘 알고 있었어. 약간 떨리는 목소리로 그는 내가 왜 그런 말을 하느냐고 묻더군. 내가 자기에게 '한없이 친절하다'는 거였어. 그는 이 대목에서 뭐라 웅얼거리고 있었지. 그런 실수로 자기가 밉살스러운 바보가 되었을 때에도 나는 자기를 비웃지도 않는다고 하더군. 나는 그의 말을 가로채면서 꽤 열띤 어조로 내가 보기에는 그런 실수가 비웃을 일은 아니라고 했지. 그는 앉아서 작은 잔에 남은 약간의 커피를 마지막 한 방울까지 신중하게 마시더군. "그렇다고 해서 그런 의견이 제 경우에도 딱 들어맞는다고 제가 잠시나마 인정할 수 있는 건 아니죠." 그가 분명하게 말했어. "아니라고?" 내가 물었지. 그는 "아니지요."라고 조용한 어조로 단호히 말했어. "선장님 같았으면 어떻게 하셨을지 알고 계시나요? 선장님 말입니다. 혹시 선장님께서는 자신을…….” 이때 그는 무엇인가를 삼키고 있었어. “자신을 개 같은 못난이라고 여기시진 않겠죠?”

「이렇게 물으면서, 정말이지, 그는 무얼 캐묻듯이 날 쳐다보더군. 그건 하나의 물음이었고, 성실한 믿음에서 나온 물음인 것 같았어. 그러나 그가 대답을 기다리진 않았어. 내가 미처 마음을 가다듬기도 전에 그는 마치 밤이라는 실체 위에 적혀 있는 무엇을 읽어 내야겠다는 듯이 시선을 똑바로 앞으로 던지며 말을 이었어. “그게 모두 마음의 태세에 달려 있었습니다. 저는 태세가 되어 있지 않았어요. 그때는 아니었다고요. 저는 제 자신을 변명하고 싶지 않지만 설명은 해야겠군요. 누군가가 이해해 주었으면 합니다. 누군가 적어도 한 사람이 말입니다. 선장님이면 좋겠어요. 바로 선장님께서 이해해 주시지 않겠어요?”

「한 개인이 자기의 도덕적 아이덴티티가 마땅히 어떠해야 할 것인가에 대한 자기 나름의 관념을 불에서 구해 내려고 끙끙대는 일은, 늘 그렇듯이, 숙연해 보이지만 조금은 우스꽝스럽기도 하지. 한 인습에 대한 이런 소중한 관념은 게임의 법칙일 뿐 그 이상의 것이 될 수 없지만, 타고난 본능을 지배하는 무한한 힘을 지니게 됨으로써 그리고 실패할 경우에는 끔찍한 벌을 가함으로써 매우 무서운 효력을 지닐 수도 있어. 그는 자기 이야기를 아주 조용히 시작하더군. 바다의 깊은 노을 속에서 구명정을 타고 표류 중이던 네 사람을 구해 준 데일 선박 회사 소속의 기선에서 하루가 지나자 그들은 사람들의 비딱한 눈총을 받게 되었어. 그 뚱보 선장은 뭐라고 이야기를 했지만 다른 선원들은 잠자코 있었나 봐. 처음에는 사람들이 그 이야기를 그대로 받아들였던 거야. 운이 좋아서 우리가 난파선의 조난자들을 잔인한 죽음에서가 아니고 적어도 잔인한 고통으로부터 구했을 경우 조난의 경위를 꼬치꼬치 캐어묻지는 않는 법이야. 나중에 그 문제를 거듭 생각해 볼 시간을 가진 뒤에야 비로소 에이본데일호의 간부 선원들은 그 일에서 '어쩐지 비릿한 냄새'가 난다는 생각을 하게 되었던가 봐. 하지만 물론 그들은 그 의혹을 마음속으로만 품고 있었어. 그들은 바다에서 침몰한 기선 파트나호의 선장, 항해사 및 두 기관사를 구조했고, 선원으로서 마땅히 취해야 할 행동은 그 정도로 충분했던 거야. 짐이 그 배 위에서 보낸 열흘 동안 어떤 심경이었는지 나는 물어보지 않았어. 그가 그 부분을 말하던 때의 어조를 근거로 내가 자유로이 추측해 보건대, 그는 자기가 성취한 발견, 즉 자기 자신에 대한 발견으로 인해 부분적으로는 크게 놀라고 있었을 것이고 또 그 발견의 엄청남을 알아줄 수 있는 유일한 사람에게 그것을 해명하려고 애썼을 것임이 분명해. 그가 그 중대성을 축소하려 하지 않았음을 자네들은 이해해야 돼. 나는 그 점을 확신하고 있고, 바로 그 점에서 그는 다른 사람들과 구별되어야 하지. 상륙한 후에 자기가 불행히도 한몫 끼게 된 그 사건의 예측 못한 결말을 알게 되었을 때 자신이 어떤 심경이었는지 그는 나에게 아무 말도 하지 않았는데, 나로서는 그걸 상상하기도 어려워. 딛고 서 있던 땅이 무너져 내리는 듯한 느낌이었을지 궁금하군. 그랬을까? 하지만 그는 이내 새로이 디딜 곳을 찾아냈음이 분명했어. 그는 선원들의 집에서 대기하며 두 주일을 꼬박 보냈는데, 당시 그곳에는 예닐곱 명의 사내들이 머물고 있어서 그에 대한 이야기를 조금은 듣고 있었지. 선원들의 쌀쌀맞은 의견에 의하면, 그는 다른 결함도 보였지만 화가 난 짐승같이 굴었던가 봐. 그는 베란다에서 긴 의자에 파묻혀서 나날을 보냈고, 그 무덤 같은 곳에서 빠져나오는 것도 오직 식사 시간이나 늦은 밤 시간 동안뿐이었나 봐. 밤이면 그는 찾아갈 집조차 없는 유령처럼 주위 환경과 떨어진 채 어쩔 줄 모르는 심경으로 혼자서 말없이 부두를 헤매고 다녔다는 거야. "그동안 제가 사람들에게 한 말은 세 마디도 되지 않을 겁니다." 그가 이렇게 말했을 때 나는 그를 대하기가 안쓰러웠어. 곧 이어서 그는 말하더군. "그들 중의 한 녀석이 제가 이미 마음속으로 참지 않기로 작정하고 있던 일을 불쑥 끄집어냈을 수도 있었지만 저는 소동을 벌이고 싶지 않았습니다. 않았다고요. 그때는 그랬어요. 저는 너무나, 너무나……. 그럴 용기조차 없었던 거죠." "그렇다면 그 기선의 칸막이벽이 무너지지 않고 버텼던 게로군." 내가 명랑하게 말했어. "네, 버텼다고요." 그는 말했어. "정말이지, 제가 손을 대니까 그 벽이 불거지고 있더라니까요." "이따금 고철도 굉장한 장력을 이겨 낸다는 사실이야말로 놀라운 일이지." 내가 말했어. 자기 자리에서 몸을 뒤로 젖히고 다리는 뻣뻣하게 내밀고 두 팔은 늘어뜨린 채 그는 몇 차례 고개를 가볍게 끄덕이더군. 그보다 더 민망한 광경을 상상하기란 쉽지 않을 거야. 갑자기 그는 머리를 치켜들고 일어나 앉더니 넓적다리를 탁 치면서 말했어. "아, 참으로 엄청난 기회를 놓쳤다고요! 정말이지 엄청난 기회를 놓치고 말았어요!" 그는 소리를 지르더군. 그러나 그 두 번째 '놓쳤어요'는 고통이 쥐어짜 낸 울음처럼 울리더라니까.

「수훈을 세울 기회를 놓쳐 버린 것을 몹시 아쉬워하는 그 조용하고도 꿈꾸는 듯한 표정을 지으며 그는 다시 침묵했고 한순간 콧구멍을 벌름거리면서 그 아깝게 놓친 기회의 숨결을 맡으며 도취하고 있었어. 그때 내가 놀랐거나 충격을 받았다고 생각한다면 자네들은 여러모로 날 바로 보지 못하고 있는 셈이야! 아, 그는 상상을 먹고사는 못난이였다니까! 그는 자기 몸을 던질 용의가 있었던 거야. 자기 몸을 바칠 용의도 있었지. 밤하늘을 쏘아보는 그의 눈초리에서 나는 그의 모든 내면적 존재가 무모할 정도로 영웅적인 소망으로 가득한 공상 세계로 이행하거나 투사되는 것을 볼 수 있었거든. 그는 자기가 상실해 버린 것을 안타깝게 여길 여유조차 없었어. 그는 자기가 획득하지 못한 것에 대해 그처럼 철저히 그리고 당연히 마음을 쓰고 있었던 거야. 그는 겨우 3피트 밖에서 그를 지켜보고 있던 나로부터 아주 멀리 떨어져 있었던 거야. 시시각각 그는 로맨틱한 성취라는 불가능의 세계 속으로 점점 깊이 침투해 가고 있는 중이었어. 결국 그는 그 세계의 핵심에 도달했던 거야. 기이한 축복의 표정이 그의 얼굴에 번졌고, 우리들 사이에서 타고 있던 초의 불빛 속에서 그의 눈은 섬광을 발하고 있었어. 그는 정색을 하고 미소를 짓더군. 그는 그 핵심까지 침투했던 거야. 핵심까지. 그런 황홀한 미소를 자네들이나 내 얼굴은 영영 짓지 못하고 말걸. 나는 그에게 "자네가 그 배를 고수했더라면 좋았을 거라는 뜻이군!"이라고 말함으로써 그를 현실 세계로 되돌려 놓았어.

「내 쪽을 돌아보는 그의 눈은 갑작스러운 놀람과 고통으로 가득했고, 얼굴은 당황하고 경악한 나머지 고통스러워하더군. 그는 마치 별에서 굴러 떨어진 듯했어. 자네들이나 나는 어느 누구에게도 그런 표정을 영영 짓지 못할 걸세. 마치 싸늘한 손가락이 그의 심장을 건드린 것처럼 그는 몸을 몹시 떨었어. 마지막으로 그는 한숨을 짓더군.

「나는 자비로운 심경이 아니었어. 그는 분별없이 모순 되는 말을 해서 날 화나게 했거든. "자네가 그걸 미리 몰랐다는 건 불행한 일이군!" 나는 무정하게 대하기로 작정을 하고 말했어. 그러나 내 배반의 창(槍)은 아무 해도 끼치지 않고 땅에 떨어지고 말더군. 말하자면, 힘이 떨어진 화살처럼 그의 발치에 떨어지고 말았는데 그는 그것을 주울 생각을 하지도 않더군. 아마도 그는 그걸 보지도 못했을 거야. 얼마 후에 그는 편안하게 빈둥거리면서 말했어. "젠장! 그 벽이 불거졌더라고요. 하갑판에서 앵글 철(鐵)을 따라 램프를 비춰 보고 있는데 제 손바닥만 한 크기의 녹 덩어리가 저절로 철판에서 떨어졌다고요." 그는 이마에 손을 대더군. "살펴보고 있는데 그 덩어리가 움찔하더니 마치 살아 있는 물체처럼 튕겨 나오더군요." "그걸 보고는 꽤 불안해졌겠군." 나는 별 흥미가 없다는 듯이 말했지. 그러자 그가 말하더군. "선장님께서는 제가 저 자신만 생각했다고 여기십니까? 제 등 뒤에서는 이물 쪽 갑판에만 160명의 승객들이 깊이 잠들어 있었는데 말입니다. 그리고 더 많은 승객들이 고물 쪽 갑판에서 아무것도 모르는 채 자고 있었고요. 설사 탈출할 시간이 있었다 하더라도 구명정의 수용 능력보다 세 배나 많은 승객들이 타고 있었습니다. 나는 거기 서 있는 동안 철판이 갈라지고 그들이 누워 있는 곳으로 물줄기가 들이닥칠 것을 예상하고 있었습니다……. 그런데 제가 무얼 할 수 있었겠어요? 무얼요?"

「나는 많은 사람들이 잠들어 있는 그 동굴 같은 곳의 어둠 속에서 그가 대양의 물이 가하는 무게를 받고 있는 칸막이벽의 일부에 벽걸이 램프의 불빛이 비치는 것을 보면서 아무 의식도 없이 잠든 승객들의 숨소리를 듣고 있는 모습을 쉽사리 떠올릴 수 있었어. 떨어져 나온 녹 덩어리를 보고 깜짝 놀라며 절박한 죽음의 예감에 짓눌린 그가 철판을 향해 눈을 부라리고 있는 것도 그려 볼 수 있었지. 내가 알기로는, 그의 선장은 그를 두 번이나 보내 배를 살펴보게 했는데, 그건 그를 선교에서 격리시키고 싶었기 때문일 거야. 짐이 그때 느꼈던 첫 충동은 고함을 질러서 당장에 모든 승객들을 잠에서 깨워 공황에 빠지게 하자는 것이었대. 그러나 너무나 압도적인 무력감이 그를 엄습했기 때문에 그는 아무 소리도 내지 못했다는 거야. 사람들은 흔히 혀가 입천장에 달라붙고 말았다는 표현을 쓰는데, 그가 바로 그런 상태였던가 봐. 그 상태를 묘사하려고 그가 썼던 간결한 표현은 입이 '바싹 타더라'는 거였어. 그래서 아무 소리도 내지 못한 그는 첫 출입구를 통해 갑판으로 기어올랐다는 거야. 그곳에 장치되어 있던 통풍통(通風筒)이 우연히 돌다가 그와 부딪혔는데, 캔버스 천이 얼굴을 가볍게 건드렸는데도 그는 그만 출입구 사다리에서 떨어질 뻔했다고 회상하더군.

「그는 앞쪽 갑판에 서서 잠들어 있는 다른 무리를 바라보고 있을 때 무릎이 상당히 흔들리더라고 고백했어. 그 무렵에 엔진은 이미 멎었고 증기가 빠져나오고 있었나 봐. 증기가 내는 깊은 소리가 온 밤을 베이스 음의 현악기처럼 진동케 했어. 그 소리에 맞춰 배도 흔들리고 있었겠지.

「그는 여기저기서 사람들이 깔고 누웠던 매트에서 머리를 든다든지, 희미한 형체가 일어나 앉아 졸음에 겨운 듯이 잠시 귀를 기울이다가 상자니 증기 자아틀이니 환기구 따위가 물결처럼 어지러이 놓여 있는 가운데로 다시 누워 버리는 것을 보고 있었어. 그는 모든 사람들이 그 이상한 소음에 대해 분별력 있는 주의를 기울일 정도로 유식하지 않다는 것을 알고 있었어. 철선이며 하얀 얼굴의 사내들이며 그 밖의 모든 광경과 소리 같은 배 위의 온갖 것들이 무식하고 경건한 다수의 승객들에게는 똑같이 신기하기만 했고 또 영원히 불가사의할 뿐만 아니라 믿음직해 보이기도 했겠지. 그에게는 그런 사실이 다행이라는 생각이 들었어. 그런 것은 생각만 해도 무시무시했으니까.

「그런 처지에서는 누구나 그랬겠지만 그 배가 언제든 가라앉을 수 있다고 그가 믿고 있었음을 기억해야 해. 대양의 물을 막아 내고 있던, 그 녹이 슨 채 불거져 있던 철판이 토대가 손상된 댐처럼 갑자기 무섭게 허물어지면 압도적인 물줄기가 쏟아져 들어올 수 있었거든. 가만히 서서 누워 있는 사람들을 바라보고 있던 그는 마치 죽을 처지에 놓인 사람이 이미 죽은 사람들을 바라보며 자기의 운명을 의식하고 있는 것 같았겠지. 승객들은 죽은 거나 다름없었으니까! 그들을 구원할 방도는 전혀 없었거든. 아마 구명정에 승객들을 반쯤 실을 수야 있었겠지만 그럴 시간이 없었지. 시간이 없었어. 시간이 없었다고. 그가 입을 연다든지 손발을 움직일 필요조차 없을 듯했던 거야. 그가 미처 세 마디의 말을 하거나 세 발짝을 옮기기도 전에 살려달라고 요란하게 비명을 지르며 절망적으로 몸부림치는 사람들이 무섭도록 하얗게 덮고 있는 바닷물 속에서 그 자신도 허우적거리고 있을 테니까. 구원의 가망은 없었던 거야. 그는 어떤 일이 일어날지 완벽히 상상할 수 있었어. 그는 손에 램프를 든 채 갑판 출입구에 가만히 서서 장차 일어나게 될 일들을 처음부터 끝까지 상상하고 있었지. 생각하기조차 괴로운 사항들을 세세히 마지막까지 상상해 보고 있었던 거야. 심판정에서는 말할 수 없었던 것들을 나에게 말하면서 그는 다시 한번 그 상상의 과정을 겪고 있었으리라 생각해.

「"그때 저는 제가 할 수 있는 것이 아무것도 없다는 것을 분명히 알고 있었어요. 그건 마치 지금 선장님이 제 앞에 계신다는 사실만큼이나 분명했지요. 그러자 제 팔다리에서 모든 힘이 빠져 버리는 듯했습니다. 그 자리에 서서 기다리는 것이 좋겠다는 생각이 들더군요. 시간이 많이 남아 있다고 생각되지 않았거든요……." 그때 갑자기 증기 소리가 멎더라는 거야. 그간 그 소리 때문에 정신을 차릴 수 없었지만, 이제는 정적이 견딜 수 없을 정도로 위압적이었다고 그는 말했어.

「"저는 물에 빠지기도 전에 질식부터 할 것 같은 느낌이었습니다." 그가 말했어.

「그는 자기 목숨부터 구해야겠다는 생각은 하지 않았다고 항변하더군. 그의 머릿속에서 생겼다가 사라지고 다시 생기곤 하던 분명한 생각은 '승객은 800명인데 구명정은 일곱 척밖에 없구나, 승객은 800명인데 구명정은 일곱 척밖에 없어' 라는 생각뿐이었다는 거야.

「"누군가가 제 머릿속에서 요란하게 말하고 있었던 거예요." 그의 어조가 약간 거세지더군. "'승객은 800명인데 구명정은 일곱 척밖에 없고, 게다가 시간조차 없으니!'라고 말입니다. 생각 좀 해 보세요." 그는 작은 탁자 너머로 내게 몸을 내밀었고, 나는 그의 눈초리를 피하려고 했어. "제가 죽음을 두려워했다고 생각하시나요?" 그가 나직하지만 아주 격한 목소리로 묻더군. 그가 손바닥으로 탁자를 꽝 하고 내리치니까 커피 잔들이 춤을 추는 듯했어. "저는 두려워하지 않았음을 맹세합니다. 두려워하지 않았다고요. 젠장, 두렵지 않았다니까요…… 절대로 아니었다고요." 그는 몸을 벌떡 세우고 팔짱을 끼더니 턱을 가슴 쪽으로 떨어뜨리더군.

「높다란 창문을 통해 식기가 조용히 부딪히는 소리가 들려오고 있었어. 왁자지껄하더니 몇몇 사내들이 기고만장하게 갤러리로 나오더군. 그들은 카이로에서 본 당나귀에 대한 즐거운 추억을 나누고 있었어. 긴 다리로 사뿐히 걷고 있던 창백하고 근심스런 표정의 젊은이가 바자에서 구입한 물건 때문에 어떤 혈색 좋게 으스대는 세계 일주 여행자로부터 조롱을 받고 있었어. "아냐, 그렇지 않아. 자네는 내가 그 정도로 속았다고 여기나?" 그는 아주 열심히 신중하게 묻고 있었어. 그 사람들은 옮겨 가더니 의자에 털썩 앉더군. 성냥들을 그으니까 순간순간 표정이라곤 조금도 드러내지 않는 얼굴들이랑 하얀 셔츠 앞자락의 반들거리는 표면이 드러나 보이더군. 열띤 연회로 생기를 얻은 많은 사람들의 대화가 내게는 황당하고 무한히 요원하기만 한 웅얼거림으로 들리더라고.

「"선원 중의 몇 명은 제가 팔을 펴면 닿을 만한 거리에 있던 제1번 출입구에서 자고 있었습니다." 짐이 다시 이야기를 시작했어.

「그 배에서는 선원들이 규칙적인 시간제 당직 근무가 아니라 일반적인 근무를 하고 있었다는 걸 알아 둬야 해. 그래서 모든 선원들은 밤새도록 잠을 잤고 오직 조타원과 망대(望臺)지기만 근무 교대를 했었지. 그는 가장 가까이에서 자고 있던 인도인 선원의 어깨를 움켜잡고 흔들고 싶은 유혹을 받았지만 그만두고 말았다는 거야. 무언가가 그의 팔을 옆구리로 끌어내렸던 거지. 그가 겁을 내고 있었던 건 아냐. 아니고말고! 다만 흔들 수 없었을 뿐이었다고. 아마 그는 죽음을 겁내지 않았을 거야. 하지만 정말이지, 그가 위급한 상황은 겁내고 있었다고. 그의 밉살스러운 상상력은 그에게 공포가 빚어내는 모든 무서운 상황이며, 이리저리 쿵쾅쿵쾅 뛰어다니는 사람들이며, 불쌍한 비명이며, 파도에 휩쓸리는 구명정 같은, 그가 일찍이 들은 적이 있던 해난 사고의 모든 무서운 상황을 떠올리고 있었던 거야. 그는 죽어도 좋다고 체념했을지 모르나, 더 이상

공포의 상황을 겪지 말고 일종의 평화로운 몽환 상태에서 조용히 죽고 싶었을 거야. 죽으려고 모종의 준비를 하는 사례는 그리 드물지 않겠지만, 뚫을 수 없는 결심의 갑옷으로 단단히 무장한 사람들이라도 질 것이 뻔한 싸움을 끝까지 싸우려고 하는 사례는 보기 어려운 법이야. 희망이 줄어들면 마음의 평화를 찾고자 하는 욕구는 점점 더 강해져서 결국은 삶의 욕구까지 정복해 버리게 되지. 이 자리에 모인 우리들 중에서 그런 것을 지켜본 적이 없다든지, 그런 극도로 지쳐 버린 정서며 노력의 허망함이며 안식의 갈망 같은 것을 몸소 체험해 보지 않은 사람이 있을까? 턱없이 큰 세력을 상대로 싸우는 사람들이라면 그걸 잘 알고 있지. 이를테면 난파선에서 구명정으로 빠져나온 사람들이나, 사막에서 길을 잃은 나그네들이나, 상상하기 어려운 자연의 힘이나 군중의 우둔한 포악함에 대항해서 싸움을 벌이고 있는 사람들이라면 그걸 알고 있을 거라는 말일세.」

8장

「그가 얼마 동안이나 갑판 출입구에 꼼짝 않고 서서 시시각각 자기 발아래서 배가 물속으로 빠지면서 뒤쪽으로 몰려온 물이 그를 나뭇조각처럼 던져 버리기를 기다리고 있었는지 나로서는 알 수가 없어. 그리 긴 시간은 아니었을 거야. 2분쯤이나 되었을까. 누군지 분간할 수 없는 두어 사내가 졸음에 겨운 목소리로 대화를 시작했고, 역시 어딘지는 알 수 없었으나 이상하게 발을 질질 끌며 다니는 소리가 들리더라는 거야. 이런 희미한 소리 위로 파국에 앞서는 무서운 정적이며 붕괴 직전의 고통스러운 침묵이 내리고 있었어. 그러자 뛰어가서 구명정을 매어 둔 밧줄을 모두 끊어 둠으로써 배가 가라앉을 때 배에서 분리된 구명정이 물에 뜨게 할 시간은 있겠구나 하는 생각이 들더라는 거야.

「파트나호는 선교가 길어서 모든 구명정은 그곳에 매어져 있었어. 한쪽에 네 척, 다른 쪽에 세 척이 있었는데, 좌현에 있던 가장 작은 것은 조타 장치와 거의 나란히 놓여 있었지. 그는 구명정을 즉시 이용할 수 있도록 각별한 신경을 썼다고 말하면서 내가 자기 말을 믿어 주길 바라는 눈치가 역력했어. 그는 자기의 임무를 알고 있었던 거야. 임무와 관계되는 한 그는 아주 훌륭한 항해사였다고 말할 수 있지. "저에게는 늘 최악의 경우에 대비하는 것이 중요하다는 믿음이 있었거든요." 그는 간절한 표정으로 내 얼굴을 노려보면서 말했어. 나는 그의 건전한 원칙에 동의하는 뜻으로 고개를 끄덕이면서도 그의 미묘한 불건전함 앞에서는 눈을 돌리고 말았지.

「그는 비틀대며 달리기 시작했어. 그는 승객들의 다리를 타넘으며 머리에 부딪히지 않도록 조심해야 했거든. 갑자기 누군가가 아래쪽에서 그의 코트 자락을 붙잡았고, 그의 팔꿈치 아래에서 고통스러운 목소리로 말을 걸어왔다는 거야. 그가 오른손에 들고 있던 램프로 비춰 보니 누군가가 검은 얼굴을 쳐들고 있었는데 두 눈이 목소리를 곁들어 애원하고 있었어. 그는 물이라는 말을 알아들을 수 있을 만큼은 그 지역의 언어를 습득했던가 봐. 그 사람은 기도와 절망이 섞인 어조로 끈질기게 물이라는 말을 몇 차례 되풀이하더라는 거야. 그가 빠져나오기 위해 뿌리치니까 한쪽 팔이 그의 다리를 움켜잡았어.

「"그 거지같은 녀석이 글쎄 물에 빠진 사람처럼 저에게 매달리지 않겠어요." 그가 인상적인 어투로 말했어. "물! 물이라고 하더라니까요! 무슨 물을 말했을까요? 그가 무얼 알았겠어요?

그래서 저는 되도록 조용히 그에게 놓으라고 명령했지요. 시간이 없는데 그 사람은 날 붙잡고 있었고 다른 사람들까지 움직이기 시작하더군요. 저에게는 시간이 필요했다고요. 구명정의 밧줄을 끊고 물에 띄울 시간이 필요했던 거예요. 이제 그는 제 손까지 붙잡더군요. 이러다가는 고함까지 지르겠다는 느낌이 듭디다. 그의 고함 소리가 공황을 일으키겠구나 하는 생각이 번쩍 떠오르더군요. 저는 잡히지 않은 팔을 뒤로 뺐다가 램프로 그의 얼굴을 쳤습니다. 유리가 쨍그랑 소리를 냈고 불이 꺼졌지만 그 타격에 그는 저를 놓았고 그래서 저는 벗어날 수 있었습니다. 저는 구명정으로 가고 싶었던 거예요. 구명정으로 말예요. 그는 뒤에서 나에게로 뛰어올랐습니다. 나도 그를 향해 돌아섰어요. 그는 가만히 있지 않고 고함을 지르려 했습니다. 그의 목을 반쯤 조르고 나서야 나는 그가 원하는 것이 무엇인지 알게 되었답니다. 그는 물을 청했던 거예요. 마실 물 말이에요. 그들은 엄격한 물 배급을 받고 있었는데 그가 어린 소년을 데리고 있는 것은 저도 여러 번 본 적이 있었거든요. 그 아이가 병이 나서 목이 말랐던 거지요. 그는 마침 내가 지나가는 것을 보고 약간의 물을 달라고 애걸했던 거예요. 그것뿐이었지요. 우리는 선교 아래쪽의 어두운 곳에 있었는데 그는 내 손목을 계속 붙잡았어요. 그래서 그를 떼어낼 도리가 없었습니다. 저는 선실로 달려가서 제 물병을 움켜잡고는 와서 그의 손에 내밀었지요. 그는 사라지더군요. 그제야 저는 제 자신도 물이 몹시 필요하다는 걸 알았습니다." 그는 한쪽 팔꿈치에 기댄 채 손으로 눈을 가리고 있었어.

「나는 등골이 오싹해지더군. 그 모든 사태에는 무언가 특이한 데가 있었거든. 그의 이마를 가리고 있던 손가락들이 가볍게 떨리더니, 그는 짧은 침묵을 깨더군.

「"이런 일은 한 인간에게 오직 한 번만 일어나지요…… 그건 그렇고! 드디어 제가 선교로 올라갔을 때 그 못난 녀석들이 구명정 한 척을 그 대목(臺木)에서 떼어 내고 있더군요. 구명정 말이에요. 제가 사다리를 오르고 있을 때 무거운 타격이 제 머리를 아슬아슬하게 비켜 가며 어깨에 떨어지더군요. 그 타격이 제 동작을 제지하지는 못했어요. 어느새 침상에서 끌려 나온 기관장이 구명정의 발판을 다시 쳐들고 있었습니다. 어찌된 셈인지 저는 그 무엇을 보고도 놀라고 있을 심경이 아니었습니다. 모든 것은 자연스러웠고 끔찍하고도 끔찍했거든요. 저는 그 형편없는 미치광이를 살짝 피했고, 마치 어린 아이를 다루듯이 그를 갑판에서 끌어냈습니다. 그랬더니 그는 내 품에 붙잡힌 채 '그러지 말라고. 그러지 마! 난 자네가 검둥인 줄 알았지 뭔가'라고 속삭이더군요. 저는 그를 밀쳐 냈습니다. 그는 선교 위에서 미끄러지며 체구가 작은 이등기관사 녀석의 다리를 쳤습니다. 구명정을 준비하느라 바쁘던 선장이 돌아보더니 야수처럼 으르렁거리며 머리를 숙인 채 제게로 다가오더군요. 저는 바위처럼 움츠리지 않았습니다. 저는 이 벽처럼 단단하게 서 있었거든요." 그는 자기 의자 옆에 있던 벽을 주먹으로 가볍게 톡톡 치며 말했어. "저는 마치 그 모든 것을 이미 수십 차례나 듣고 보고 겪은 듯한 기분이었습니다. 저는 그들을 무서워하지 않았다고요. 저는 주먹을 거두었고 그도 멈춰 서면서 중얼대더군요.

「"'아! 자네였군. 어서 도와주게.'

「"그게 그가 한 말이었습니다. 어서라니! 마치 누구든 재깍 도울 수 있을 것처럼 말입니다. '무슨 조처를 취할 생각이 없습니까?' 제가 물었지요. '취해야지. 빠져나가는 거야.' 그는 자기 어깨 너머로 으르렁댔습니다.

「"그 당장에는 제가 그의 말을 이해하지 못했습니다. 그 무렵 다른 두 사람도 이미 일어섰고 함께 구명정으로 달려가더군요. 그들은 쿵쾅거리면서 씨근거리거나 밀치고 있었고, 구명정과 기선을 향해 저주를 하면서 저희끼리 또는 저에게 욕을 해 댔습니다. 투덜투덜 욕을 했습니다. 저는 움직이지 않았고 말도 하지 않았답니다. 저는 기선의 기울기를 살펴보고 있었어요. 기선은 드라이 도크의 좌대 위에 놓여 있는 것처럼 가만히 있었거든요. 이렇게 보였을 뿐이라고요." 이 말을 하면서 그는 손을 내밀었는데 손바닥을 아래를 향한 채 손가락 끝은 아래쪽으로 기울이고 있었어. "이렇게 말입니다." 그는 거듭 말했어. "앞을 바라보니 선수재(船首材)의 꼭대기 너머로 수평선이 아주 맑게 보였습니다. 멀리 수평선에서는 검은 바닷물이 고요히 반짝이고 있었어요. 고요하기가 마치 연못 같았으며 죽은 듯이 고요한 것이 일찍이 바다에서는 본 적이 없을 정도였습니다. 차마 바라보기가 어려울 만큼 고요했으니까요. 더 이상 떠받침을 견뎌 낼 수 없을 만큼 썩어 버린 낡은 철판에 의지해서 침몰을 면한 채 선수(船首)만 숙이고 있는 배를 선장님께서는 보신 적이 있나요? 보셨나요? 오, 네, 떠받친다고 했던가요? 저는 떠받쳐 볼 생각을 했습니다. 저는 무슨 놈의 일이건 모조리 생각해 보았거든요. 하지만 칸막이벽을 오 분 안에 지주로 떠받칠 수 있나요. 말이 났으니 말인데 오십 분이 걸려서라도 떠받칠 수 있겠어요? 배 아래로 내려갈 선원들은 어디서 구하고요? 게다가 지주로 쓸 목재 말입니다. 그 목재는 어디 있고요! 누구라도 그 칸막이벽을 보았다면 지주를 세우기 위해 망치질을 시작할 용기를 내지 못했을 겁니다. 용기를 냈을 거라는 말은 하지 마세요. 보지도 못하셨으니까요. 그걸 보고는 아무도 용기가 나지 않았을 겁니다. 젠장. 그런 작업을 하자면 적어도 가망이 있다는 믿음이 있어야 합니다. 만에 하나라도 가망이 있거나, 가망의 흔적이라도 있다고 믿어야 합니다. 하지만 그 벽을 보셨다면 믿지 못하셨을 거예요. 아무도 믿지 않았을 겁니다. 제가 거기서 서 있기만 했다고 저를 못난 놈이라고 여기시겠지만, 선장님께서는 어떻게 하셨겠어요? 어떻게요? 말을 못하시겠죠. 아무도 말을 못합니다. 돌아서 나올 시간은 있어야 하거든요. 선장님이라면 제게 무슨 일을 시키셨을까요? 저 혼자로는 구조할 수 없었고, 또 그 무엇으로도 구조하지 못했을 모든 승객들을 겁에 질려 미치게 한다고 해서 무슨 소용이 있었겠습니까. 보세요. 지금 제가 선장님 앞에서 이렇게 의자에 앉아 있는 것처럼 이렇게 확실한 것이라고는……."

「그는 몇 마디 할 때마다 급한 숨을 몰아쉬면서 고통 속에서나마 자기 말의 효과를 살펴보려는 듯이 내 얼굴을 급히 쏘아보곤 했어. 그는 나를 상대로 말하는 것이 아니라 그저 내 앞에서 말을 하고 있을 뿐이었어. 어떤 보이지 않는 인격체랄까, 자기와는 적대적이면서도 자기의 존재와 불가분의 관계에 있는 파트너랄까, 자기의 영혼을 사로잡고 있는 또 하나의 존재랄까, 뭐 그런 상대와 논쟁을 벌이고 있었던 거지. 그런 것들은 해난 심판소에서 다루기에는 적절치 못한 문제들이었어. 그것은 삶의 진정한 본질에 관한 미묘하고도 중대한 시빗거리이므로 심판관이 필요하지는 않은 법이야. 그는 동맹자나 협조자나 연루자가 될 사람을 찾고 있었어. 나는 내 자신이 마치 덫에 걸려 아무것도 못 보며 어떤 논쟁에서 명확한 입장을 취하라는 유인과 협박을 받는 위험을 겪고 있는 듯한 느낌이었어. 그 논쟁에 휘말려 있는 모든 유령 같은 존재들을 공평하게 대접하려 한다면, 즉 제 나름의 요구를 하고 있는 평판 좋은 사람들과 제 나름의 절박함을 겪고 있는 평판 나쁜 사람들에게 다 같이 공평해지려면, 그 논쟁에서 판정을 내린다는 것은 어차피 불가능한 일인데도 말이야. 그를 직접 보지 못했고 오직 간접적으로만 그의 목소리를 들을 수밖에 없는 자네들에게 내 감정의 복합적인 성격을 설명할 도리가 없군. 나는 도저히 생각조차 할 수 없는 것을 이해하도록 강요받고 있는 듯한 느낌이었는데, 그런 느낌이 주는 불편함을 어디다 비유해야 할지 모르겠어. 나는 모든 진실 속에 도사리고 있는 관행이라든지 허위의 본질적 성실성을 바라보도록 요구받고 있었던 거야. 그는 한꺼번에 모든 면을 향해 호소하고 있었지. 낮과 같은 밝음을 영원히 지향하고 있는 면뿐만 아니라, 달의 이면처럼 영원한 어둠 속에서 몰래 존재하면서 이따금 가장자리에 겁을 먹은 듯한 회색빛만 비칠 뿐인 인간의 어두운 면을 향해서도 호소하고 있었던 거야. 그는 나를 휘두르고 있었어. 나는 그걸 인정해. 자인하다고. 그의 경우는 애매모호했고 무의미했으며, 또 뭐라고 해도 좋아. 그는 길 잃은 젊은이였는데 그런 사람은 수없이 많지. 그러니 그는 우리들 중의 한 사람이기도 했어. 그 사건은 개미탑이 홍수에 휩쓸린 것만큼이나 철저히 무의미했지만 그의 태도의 불가사의함은 나를 사로잡고 있었어. 마치 그가 자기 부류의 인간들의 선봉에 서 있는 사람이요, 그와 관련된 애매모호한 진실이 인류의 자아관(自我觀)에 영향을 끼칠 만큼 중대한 것처럼 말일세…….」

말로는 이야기를 중단하고 꺼져 가던 엽궐련에 새로이 생기를 불어넣으며 이야기를 완전히 잊어버린 듯하더니 별안간 다시 계속했다.

「물론 내 잘못이지. 우리는 사실 그런 일에 관심을 둘 이유가 없어. 그건 내 약점이기도 해. 그의 약점은 종류가 다른 것이었지. 내 약점은 부수적인 것이랄까 외면적인 것에 대한 분별력이 없다는 데 있어. 넝마주이의 조잡한 옷이나 바로 옆 사람의 멋진 고급 옷을 분별하는 눈이 없는 거지. 옆 사람이라고 했던가. 바로 그거야. 나는 아주 많은 사람들을 만났으니까.」 그는 순간적으로 슬픔을 보이며 말을 이었다. 「그들을 만나 일정한 충격을 받았다고 해야겠어. 예를 들어 바로 그 녀석을 만났던 경우가 그래. 만날 때마다 내가 볼 수 있었던 것은 그저 인간적인 존재뿐이었어. 그 망할 놈의 민주적 성격의 시력이 완전히 눈먼 상태보다는 나을지 모르나 그간 나에게 별로 득이 되지 않았다고 단언할 수 있지. 사람들은 우리에게 자기네가 입고 있는 멋진 고급 옷을 고려해 주길 바라는 법이야. 하지만 나는 그런 것들에 대해 열광해 본 적이 없어. 오, 그러니 그건 결함이라고 해야지. 결함이라고. 그러다 어느 나긋한 저녁이 찾아오고, 너무 게으른 나머지 카드놀이까지 귀찮다고 여기게 된 사람들이 모이면 그때는 이야기가…….」

이야기를 다시 중단한 말로는 아마도 계속해 달라는 요청이 있기를 기다리고 있었겠지만 아무도 말이 없었다. 오직 주인만이 마음 내키지 않는 임무를 수행하듯이 중얼거렸다.

"자네 이야기가 미묘해지고 있군, 말로."

「누구? 나 말인가?」 말로가 나직한 목소리로 말했다. 「오, 그렇지 않아! 미묘한 쪽은 바로 그 사람이었어. 이 이야기의 성공적인 서술을 위해 아무리 애를 써도, 나는 이야기에서 수많은 색깔을 놓치고 있거든. 그 색깔들은 무척 오묘해서 아무 색채도 없는 언어로는 표현하기기가 너무 어려워. 게다가 그 사람 자신이 너무 단순해서 오히려 문제를 복잡하게 만들기 때문에……. 세상에 그처럼 단순한 녀석이 있을까!……. 정녕, 그는 놀라운 사람이었어. 그는 거기 앉아서, 내가 자기를 눈앞에 두고 보듯이, 자기는 무엇이건 겁내지 않고 대면할 거라고 말했고 또 그렇게 믿고 있더군. 정말, 그건 기막히게 천진하고 참으로 엄청난 소리였어. 그가 혹시 날 우롱하려는 것이 아닌가 의심하듯이 나는 그를 은밀히 지켜보았지. 그는 자기가 당당하게(실제로 "당당하다니까요."라고 말한 적도 있어.) 대면하지 못할 것은 하나도 없다고 하며 자신만만했어. 그가 '아주 어린 녀석'으로 '그처럼 높은' 이상을 품었던 시절부터 그는 육지와 바다에서 우리에게 엄습해 올 수 있는 모든 어려움에 대처할 준비를 해 왔던 거야. 그는 이런 종류의 일을 예견했었노라고 자랑스럽게 고백하더군. 그는 위험과 그 방어책에 대해서 꼼꼼히 생각해 왔고 최악의 사태를 예견하면서 자기가 들일 최선의 노력을 예행연습 하기도 했던 거야. 그는 가장 고양된 삶을 영위해 왔음이 틀림없어. 자네들은 상상할 수 있는가? 일련의 모험이며 그 많은 영광이며 눈부신 발전 같은 것 말이네. 뿐만 아니라 자기의 슬기로움에 대한 깊은 인식이 매일같이 그의 내면생활에서 화려한 절정을 이루고 있었어. 그는 자아를 망각하고 눈만 반짝이더군. 한 마디의 말을 할 때마다 내 가슴속에서는 그의 부조리의 탐조(探照)를 받은 마음이 점점 더 무거워지고 있었지. 나는 웃고 싶은 마음이 아니었다고. 그래서 혹시 미소를 흘리게 될까 겁이 나서 나는 그만 멍한 얼굴을 하고 있었지. 그는 분격한 표정을 짓고 있었어.

「"이 세상에서 일어나는 일이란 늘 예기치 않을 것들이라네." 내가 화해하는 어투로 말했어. 내 둔감함이 그를 자극했던지 그는 경멸 섞인 "쳇!" 소리를 내더군. 예기치 않은 일은 자기를 건드릴 수 없다는 뜻으로 말한 것 같아. 생각조차 하기 어려운 일이 아니고야 자기의 완벽한 준비 태세를 꺾을 수 없으리라는 거였어. 그는 기습을 당했다는 거야. 그래서 그는 바다와 하늘 그리고 배와 선원들에 대한 저주를 혼자서 중얼거리고 있었어. 그 모든 것들이 자기를 배반했다는 거야. 실제적인 필요성을 아주 분명히 인식하고 있던 다른 선원들이 서로 부딪히면서 구명정을 띄우는 일에 필사적으로 매달려 땀을 흘리고 있는 동안, 그로 하여금 손가락 하나 움직이지 못하게 했던 고귀한 체념 속으로 그는 기만당하듯 빠져들었던 거야. 마지막 순간에 무언가 잘못되었던 거지. 그들이 너무 서둔 나머지, 그 경위는 알 수 없으나, 맨 앞쪽에 있던 구명정 대목(臺木)의 미끄럼 볼트가 그만 꽉 끼어서 빠지지 않게 되었던 것 같아. 그래서 그들은 그 사고가 중대한 결과를 빚게 될 것임을 알고 넋을 잃게 되었던 거야. 그 못난 녀석들이 잠든 세계의 정적에 속에 꼼짝 않고 조용히 떠 있던 기선 위에서 죽으라고 힘을 쓰고 있는 광경은 정말 볼만했을걸. 그들은 구명정을 분리해 내기 위해 시간을 상대로 사투를 벌이면서 더러는 엎드려 비굴한 자세를 취했고 또 더러는 절망하며 서서 서로 당기거니 밀거니 독살스럽게 으르렁대면서 살인을 하거나 울음을 터뜨릴 태세였어. 그들이 덤벼들어 서로의 목을 움켜잡지 않은 것은 오직 그들의 등 뒤에서 불굴의 냉혹한 사역자(使役者)처럼 서 있던 사신(死神)을 두려워했기 때문이었지. 오, 그렇고말고. 정말 볼만한 광경이었을 거야. 그는 그 광경을 모두 보았고 경멸과 신랄함을 섞어 자기가 본 것을 이야기할 수도 있었어. 그가 모종의 육감을 통해 그때의 일을 세밀하게 알고 있었을 거라고 나는 생각해. 왜냐하면 그는 그들과 떨어져 서서 그들과 구명정이 있던 쪽을 단 한 차례도 쳐다본 적이 없었노라고 맹세했기 때문이야. 그리고 나는 그의 말을 믿어. 그는 기선이 위협적으로 기울어져 있다든지, 가장 완벽한 안전함 속에서 발견된 절박한 위협을 지켜보느라 여념이 없었을 것이고 또 자기의 머리 위에서 머리카락 한 올에 매달려 있는 장검이 언제 떨어질지 모른다고 상상하며 넋을 잃고 있었으리라 생각해.

「그의 눈앞에서는 이 세상의 아무것도 움직이지 않았어. 그래서 그는 어두운 스카이라인이 갑자기 위로 솟구친다든지, 광대한 해수면이 별안간 위로 기울어진다든지, 날쌔게 조용히 솟았다가 거칠게 튕겨 나와서는 심연 속에 붙잡힌 채 희망 없는 싸움을 벌인다든지, 머리 위에 있던 별빛이 무덤의 천장처럼 영원히 닫혀 버린다든지, 그의 젊은 생명이 저항하다가 암담하게 끝난다든지 하는 것들을 아무 방해 없이 마음속으로 그려보고 있었어. 그럴 수 있었겠지. 누가 그런 상상을 하지 않았겠나. 그런 특정한 면에서 그는 완성된 예술가였고 날쌔게 기선(機先)을 잡는 비전의 능력까지 타고난 녀석이었음을 기억해 두어야 해. 그의 비전이 보여준 광경들 앞에서 그는 발바닥에서 목덜미까지 싸늘한 돌처럼 변했어. 그러나 그의 머릿속에서는 여러 가지 사념들이 열띤 춤을 추고 있었거든. 그것은 다리를 절거나 눈이 멀거나 귀가 먹은 사념들의 춤이요 끔찍한 지체 부자유자들이 벌이는 소용돌이 동작이었으니까. 마치 나에게 매고 푸는 능력[20]이라도 있는 것처럼 그가 내 앞에서 고백했다는 말을 앞서 했던가? 그는 내가 내릴 사죄를 받겠다는 희망 속으로 점점 더 깊이 파고들었지만, 그런 사죄는

20) "무엇이든지 너희가 땅에서 매면 하늘에서도 매일 것이요, 무엇이든지 땅에서 풀면 하늘에서도 풀리리라."(마태복음, 18장 18절) 참조. 가톨릭 교회에서는 이 구절을 고해 신부가 사죄할 수 있는 권능의 근거로 간주한다.

그에게 아무 소용이 없었을 거야. 그의 경우는 어떤 엄숙한 속임수로도 달랠 수 없고 어느 누구도 도울 수 없으며, 그의 창조주까지도 죄인더러 네가 알아서 하라며 방치해 버리는 경우였으니까.

「구명정을 준비하려는 노력이 마치 미친 듯한 동요 속에서 음모라도 꾸미듯이 은밀하게 행해지고 있는 동안 그는 현장에서 되도록 멀리 떨어진 채 선교의 우현에 서 있었어. 그러는 동안 두 명의 말레이 선원들이 줄곧 타륜을 잡고 있었지. 그 특이한 바다의 에피소드에서 역할을 하고 있는 배역들의 모습을 마음속으로 떠올려 보게나. 파멸 직전에 이른 수백 명의 사람들은 눈에 보이지 않는 손길이 자기네의 지겨움과 꿈과 희망을 꼼짝 못하게 붙잡고 있다는 것을 까맣게 모르고 있는데, 그 무지 상태를 가리고 있는 차양 위에서 정신이 나간 네 사람이 은밀히 필사적인 힘을 쓰고 있는 동안 세 사람은 완벽한 부동자세로 바라보고만 있는 모습을 떠올려 보란 말이야. 그들의 모습이 그러했으리라는 것을 나는 의심하지 않아. 그 배의 상태를 고려할 때, 있을 수 있는 사고를 가장 무섭게 그려낸다면 바로 그러했을 거니까. 구명정 옆에 있던 못난 인간들에게는 공포로 넋을 잃을 만한 이유가 얼마든지 있었지. 솔직히 말해서, 내가 만약에 그 자리에 있었다 해도, 1초 후에 배가 가라앉지 않고 떠 있을 가망성에는 가짜 동전 한 닢도 걸지 않았을 테니까. 그러나 배는 떠 있었다고! 잠들어 있던 순례자들은 성지순례를 온전하게 마칠 운명이었고 그 결과 다른 쪽에서 처신했던 자들이 쓴맛을 보게 되어 있었어. 순례자들의 고백대로, 전지전능하신 분의 자비는 이 지상에서 그들의 겸허한 증언을 얼마 동안 더 필요로 했기 때문에 아래로 대양을 굽어보며 "그들을 죽이지 마라."라고 손짓을 했던 것 같아. 낡은 철판도 질기게 힘을 쓸 수 있다는 걸 내가 잘 알고 있고 있으니 망정이지, 그렇잖았던들 순례자들이 죽음을 모면했다는 사실은 지극히 해명하기 어려운 사건으로 날 괴롭혔을 거야. 우리는 이따금 허깨비처럼 쇠잔한 사람들이 삶의 무게와 맞서서 버티는 사례를 볼 수 있는데 고철의 강도도 그런 사람의 정신처럼 강인할 때가 더러는 있는 법이야. 내가 보기에, 그 20분 동안에 두 사람의 말레이인 조타수가 보인 행위도 놀랄 만했어. 심판정에서 증언을 하도록 아덴에서 데리고 온 온갖 부류의 원주민들 사이에 그 두 사람이 들어 있었거든. 그 중의 한 사람은 지극히 수줍음을 타서 증언하느라 애를 먹고 있었고, 아주 젊었는데 그 미끈하고 쾌활한 황색 얼굴 덕분에 실제 나이보다 더 어려 보였어. 브라이얼리가 통역을 통해 그가 당시의 일을 어떻게 생각했는지 물어보던 것을 나는 아직도 완벽히 기억하고 있지. 통역은 잠시 동안 대담을 한 뒤에 잘난 척하며 심판정을 향해 대답하더군.

「"이 사람은 아무 생각도 하지 않았다고 합니다."

「참을성 있게 눈을 자주 깜박이고 있던 나머지 한 사람의 말레이인은 너무 자주 빨아서 색깔이 바랜 청색 면손수건을 숱이 많은 잿빛 머리카락 위로 맵시 있게 비틀어 매고 있었어. 위축된 얼굴에는 어둡게 우묵한 곳들이 있었고, 그물 같은 주름살로 갈색 피부는 더욱 검어 보이더군. 그는 무언가 불행한 일이 배에서 일어나고 있다는 것을 직감했지만 아무런 명령도 없었다고 설명했으며, 아무런 명령도 받은 기억이 없는데 타륜을 버릴 이유가 어디 있었겠느냐고 하더군. 더 많은 질문을 받자 그는 깡마른 어깨를 뒤로 젖히더니 자기는 백인들이 죽음의 공포 때문에 배를 버리려 한다는 생각을 한 적이 없었다고 했어. 지금도 그런 생각은 하지는 않는다는 거였어. 모종의 은밀한 이유가 있었을지도 모른다고 하면서 그는 알 만하다는 듯이 늙은 턱을 흔들더군. 아하! 은밀한 이유지! 그는 경험이 많은 사람이었으며, 자기가 아주 여러 해 동안 바다에서 백인들을 섬기면서 많은 것을 알게 되었다는 사실을 그 백인 나리께서는 알아주시길 바란다고 하면서 머리를 들지도 않고 있던 브라이얼리를 향하는 것이었어. 그러고 나서 마력에 걸린 듯이 주의를 기울이고 있던 우리들에게 그는 갑자기 흥분해서 떨리는 목소리로 기이한 발음의 이름들을 쏟아놓는 것이었어. 죽어서 사라진 선장들의 이름이며 이미 잊혀진 지방 선박들의 이름이며 귀에는 익지만 일그러진 소리로 들리는 이름들이라 마치 여러 시대에 걸쳐 말없는 세월의 손길이 그 이름들 위에 작용한 것 같더군. 결국은 심판관들이 그를 제지했어. 심판정에는 침묵이 내렸고, 적어도 1분간은 깨지지 않던 침묵이 조용히 깊은 웅얼거림으로 바뀌더군. 이 에피소드는 이틀째의 심리 때 화젯거리가 되었고 모든 방청객들과, 짐을 제외한 모든 사람들의 심정에 영향을 주고 있었지. 첫 번째 벤치의 끝자리에 음울하게 앉아 있던 짐은 어떤 불가해한 변호 이론에 사로잡혀 있는 듯하던 그 별나게 저주하는 증인 쪽을 쳐다보지도 않고 있더군.

「그러니 이 두 현지인 선원들은 키의 작동이 가능할 정도의 속도도 내지 못하고 있던 기선에서 키를 고수하고 있었으니 운명의 결정 여하에 따라서는 거기서 죽음을 맞을 수도 있었을 거야. 백인들은 그들을 거들떠보지 않았고 그들의 존재를 아마도 잊고 있었거든. 짐이 그들을 기억하지 않았던 것은 확실해. 그는 자기가 아무것도 할 수 없다는 것만을 기억하고 있었으니까. 이제 그가 혼자였으니 아무것도 할 수 없었다는 거야. 배와 함께 가라앉는 수밖에 별 도리가 없었을 테니까. 그렇다고 소동을 벌여보아야 아무 소용이 없었겠지. 안 그래? 그는 모종의 영웅적 결단을 생각하며 몸이 굳어진 채 아무 소리도 내지 않고 서서 기다리고 있었어. 그때 일등기관사가 조심스럽게 선교를 건너와서 그의 소매를 끌어당기더라는 거야.

「"이리 와서 도와줘! 제발 좀 도와달라니까!"

「그는 살금살금 구명정 쪽으로 돌아갔다가 곧장 다시 돌아와서 그의 소매를 잡고는 애원과 저주를 섞으며 귀찮게 굴더라는 거야.

「"그 사람은 내 손에 키스라도 할 듯했습니다." 짐이 사납게 말했어. "그러더니 다음 순간 그는 입에 거품을 물고 제 얼굴을 향해 '시간만 있다면 네놈의 머리통이라도 깨고 싶구나.'라고 소곤대더군요. 저는 그를 밀쳐 냈습니다. 갑자기 그가 내 목을 휘감아 잡았어요. 망할 자식! 저는 그 녀석을 때렸습니다. 쳐다보지도 않고 때렸답니다. 그는 '넌 목숨을 구하고 싶지도 않으냐. 이 오라질 놈의 겁쟁이야.'라고 흐느끼듯이 말하더군요. 겁쟁이라니! 그가 저를 오라질 놈의 겁쟁이라고 부르더군요! 하, 하, 하, 하! 그가 저를요, 하, 하, 하!……."

「그는 몸을 뒤로 젖히더니 흔들며 웃더군. 나는 일생 동안 그 웃음소리만큼 쓰디쓴 소리를 들어본 적이 없어. 그 웃음소리에 당나귀니 피라미드니 바자니 뭐니 하는 것들에 대해 주고받던 모든 농담이 시들고 말더군. 그 침침한 갤러리의 한쪽 끝에서 다른 끝까지 사람들은 대화를 뚝 그쳤고 파리하고 얼룩진 얼굴들이 일제히 우리 쪽을 향하는 것이었어. 그러자 너무 깊은 침묵이 내린 나머지 바둑판무늬 장식의 베란다 바닥에 떨어진 찻숟가락이 낸 맑은 쨍그랑 소리가 마치 가늘고 낭랑한 절규처럼 들리더라니까.

「"주위에서 사람들이 보고 있네. 그렇게 웃지 말게나." 내가 나무랐지. "사람들에게는 좋지 않게 들릴 거야."

「처음에 그는 내 나무람을 들은 기색을 보이지 않더군. 얼마쯤 지나자 그는 나를 전혀 안중에 두지 않은 채 오직 어떤 무서운 환상의 핵심을 뒤지는 듯한 눈초리로 아무렇게나 중얼대는 거였어. "제가 술에 취했다고 생각할 테죠."

「그러고 나서 겉으로 보기에 그는 영영 아무 소리도 다시 내지 않을 것처럼 보이더군. 그렇지만 그건 공연한 걱정이었어. 그가 의지력의 작용만으로 삶을 중단할 수 없는 것처럼 이제 와서는 의지력만으로는 하던 이야기도 중단할 수 없게 되었으니까."

9장

「"저는 '침몰해라. 이 망할 놈의 배야, 침몰해 버려라!'라고 혼잣말을 하고 있었습니다." 그는 이렇게 다시 이야기를 시작하더군. 그는 그 일이 모두 끝나길 바라고 있었던 거야. 그는 혹독히 고립되어 있었고, 머릿속으로 저주하듯 배를 향해 그런 말을 하고 있었던 거야. 그와 동시에, 내가 판단하기에, 그는 저급한 코미디 장면들을 눈으로 직접 목격하는 특전을 누리기도 했어. 선원들은 여전히 그 볼트에 매달려 있었어. 선장은 "밑쪽으로 가서 들어 올려 봐."라고 명령했고, 선원들은 당연히 그런 역할을 기피했겠지. 기선이 갑자기 침몰할 경우를 생각한다면 구명정의 용골대 아래쪽에 납작이 깔려 끼이는 것이 그리 달가운 처지가 될 수 없음을 자네들은 이해할걸. "선장님이 내려가 보시죠. 힘이 가장 세시니까요." 그 작은 기관사가 투덜거렸지. “망할 것! 나는 몸이 너무 커서 안 된다니까.” 선장이 절망하며 다급하게 말했어. 그것은 천사들이라도 울릴 수 있을 만큼 우스운 광경이었을 거야. 그들은 잠시 동안 가만히 서 있었고 기관장은 갑자기 다시 짐에게 달려갔어.

「“이 사람아, 와서 도와줘! 유일한 생존 기회를 포기하다니 자네 미쳤나? 와서 도와 달라고. 저걸 봐. 좀 보라니까!”

「드디어 짐은 기관장이 미친 듯이 집요하게 가리키는 고물 쪽을 바라보았어. 어느새 하늘을 삼분의 일이나 삼켜 버린 시커멓고 조용한 스콜 구름이 그의 눈에 들어왔지. 일 년 중 그 무렵에는 스콜이 어떤 식으로 다가오는지 자네들은 잘 알고 있을 거야. 처음에는 수평선 쪽이 어두워질 뿐이지. 그러다가 불투명한 구름이 벽처럼 솟아오른다고. 가장자리에 희끗희끗 기분 나쁜 빛을 띤 구름의 곧은 가장자리가 남서쪽에서 솟아올라 모든 성좌 속의 별들을 삼켜 버리거든. 그 그늘이 바다 위로 날아들면 바다와 하늘은 뒤섞여서 하나의 어두운 심연을 이루게 돼. 그러면 모든 것은 고요해진다고. 천둥도 바람도 아무 소리도 번개의 번뜩임도 없으니까. 그러다가 엄청난 어둠 속에 하나의 파리한 아치가 나타나고, 어둠 자체의 파동 같은 물결이 한두 차례 지나가게 되지. 그러면 갑자기 바람과 비가 마치 어떤 견고한 물체라도 뚫고 나온 것처럼 고유의 충동력으로 강타하게 돼. 선원들이 보지 못하고 있는 사이에 이런 구름이 다가오고 있었던 거야. 그들은 이제 막 그것을 보고, 완벽하게 고요한 바다에서라면 그래도 배가 몇 분 동안은 더 떠 있을 가망이 있었겠지만 바다가 조금이나마 동요하는 날이면 즉시 끝장나고 말 것이라고 추측했는데 그런 추측은 완전무결하게 정당화될 수 있었어. 이런 스콜의 발생에 앞서 찾아오는 물결에 배가 앞으로 한 번만 기우뚱하는 날이면 그것은 곧 배의 종말이 될 것이고, 배의 침몰 즉 바다 밑바닥을 향한 긴 다이빙으로 이어질 거야. 그러므로 선원들이 겁에 질린 나머지 다시 날뛰기 시작했다든지 죽음에 대한 극단적 혐오를 보이며 새로운 곡예를 벌이고 있었던 것도 당연하다 할 수밖에.

「"참으로 검디검은 구름이었습니다." 짐이 침통하지만 꿋꿋하게 말했어. "우리 뒤쪽에서 몰래 다가오고 있었던 거죠. 참으로 무서운 구름이었어요. 그동안 제 머릿속에는 그래도 약간의 희망이 있었거든요. 모르겠어요. 하지만 그 희망도 모두 끝났던 거예요. 제가 그렇게 꼼짝 못하게 되었다고 생각하니 미칠 듯하더군요. 저는 마치 덫에 걸린 것처럼 화가 났습니다. 덫에 걸렸던 거라고요. 게다가 그 날 밤은 더웠던 것으로 기억됩니다. 바람 한 점 없었거든요."

「그는 모든 것을 너무나 잘 기억하고 있었으므로 의자에서 헐떡이던 그의 모습은 마치 내 눈앞에서 땀을 흘리며 숨이 막히는 듯했어. 구름이 그를 미칠 듯하게 만들고 있었음이 틀림없었지. 어떤 의미에서, 그것은 다시 한번 그를 후려치고 있었다고 할 수도 있어. 그러나 그는 자기 자신에게 중요한 목적이 있었다는 것을 기억하게 되었지. 그 목적은 그로 하여금 선교로 달려가게 했지만 그만 슬그머니 그의 마음에서 잊혀지고 말았던 거야. 그는 구명정들을 기선에서 분리해 두어야겠다고 마음먹고 달려갔거든. 그는 나이프를 휙 뽑아 들고 자르는 일을 시작했는데 마치 아무것도 보거나 듣지 못했고 배에는 아는 사람이 하나도 없는 듯했어. 다른 선원들은 그의 머리가 가망 없이 잘못되어 미쳤나 보다고 생각했지만, 그런 불필요한 시간 낭비에 대해서 시끄럽게 항의하려 하지는 않았지. 일을 마치자 그는 처음 나섰던 곳으로 되돌아갔어. 기관장은 그를 붙잡고 마치 귀라도 물어뜯을 듯이 얼굴을 바짝 붙이고는 신랄하게 중얼거리고 있었어.

「"이 바보, 천치! 저 짐승 같은 인간들이 모두 물에 빠지게 되면 자네가 실력을 발휘할 기회가 조금이나마 있을 것 같아? 구명정에 태워 놓으면 저놈들이 자네의 머리통을 부숴 버릴 걸."

「짐이 그의 욕설을 아랑곳하지 않자 그는 짐의 팔꿈치 곁에서 자기 손을 쥐어짜고 있었어. 선장은 한쪽에서 겁먹은 듯이 발을 질질 끌고 다니면서 "망치! 망치! 젠장! 망치 좀 가져오라니까!"라고 투덜대고 있었어.

「몸집이 작은 기관사는 아이처럼 훌쩍거리고 있었지만, 팔이 부러진 것 같은 그런 불리한 여건에도 불구하고 그 무리 중에서는 가장 겁을 덜 먹고 있었던 것 같아. 그는 용기를 내더니 망치를 찾으러 기관실로 갔어. 그런 심부름이 결코 사소한 일이 아니었다고 말해야만 그에게는 공정한 대접이 될 거야. 짐은 그 기관사가 궁지에 몰린 사람처럼 절망적인 눈초리를 던진 후에 나직이 우는 소리를 내면서 기관실로 달려갔다고 했어. 그는 순식간에 손에 망치를 들고 올라오더니 조금도 주저하지 않고 볼트 벗기는 일에 덤벼들었지. 다른 선원들은 즉시 짐을 단념하고 기관사를 도우러 달려갔어. 그는 탁탁 하는 망치 소리와 대목(臺木)이 떨어져 나오는 소리를 들었는데 구명정이 분리되었던 거야. 그제야 짐은 돌아보았지. 그러나 그는 거리를 두고 있었어. 거리를 두었다고. 그는 자기가 거리를 두고 있었다는 사실을 내가 알아주길 바랐어. 자기 자신과 망치를 들고 있던 다른 선원들 사이에는 공통점이 없었다는 거야. 아무런 공통점도 없었다는 거지. 그는 아마도 자기와 그들 사이에 건널 수 없는 공간이랄까 극복할 수 없는 장애물이랄까 깊이를 알 수는 틈새가 있어서 자기만이 고립되어 있다고 생각했을 거야. 그는 그들로부터 되도록 멀리 떨어져 있었다는데, 그 거리는 기선의 폭만큼이었어.

「그의 발은 멀찍이 떨어진 곳에 붙어 버린 듯했고, 그의 눈은 공포라고 하는 공통된 고통 속에서 함께 숙인 몸을 기이하게 흔들고 있던 그 희미한 집단에서 떨어지지 않았어. 파트나호에는 중앙부에 해도실이 없었고 선교에 장치된 탁자만 있었는데 그 위의 갑판 기둥에 매달려 있던 휴대용 램프가 작업 중인 그들의 어깨며 굽힌 채 상하 운동을 하고 있던 등에 빛을 던지고 있었지. 그들은 구명정의 선수를 밀면서 어두운 밤 속으로 밀쳐 나가고 있었던 거야. 그들은 밀고 나가면서 더 이상 짐을 바라보려 하지 않았지. 그들은 짐이 너무 멀리 떨어져 있기라도 하듯 그를 단념하고 있었어. 짐이 자기네들과는 가망 없을 정도로 떨어져 있기 때문에 한마디 호소를 한다든지 힐끗 쳐다본다든지 손짓을 해 볼 가치조차 없다고 여겼던 거야. 그들에게는 짐의 수동적 영웅주의를 살펴본다든지 그의 신중한 자세가 가해 오는 가책을 느끼고 있을 여유가 없었던 거야. 구명정이 무거웠기 때문에 그들은 짐에게 동참하도록 격려하는 말 한마디를 보낼 만큼의 숨 돌릴 틈도 없이 그 뱃머리를 밀고 있었어. 하지만 그들의 자제력을 마치 바람 속의 왕겨처럼 흩어 버리고 있던 그 격동하는 공포는 그들의 필사적 노력을 소극(笑劇) 속의 수선스러운 광대에게나 단연코 어울릴 만한 바보 같은 짓거리로 바꾸어 버렸지. 그들은 자기네 손으로 밀었고 머리로 밀었으며 온몸의 무게를 실어 죽어라 밀었고 온 영혼의 힘을 다해 밀었어. 하지만 선수재를 대빗에서 비스듬히 벗겨 내는 데 성공하자마자 그들은 하나같이 그 자리를 떠나 구명정으로 미친 듯이 몰려가려고 했지. 그 자연스러운 결과로 구명정은 갑자기 안으로 기울었고 뒤로 밀린 선원들은 꼼짝 못한 채 서로 부딪히고 있었어. 한동안 서서 어쩔 줄 모르던 그들은 생각해 낼 수 있는 고약한 욕설을 모조리 들먹이며 사납게 속삭이다가 다시 구명정에 덤벼들었다는 거야. 이런 일이 세 번이나 있었나 봐. 짐은 음울한 생각에 잠긴 채 그때 일을 그려 보이고 있었어. 그는 그 희극적인 일에서 있었던 동작을 하나도 빼지 않고 말해 주었지. "저는 그들이 싫었고 미웠어요. 그 모든 광경을 바라보고 있어야 했습니다." 그는 아무런 강세도 주지 않고 말하면서 나에게 침통하게 경계의 눈초리를 던졌어. "일찍이 그토록 수치스러운 시련을 겪은 사람이 또 있었을까요?"

「그는 어떤 말 못할 일로 미칠 듯이 격분한 사람처럼 한동안 두 손으로 머리를 싸잡고 있었어. 이런 것을 그는 심판관들에게나 심지어는 나에게조차 설명할 수 없었던 거지. 그는 하던 말을 중단하곤 했는데 내가 그 의미를 이따금 이해할 수 있었으니 망정이지 그렇지 않았더라면 나도 그의 은밀한 이야기들을 받아들일 자격이 별로 없었을 거야. 그의 굳건함에 대한 이런 공세 속에는 원한 서린 간악한 복수의 냉소적 의도가 들어 있었어. 그리고 그가 겪은 시련 속에는 희화적(戱畵的)인 요소가 있었고, 다가오는 죽음 또는 불명예 속에서의 우스운 얼굴 찌푸림이라는 타락도 있었어.

「그가 말했던 여러 사실들을 나는 아직도 잊지 않고 있지만, 오랜 세월이 흐르고 난 지금 그의 말을 구구절절 되살릴 수는 없어. 다만 그가 아무 꾸밈없이 구술했던 여러 사건 속에서 자기 마음을 덮고 있던 회한을 놀랍게도 잘 전달했던 것을 나는 아직도 기억하고 있지. 그는 자기에게 이미 종말이 다가왔음을 확신하면서 두 번이나 눈을 감았다는 거야. 그러니 두 번이나 다시 눈을 떠야 했겠지. 그는 눈을 뜰 때마다 그 엄청난 정적이 점점 어둠에 싸이고 있음을 눈여겨보았다는 거야. 조용한 구름의 그림자가 하늘에서 배 위로 내려와 배 안에 득실거리는 생명체가 내는 소리를 모조리 지워 버린 듯했겠지. 차양 아래서는 그가 더 이상 아무 목소리도 들을 수 없었어. 그는 나에게 말하기를, 자기가 눈을 감을 때마다 수많은 육신이 죽음을 기다리며 널려 있는 광경을 대낮처럼 환하게 보여주는 사념이 번쩍 떠오르더라는 거야. 그가 눈을 뜨면 네 명의 사내들이 꼼짝도 하지 않는 구명정을 상대로 미친 듯이 싸움을 벌이는 광경이 보였지. "그들은 여러 번 구명정 앞에서 물러나서 서로 욕을 하며 서 있다가 갑자기 한 덩어리가 되어 달려들곤 했지요……. 그야말로 사람들을 웃다가 죽게 할 만한 광경이었죠." 그는 눈길을 아래로 떨어뜨린 채 논평을 하더니 잠시 동안 내 얼굴을 향해 눈을 치켜뜨고 쓸쓸히 웃으며 말했어. "일생 동안 그 꼴이나 떠올리며 살아야겠지요, 참으로 여러 차례 그 우스운 꼴을 보다가 죽을 겁니다." 그는 다시 눈길을 떨어뜨리더군. "보고 또 듣게 되겠지…… 보고 또 듣게 되겠지." 그는 긴 간격을 두고 같은 말을 되풀이했는데 그사이에 그는 사뭇 멍한 눈초리였어.

「그가 다시 정신을 차리더군.

「"저는 눈을 감고 있겠다고 마음먹었지요." 그가 말했어. "하지만 그럴 수가 없었습니다. 없었다고요. 누가 그걸 알고 있든 저는 상관치 않습니다. 누구든 무슨 말을 하려거든 그런 일을 한번 겪어 보고 나서 하라고 하세요. 겪어 보고 나서 저보다 더 잘 처신하라고 하세요. 그것뿐이라고요. 제 눈까풀이 두 번째로 열리자 제 입도 벌어지더군요. 저는 배가 움직이는 것을 느꼈던 거지요. 배는 뱃머리를 숙였다가 점잖게 치켜들었습니다. 천천히, 아주 한없이 천천히, 그리고 그것도 아주 조금만. 배는 여러 날 동안 그 정도의 동요도 없었거든요. 어느새 구름이 앞으로 내달리고 있었고, 첫 번째 물결이 납덩이같은 바다 위로 번지는 듯했습니다. 그 동요 속에는 아무 생명력도 없었습니다. 그러나 그 동요는 제 머릿속의 무언가를 후려치기에 충분했습니다. 선장님께선 어떻게 하셨겠습니까? 선장님께선 자신에 대한 믿음이 있잖아요? 바로 지금 이 순간에 이 집이 흔들린다면, 의자 아래쪽이 흔들리는 것을 느낀다면, 선장님께선 어떡하시겠습니까? 뛰시겠죠! 앉은자리에서 껑충 뛰어올랐다가 저기 숲 속에 내려앉으실 테죠."

「그는 석조 난간 저편의 밤하늘을 향해 자기 팔을 뻗더군. 나는 잠자코 있었지. 그는 아주 꿋꿋이 가혹한 표정으로 날 바라보고 있더군. 틀림없었어. 그때 나는 위협받고 있었고 그 위협은 나로 하여금 아무 내색도 하지 못하게 했던 거야. 혹시 몸짓이나 말 한마디를 잘못해서 그만 내가 그 사건과 관련 있었을 만한 일을 결정적으로 자인하는 쪽으로 끌려가게 될까 겁이 났기 때문이야. 나는 그런 위협을 무릅쓰고 싶은 심경이 아니었거든. 그가 내 앞에 있었다는 사실을 잊지 말게나. 그는 너무나 우리들 중의 한 사람 같아서 도대체 위험하지 않을 수가 없었지. 하지만 자네들이 알고 싶어한다면 거리낌 없이 말해 주지. 그때 나는 베란다 앞 풀밭 한가운데의 비교적 짙은 어둠 덩어리까지의 거리를 빠른 눈초리로 어림짐작해 보고 있었어. 그는 과장하고 있었던 거야. 내가 뛰어올랐다고 해도 거기서 몇 피트나 미치지 못하는 곳에 떨어졌을 테고, 지금 내가 꽤 자신 있게 말할 수 있는 건 그것뿐이라고.

「그가 생각한 대로 마지막 순간은 다가왔어. 그런데도 그는 움직이지 않았지. 여러 가지 사념들이 그의 머릿속에서 요란하게 움직이고 있었지만 그의 발만은 갑판에 붙어서 꼼짝하지 않았거든. 구명정 주위에 있던 선원 중의 한 사람이 갑자기 뒤로 물러서더니 치켜든 두 팔로 허공을 움켜잡으며 비실비실 쓰러지는 모습을 그가 보게 된 것도 바로 그때였어. 그가 정확히 쓰러졌다고는 할 수는 없고 점잖게 미끄러지더니 앉은 자세를 취했고 엉덩방아 자세로 어깨를 기관실의 천창 한쪽에 기대고 있었나 봐. "보조 기관사였는데 초췌하고 창백한 얼굴에 거친 콧수염을 기른 녀석이었습니다. 삼등기관사 역할을 하고 있었던 거죠." 짐이 설명했어.

「"죽었지?" 내가 물었어. 심판정에서 그런 이야기를 들은 적이 있었던 거야.

「"죽었다고 말하더군요." 그는 침통한 무관심을 보이며 말했어. "물론 저로서는 알 수가 없었고요. 심장이 약했다는 거예요. 얼마 전부터 몸이 불편하다는 불평을 하더라고요. 흥분한 데다 과도하게 힘을 썼나 봐요. 하지만 누가 알겠어요. 하! 하! 하! 그도 죽고 싶지 않았던 것만은 쉽게 알 수 있지요. 우스운 일이 아닌가요? 저는 그가 어리석게도 살겠다고 덤비다가 결국은 자살을 하게 된 셈이라고 단언할 수 있어요. 잘못 생각했던 거죠, 그 이상도 이하도 아니랍니다. 젠장, 잘못 덤빈 거니까요. 제가 그랬던 것처럼 말입니다…… 아! 그가 가만히 있었더라면 아무 일도 없었을 텐데. 배가 가라앉는다고 선원들이 그의 침상으로 달려갔을 때, 그들에게 상관 말고 가라고 했더라면 죽진 않았겠죠! 그가 주머니에 손을 넣고 서서 그들에게 욕이나 퍼붓고 있었더라면 얼마나 좋았을까요!"

「짐은 일어서서 주먹을 휘두르며 나를 향해 눈을 부라리더니 앉더군.

「"좋은 기회를 놓쳤다는 게로군." 내가 중얼댔어.

「"왜 웃지 않으십니까?" 그가 말했어. "지옥에서나 빚어질 만한 농담이죠. 심장이 약했다는 거예요!…… 제 심장도 약했더라면 좋았겠다는 생각이 가끔 듭니다."

「그 말을 듣자 화가 나더군. 그래서 나는 뿌리 깊은 빈정거림이 실린 목소리로 "그런가?"라고 말했지. "네, 이해가 안 되시나요?" 그가 소리치더군. "나는 자네가 그 이상 무얼 더 바랄 수 있었으리라고는 생각하지 않네." 내가 화난 어조로 말했어. 그는 전혀 이해할 수 없다는 눈초리를 내게 던졌어. 내 공격의 화살이 이번에도 크게 빗나갔던 거야. 그는 아무렇게나 날아드는 화살 따위를 신경 쓸 사람이 아니었거든. 정말이지, 그에게는 너무 의심이 없었어. 그는 정당한 사냥감이 되지 못했다니까. 그래서 나는 내 공격의 화살이 낭비되고 말았다든지 그가 시위에서 나는 팅 소리조차 듣지도 못한 것을 다행이라 여겼지.

「물론 당시 그는 기관사가 죽었다는 것을 알지 못했어. 그 다음 순간은 그가 갑판에서 보낸 마지막 순간이었는데, 바위에 부딪쳐 부서지는 바닷물처럼 그의 주위에서 격동하던 여러 사건이며 느낌으로 혼란한 순간이었지. 나는 방금 바닷물이 부서지는 바위라는 직유(直喩)를 고의로 썼어. 왜냐하면 그의 이야기를 듣자 나는 그가 수동적인 자세라는 기이한 환상을 사뭇 유지하려 했다고 생각하지 않을 수 없었기 때문이야. 마치 그가 능동적으로 움직이지는 않았으며 자기를 현실적인 조롱의 대상으로 삼고 희생시키려 하던 그 지독한 세력들이 자기를 마음대로 다루도록 내버려 두고 있었던 것 같왔으니까. 그에게 닥쳐온 최초의 것은 그 무거운 대빗이 밖으로 흔들리며 내는 마찰음의 파동이었어. 그 진동은 갑판으로부터 그의 발바닥을 통해 온몸으로 들어온 후 등골을 따라 정수리까지 올라갔거든. 그때 아주 가까이 다가온 스콜로 인해 이전보다 더 무거운 물결이 몰려와 그 수동적인 폐선을 위협적으로 치켜들자 그는 숨을 죽여야 했고, 공포에 질린 비명들이 비수처럼 그의 두뇌며 심장을 찌르고 있었어. "구명정을 띄워라! 제발 띄우라니까! 기선이 가라앉는다." 그러자 뒤이어 대빗의 도르래를 통해 구명정을 매고 있던 밧줄이 빠져나갔고, 차양 아래서는 많은 사람들이 놀란 목소리로 말하기 시작했다고. "그 못난 인간들이 탈출했을 때 그들의 고함 소리는 죽은 사람들까지도 일깨울 수 있을 정도였지요." 짐이 말했어. 다음 순간에 구명정이 물에 풍덩 하고 떨어지는 소리가 들린 후에, 쿵쿵거리는 발소리며 뒹구는 소리에 뒤섞여 혼잡한 고함 소리가 들려왔어. "밧줄을 벗겨라, 벗기라니까! 구명정을 밀고 나가자. 벗기라니까! 밀고 나가야 살지. 스콜이 시작되고 있다……." 그의 머리 위 드높이 희미한 바람 소리가 들렸고, 발아래서는 고통의 비명이 들리고 있었어. 그 곁에서 어떤 녀석이 절망적인 목소리로 회전 쇠고리가 말을 듣지 않는다고 욕을 하고 있었지. 기선은 이물 쪽과 고물 쪽을 가릴 것 없이 온통 벌집을 쑤셔놓은 것처럼 웅얼거리는 소리를 내고 있었어. 그 모든 이야기를 하면서도 짐은 아주 조용했고, 태도나 안색이나 목소리가 아주 차분하던 그는 놀람의 기색을 조금도 보이지 않으며 말했어. "저는 그 사람의 다리에 걸려 넘어지고 말았습니다."

「그가 몸을 조금이라도 움직였다는 말을 내가 처음 들은 것은 그때였어. 나는 놀란 나머지 웅! 소리를 내지 않을 수 없었지. 무엇인가가 드디어 그를 움직이게 했지만 그가 부동자세에서 벗어난 정확한 순간과 그 원인에 대해서는 그도 아는 게 없었어. 마치 뿌리 뽑힌 나무가 무슨 바람이 자기를 쓰러뜨렸는지 모르는 거나 마찬가지였다고 할까. 그 소리들이며 장면들 그리고 그 죽은 사람의 다리 같은 것들이 한꺼번에 그에게 몰려왔던 거야. 맙소사! 지옥 같은 조롱이 무섭게 그의 목구멍으로 밀려 내려가고 있었지만, 이봐, 그는 자기의 목구멍이 무엇이건 삼켰다는 것을 시인하려 하지 않았어. 그가 자기의 망령 같은 환상을 나에게 던지고 있던 모습이야말로 참으로 비범했어. 나는 시신 위에 작용하는 괴기 마법 이야기를 듣고 있듯이 귀를 기울이고 있었지.

「"그 사람은 아주 점잖게 옆으로 쓰러졌습니다. 제 기억으로는 갑판 위에서 보았던 마지막 물체가 바로 그것이었습니다." 그가 말을 잇더군. "그가 무슨 짓을 하든 저는 상관치 않았어요. 그는 마치 일어서려는 것처럼 보이더군요. 물론 저는 그가 일어서고 있다고 여겼답니다. 저는 그가 내 앞을 휙 지나서 난간을 넘고 다른 사람들을 따라 구명정으로 뛰어내릴 것이라고 생각했거든요. 아래쪽에서 그들이 이리저리 날뛰고 있는 소리가 들리더라고요. 누군가가 '조지!'라고 부르는 소리가 화살처럼 올랐습니다. 그러자 세 사람이 목소리를 합쳐 고함을 질렀습니다. 그 목소리들이 내게는 따로따로 들리더라니까요. 한 목소리는 염소의 울음소리로 들렸고 또 한 소리는 비명이었으며 세 번째 목소리는 으르렁거리고 있었으니까요. 내 참!"

「짐은 몸을 약간 떨고 있었어. 나는 그가 천천히 일어서는 것을 바라보았는데 마치 머리 위에서 어떤 꼿꼿한 손이 머릿단을 잡고 그를 의자에서 끌어내고 있는 듯하더군. 그는 천천히 온몸을 쭉 펴고 일어섰고, 그의 두 무릎이 고정되자 그 손은 그를 놓아주었고 그는 선 채로 몸을 약간 흔들더군. 그의 얼굴이며 동작 그리고 바로 그 목소리에 무서운 정적이 암시되어 있는 가운데 그는 "그 사람들이 고함을 지르더군요."라고 말했어. 부지불식간에 나는 그 거짓된 침묵의 효과를 통해 직접 들을 수 있을 것 같던 그 고함의 망령을 붙잡기 위해 귀를 쫑긋 세웠다고. "그 배에는 800명의 사람들이 타고 있었습니다." 그가 이 말을 할 때 그의 멍한 눈초리는 마치 내 몸을 의자의 등받이에 못으로 고정하는 듯했어. "살아 있는 사람들이 800명인데 그들은 한 사람의 죽은 사람을 상대로 어서 내려와 목숨을 구하라고 소리 지르고 있었던 거죠. '뛰어내려, 조지! 뛰어내리라니까! 오, 뛰어내려!' 저는 대빗에 손을 대고 서 있었습니다. 저는 아주 조용히 있었다고요. 구름이 어느새 칠흑처럼 하늘을 덮고 있었습니다. 하늘도 바다도 분간할 수 없었어요. 기선 곁에서 구명정이 쿵쿵 부딪치는 소리가 들렸고 얼마 동안 다른 소리는 전혀 들리지 않았습니다. 그러나 제 발 아래에서는 사람들이 떠드는 소리가 시끄러웠습니다. 갑자기 선장이 소리치더군요. '맙소사! 스콜이다! 스콜! 구명정을 기선에서 밀어내라!' 첫 빗줄기가 후드득거렸고 첫 강풍이 불자, 그들은 소리를 질렀습니다. '뛰어내려. 조지! 우리가 붙잡아 줄게! 뛰어내리라고!' 기선이 천천히 빠지기 시작했습니다. 비는 출렁이는 파도처럼 기선을 휩쓸었습니다. 제 머리에서 모자가 날아가 버리더군요. 숨이 목구멍으로 다시 밀려 들어가는 듯했지요. 제가 마치 망루(望樓)의 꼭대기에 서 있기라도 하듯이 '조오오오지! 오, 뛰어내리라니까!' 하는 비명을 다시 한번 들을 수 있었습니다. 제 발 아래서 기선은 뱃머리를 숙이며 아래로 가라앉고 있었습니다."

「그는 조심스럽게 손을 얼굴로 쳐들더니 마치 거미줄 때문에 귀찮다는 듯이 손가락으로 무언가를 뜯어내는 시늉을 하고 있었어. 그러고 나서 그는 손바닥을 펴고 잠시 들여다보다가 불쑥 내뱉더군.

「"저는 뛰어내렸습니다……." 그는 말을 중단하고 시선을 돌리더니 "뛰어내렸던 것 같아요"라고 덧붙였어.

「그의 맑고 파란 눈이 보기 딱한 눈초리로 나를 향하고 있더군. 그가 어안이 벙벙해지고 속이 상한 채 내 앞에 서 있는 것을 보자 나는 그만 아이가 저지르고 있는 재앙을 바라보면서도 속수무책인 늙은이가 몰두해서 느끼고 있을 만한 그런 깊은 연민 섞인 체념의 지혜를 슬프게 감지하며 가슴이 짓눌리는 기분이었지.

「"그랬을 것 같군." 내가 중얼댔어.

「"기선을 쳐다보게 되기까지 저는 아무것도 몰랐습니다." 그가 황급히 해명하더군. 그럴 수도 있었을 거야. 나는 곤경에 처한 어린 소년의 이야기를 듣듯이 그의 말에 귀를 기울여야 했다니까. 그는 모르고 있었어. 어쨌든 그런 일이 일어나게 되었고, 다시는 일어나지 않을 테지. 그는 누군가에게 부딪혔고 노젓는 좌석에 가로 걸치며 떨어졌어. 그는 왼 옆구리의 갈비뼈들이 모두 부러졌을 거라는 생각이 들더라는 거야. 그때 그는 몸을 뒤쳤고 자기가 막 버린 기선이 머리 위로 솟구쳐 있는 것을 보게 되었어. 비속에서 그 기선의 빨간 현등(舷燈)이 마치 안개 속에 엿보이는 산등성이 위의 불처럼 크게 이글거리고 있더라는 거야. "배는 성벽보다도 더 높아 보였습니다. 구명정을 굽어보고 있는 절벽 같더군요……. 저는 죽고 싶은 심경이었습니다." 그는 울부짖고 있었어. "되돌아갈 길이 없었습니다. 저는 마치 우물 속으로 뛰어든 듯한 기분이었습니다. 깊이가 한량없는 구멍 속으로 말입니다."」

10장

「그는 손가락으로 깍지를 꼈다가 풀더군. 그 이상의 진실은 없었어. 참으로 그는 한량없이 깊은 구렁 속으로 뛰어들고 말았던 거야. 그는 다시 기어오르지 못할 높은 위치에서 굴러 떨어지고 만 셈이었어. 그 무렵에 구명정은 기선의 뱃머리를 지나 앞으로 나가 있었어. 너무 어두워서 그들은 서로의 얼굴을 볼 수도 없었고, 게다가 비에 흠뻑 젖은 그들은 눈을 뜰 수조차 없었지. 짐은 물살에 휩쓸려 동굴 속으로 들어가고 있는 기분이었다고 했어. 그들은 스콜 쪽으로 등을 돌리고 있었고, 선장은 선미에 노를 걸쳐 놓고 스콜에 맞서 구명정을 지탱하려고 했던 것 같아. 이삼 분간 칠흑 같은 어둠 속에 비가 퍼부어 세상의 종말이 다가온 것처럼 보였던가 봐. 바다는 '이만 개의 가마솥처럼' 부글거리고 있었지. 이건 짐이 사용한 직유야. 내가 만든 말이 아니라고. 내 생각으로는 처음 돌풍이 지나간 후에 바람이 심하게 불지는 않았던 것 같아. 짐 자신도 심판정에서 그날 밤 바다에 격랑이 심하게 일지는 않았음을 시인했거든. 그는 선수 쪽에 웅크리고 앉아서 뒤를 흘낏 훔쳐보았다는 거야. 아래돛대 꼭대기에 높다랗게 매달린 노란 등불 하나만이 막 사라지려는 마지막 별처럼 흐려지고 있더라고 했어. "그 등불이 아직도 남아 있는 걸 보니까 겁이 덜컥 나더군요." 그가 말하더군. 그가 그렇게 말하더라니까. 그를 무섭게 한 것은 그 승객들이 아직도 익사하지 않았다는 생각이었어. 그는 그 지긋지긋한 일이 되도록 빨리 끝장나기를 바랐거든. 구명정에서는 아무도 소리를 내지 않았어. 어둠 속에서 구명정은 날아가는 듯했지만, 물론 별로 멀리 갈 수는 없었을 거야. 앞에서 소나기가 몰아쳤고, 얼이 빠지게 할 만큼 부글거리던 큰 소음이 멀리 비를 뒤따르다가 사라졌어. 그러자 구명정 측면에 물이 부딪는 소리를 제외하고는 아무 소리도 들리지 않았지. 누군가의 이가 요란하게 부딪히는 소리가 들렸어. 한 사람의 손이 그의 등을 건드렸어. 희미한 목소리가 "자네 거기 있나?"라고 말하니까, 다른 목소리는 떨면서 "기선이 사라졌군!"이라고 외쳤지. 그러자 모두들 함께 일어서서 선미 쪽을 바라보았대. 아무 불빛도 보이지 않았고 사방은 온통 어둡기만 했지. 가늘고 싸늘한 보슬비가 그들의 얼굴에 몰아치고 있었으니까. 구명정이 약간 기우뚱했어. 이가 부딪히는 소리가 더 빨라지더니 멎었고, 다시 두 번이나 더 부딪히더니 그 소리의 장본인은 몸이 떨리는 것을 어느 정도 억제하고 나서 말했어. "그, 그저, 때, 때맞춰…… 브르르르." 그는 그게 기관장의 통명스러운 목소리임을 알았지. "기선이 가라앉는 것을 보았다고. 때마침 내가 머리를 돌리고 있었던 거야." 바람은 어느새 거의 자고 있었던가 봐.

「어둠 속에서 그들은 마치 비명을 기대하듯 바람이 부는 쪽으로 머리를 반쯤 돌린 채 지켜보고 있었어. 처음에 그는 밤이 그 침몰 장면을 가려준 것을 고맙게 여기고 있었지. 그러나 침몰을 알면서도 그 장면을 전혀 보거나 듣지 못했다는 사실이 어떤 끔찍한 불행의 절정처럼 비치더라는 거야. "이상한 일이잖아요?" 그는 자주 끊어지곤 하던 자기 이야기를 다시 중단하면서 중얼거렸어.

「그게 나에게는 그리 이상하게 보이지 않았어. 현실 상황이 그의 상상력에 의해 빚어진 공포만큼은 나쁘지 않았고 고통스럽거나 무섭거나 복수심으로 가득하지도 않았을 거라는 일종의 무의식적 확신이 그에게 있었음이 틀림없어. 나는 그 첫 순간에 고통을 당하고 있었을 모든 사람들을 생각하며 그의 심장이 쥐어짜는 듯했으리라고 믿어. 그리고 그의 영혼은 갑작스럽게 폭력적인 죽음의 엄습을 받은 800명의 인간들이 겪었을 모든 무서움이며 공포며 절망이 누적된 것을 맛보고 있었으리라고 생각해. 그렇지 않고야 그가 "저는 그 저주받을 구명정에서 뛰어내려 침몰의 현장까지 반 마일 혹은 그 이상이라도 헤엄쳐 가야 할 것 같았습니다."라고 말했을 리가 있을까? 왜 그런 충동을 받았을까? 자네들은 그 의미를 알겠는가? 왜 그 현장으로 돌아간단 말인가? 익사할 생각이 있었다면 따라 죽으면 되지 않았을까? 바로 그 침몰의 현장으로 가서 눈으로 보아야 할 이유가 어디 있단 말인가? 마치 죽음이 구원을 가져오기 전에 모든 것은 끝났다는 확신으로써 자기 상상력을 무마해야 할 것처럼 말이네. 자네들 중에서 이것 말고 다른 설명이 있거든 한번 말해 보게나. 그건 안개를 뚫고 엿보는 듯한 기이하고도 기막힌 광경들 중의 하나였어. 참으로 비범하게 드러나는 광경이었지. 그는 우리가 말할 수 있는 가장 자연스러운 것을 밝히듯이 그 심경을 토로하고 있었어. 그 충동을 억누르자 그는 정적을 의식하게 되었지. 그는 나에게 그걸 말했어. 바다와 하늘의 정적이 하나로 합쳐서 뭐라 단정하기 어려운 엄청난 것을 이루었고 구조되어 아직 팔딱거리던 그 생명체들의 주위를 죽음처럼 고요히 둘러싸고 있었던 거야. "구명정은 바늘이 떨어지는 소리도 들을 수 있을 만큼 조용했습니다." 그는 마치 지극히 감동적인 사실을 서술하면서 자기 감수성을 억제하려고 애쓰는 사람처럼 기이하게 입술을 오므리고 있었어. 정적! 짐으로 하여금 그렇게 처신하도록 의도하셨던 하느님을 제외하고는 아무도 짐이 마음속으로 그 정적을 어떻게 받아들이고 있었는지 알 수 없겠지. "이 세상의 어디도 그때 그곳처럼 고요할 수는 없었으리라 생각합니다." 그가 말하더군. "바다와 하늘을 구별할 수 없었을뿐더러 아무것도 보이거나 들리지도 않았습니다. 그 어느 번뜩임이나 형상이나 소리도 없었습니다. 마른 대지가 모조리 바다 밑바닥으로 가라앉아 버리고 저와 그 못난 인간들을 제외하고는 지상의 모든 인간들이 익사해 버렸다고 생각할 지경이었으니까요." 그는 커피 잔이며 리큐르 잔이며 담배꽁초 같은 것들이 널려 있는 가운데에 주먹을 댄 채 테이블 너머로 몸을 구부리더군. "저는 그렇게 믿고 있었던 것 같아요. 모든 것이 사라졌고 모든 것이 끝났다고 말입니다……." 그는 깊은 한숨을 지었어. "저 자신과 함께 끝나 버렸다고 말이에요."」

말로는 별안간 몸을 바로 세우며 앉더니 피우던 잎담배를 휘익 던져 버렸다. 잎담배는 장막처럼 드리운 덩굴 사이로 쏜 장난감 로켓처럼 빨간 꼬리를 달고 날아갔다. 아무도 움직이지 않았다.

「이봐, 자네들은 어떻게 생각하나?" 그는 갑자기 활기를 띠며 소리쳤다. "그는 자기 자신에게 진실했어. 그렇지 않은가? 그는 목숨을 구했지만, 그의 발이 디디고 설 땅이 없었고 눈이 바라볼 광경도 없었고 귀에 들릴 목소리 또한 없었으니 그 목숨은 끝났던 거야. 절멸 상태였지. 그리고 언제나 구름 낀 하늘이며 출렁이지 않는 바다며 흔들리지 않는 공기뿐이었어. 오직 밤이요 정적이었을 뿐이야.

「그 정적이 한동안 지속된 후 그들은 자기네들이 도망쳐 나온 데 대해 갑자기 이구동성으로 떠들어 대야 할 것 같은 충동을 받았던가 봐. "난 처음부터 배가 가라앉을 것을 알고 있었어." "때 맞춰 탈출했지 뭐야." "맙소사, 간신히 탈출했다니까." 그는 아무 말도 하지 않았지만, 그간 그쳤던 미풍이 다시 불기 시작했고 꾸준히 불어오는 부드러운 바람이 그의 기분을 상쾌하게 해 주었어. 압도적 상황에 질린 나머지 말문이 막혔던 상태가 지나고 그들이 수다스러운 반응을 보이게 되자 바다도 웅얼거리며 합세했지. 기선은 사라졌어. 기선은 사라졌던 거야! 그걸 의심할 수는 없었어. 아무도 구원할 수 없었을 테지. 그들은 입을 다물 수 없다는 듯이 같은 말을 여러 차례 반복했어. 배가 가라앉을 것을 의심하지 않았다는 거였어. 등불이 사라졌으니 틀림없이 가라앉았다는 거라고도 했어. 등불이 모두 사라졌으니 다른 결과를 기대할 수는 없었겠지. 기선은 사라져야 했던 거야……. 짐은 그들이 마치 빈 배만 남겨두고 탈출한 것처럼 말하는 것을 주의하며 듣고 있었어. 그들은 일단 침몰이 시작된 이상 그 배가 그리 오래가지 않았을 거라는 결론도 내렸어. 그런 결론이 그들에게는 모종의 만족감을 주고 있는 듯했지. 그들은 기선이 그러고도 오래갔을 리가 만무하다고 서로 다짐하고 있었던 거야. "마치 다리미처럼 침몰했지 뭐야." 기관장은 침몰하는 순간에 아래돛대 꼭대기에 매달려 있던 등이 마치 '불이 붙은 성냥개비를 내던졌을 때처럼' 추락하는 것 같더라고 말했지. 그 말을 듣자 이등기관사는 히스테리하게 웃었어. "듣기에 바, 바, 반가운 소리군요. 바, 바, 반갑다고요." 그의 이가 '마치 전기 장치처럼 덜덜거리는 소리를' 계속 내고 있더라고 짐은 말했어. "그러고 나서 그는 갑자기 울기 시작하더군요. 그는 아이처럼 울다가는 숨소리와 흐느낌을 죽이고서 '오, 맙소사! 오, 맙소사!'하며 훌쩍이기도 했습니다. 그는 얼마 동안 조용히 있다가 갑자기 말을 시작하기도 했지요. '오, 내 가엾은 팔! 오, 내 가엾은 파아아아알!' 저는 그 녀석을 때려눕히고 싶더라고요. 그 몇 사람은 고물 쪽 좌석에 앉아 있었는데 형체를 겨우 분간할 수 있었을 뿐이었지요. 중얼중얼 투덜투덜 불평하는 소리가 들려옵디다. 그 모든 상황이 견디기 어려운 듯했습니다. 게다가 춥기도 했고요. 그런데도 저로서는 아무것도 할 수 없었습니다. 제 생각으로는, 만약 제가 움직인대도 해야 할 일이라고는……."

「그의 손이 살금살금 다가와서 리큐어 잔에 닿더니 마치 시뻘겋게 타는 석탄 덩이에 닿은 것처럼 갑자기 물러나더군. 나는 술병을 약간 밀치면서 "더 들지 그러나?" 하고 권했어. 그는 화난 얼굴로 나를 바라보면서 "제가 취하지 않아도 할 이야기를 다 할 수 있다고 생각하지 않으시나요?"라고 묻는 것이었어. 세계 일주 여행 중이던 패들은 이미 자러 가고 없었지. 흰옷 차림으로 그림자 속에서 꼿꼿이 서 있던 희미한 형상을 제외한다면 짐과 나밖에 남은 사람이 없었어. 그 형상은 내가 자기를 바라보자 겁을 먹은 듯이 앞으로 나오다가는 멈칫한 후 말없이 물러서곤 했어. 밤이 이슥해지고 있었지만 나는 내 손님에게 이야기를 재촉하지는 않았어.

「자기가 처해 있던 처량한 상황에서 그는 동료들이 누군가를 욕하기 시작하는 걸 들었어. "무엇 때문에 뛰어내리는 걸 주저하고 있었느냐고, 미친 놈 같으니라고!" 질책하는 목소리가 들렸던 거야. 기관장이 선미에 있던 자리를 떠나 '그 유례가 없는 천치 녀석'에 대해 적대 감정이라도 품은 듯이 앞으로 기어오는 소리가 들렸거든. 선장은 노를 잡고 앉아 있던 자리에서 거친 목소리로 듣기 거북한 형용사들을 큰 소리로 늘어놓고 있었지. 짐은 그 소동에 머리를 들었고 '조지'라는 이름을 듣는 순간 어둠 속에서 누군가의 손이 그의 가슴을 때리는 것이었어. "자네에게 변명이 있거든 말해 보라고, 바보 같으니!" 누군가가 정당한 분노를 느낀다는 듯이 말하고 있었어. "그들은 저에게 추궁하고 있었던 거예요." 짐이 말했어. "그들은 저에게 욕을 하고 있었던 거예요. 제가 조지인 줄 알고 욕을 하더라니까요."

「그는 말을 그치고 노려보더니 미소를 지으려고 애쓴 후 고개를 돌리고 이야기를 계속했어. "그 몸집이 작은 이등기관사는 자기 머리를 내 코밑으로 바짝 들이밀더니 '맙소사, 망할 것, 항해사 아냐!'라고 말했습니다. 구명정의 저편 끝에서는 선장이 '뭐라고?'하며 소리를 질렀습니다. 기관장은 '이럴 수가!'라고 소리치더니 그 또한 제 얼굴을 살펴보려 하더군요."

「갑자기 바람이 사라지더니 비가 다시 내리기 시작했어. 바닷물이 소낙비를 맞을 때 내는 그 거침없이 부드럽고 조금은 신비한 소리가 밤중에 사방에서 들려오고 있었지. "그들은 너무 놀란 나머지 처음에는 말문이 막힌 듯했습니다." 짐은 꿋꿋한 어조로 이야기를 계속하더군. "그러니 전들 그들에게 무슨 말을 할 수 있었겠습니까?" 그는 얼마 동안 말을 더듬다가 이야기를 계속하려 애를 썼어. "그들은 저에게 끔찍한 욕을 해댔습니다." 그의 목소리는 속삭이듯 가라앉았다가 이따금 갑자기 솟구치곤 했는데, 마치 어떤 은밀한 혐오물에 대해 이야기하듯이 멸시의 감정으로 굳어 있었지. "그들이 저에게 무슨 욕을 했는지는 상관할 것 없지요." 그는 침통하게 말했어. "저는 그들의 목소리에서 증오를 들을 수 있었습니다. 그럴 만도 했겠지요. 그들은 제가 구명정에 타고 있는 걸 용서할 수 없었던 거예요. 그들은 그걸 증오했고, 그래서 화를 내고 있었던 거죠……." 그는 짤막히 웃더군……. "하지만 그 때문에 저로서는 어떻게 하기가……. 그래서 저는 뱃전에서 팔짱을 낀 채 앉아 있었다고요……." 그는 테이블 가장자리에 맵시 있게 앉아서 팔짱을 끼고 있었던가 봐……. "이렇게 앉아 있었다고요. 네. 뒤로 조금만 밀리는 날이면 저는 익사했을 겁니다. 다른 승객들의 뒤를 따라갔겠죠. 조금만 밀렸다면 말입니다. 아주 조금만, 아주 조금만 밀렸다면." 그는 상을 찌푸린 후 가운뎃손가락 끝으로 이마를 톡톡 치면서 인상적으로 말하고 있었어. "그런 생각이 여기에 사뭇 들어 있었죠. 사뭇 그런 생각을 했었다고요. 그리고 비가 내렸는데 차고 무거운 비였습니다. 눈 녹은 물처럼 차더라고요. 얇은 면직 옷을 입고 있던 저에게는 더 차게 느껴졌어요. 제 평생에 다시는 그때처럼 추위를 느끼지 않을 겁니다. 게다가 하늘은 칠흑 같았습니다. 온통 칠흑이었다고요. 별이라곤 보이지 않았고 어디에서도 한 가닥 빛을 찾을 수 없었어요. 그 망할 놈의 구명정 바깥으로 아무것도 보이지 않았고 제 앞에서는 두 녀석이 나무 위로 쫓겨 올라간 도둑을 향해 짖어 대는 두 마리의 잡종견처럼 컹컹 짖어 대고 있었지요. '넌 여기서 무얼 하고 있는 거야? 넌 너무 잘난 사람이잖아! 너무 잘난 신사라서 이런 일에 끼어들 사람이 아닌 줄 알았는데. 꿈에서 깨어나셨나? 몰래 끼어들기로 한 거야?' 컹, 컹! '너 같은 놈은 살 자격이 없어!' 컹, 컹! 두 사람은 서로 더 큰 소리로 짖으려고 경쟁하더군요. 선미 쪽에 앉아 있던 나머지 한 사람이 짖어 대는 소리도 비를 뚫고 들려왔습니다. 그가 보이지 않아 모습을 분간할 수는 없었지만 그가 잘 쓰던 몇 마디 더러운 욕설이 들렸습니다. 컹, 컹! 멍, 멍, 멍, 멍! 컹, 컹! 그 소리를 들으니까 달콤했습니다. 그 소리가 저를 살아 있게 했단 말입니다. 그게 제 목숨을 구해 주었지요. 그들은 짖는 소리로 저를 구명정에서 몰아내기라도 해야겠다는 듯이 짖어 대고 있었습니다……. '너에게 뛰어내릴 용기가 있었다니 놀랍구나. 너는 이곳에 필요 없다고. 네놈이 누군 줄 알았더라면 바다 속으로 밀어 넣었을 텐데. 이 스컹크 같은 놈아! 또 한 녀석은 어떻게 하고 왔니? 이 겁쟁이야, 뛰어내릴 용기는 어디서 생겼니? 우리 셋이 네놈을 구명정 밖으로 몰아내지 못할 줄 아냐?'…… 그들은 숨이 막힐 듯이 짖어 댔습니다. 바다에서 소나기는 지나갔습니다. 그러고는 아무 일도 없었죠. 구명정 주위에는 아무것도 없었고 아무 소리조차 들리지 않았습니다. 그들은 제가 바다로 뛰어드는 것을 보고 싶어했을까요? 정말이지, 그들이 조용히 있기만 했던들 그들이 소원하는 대로 되었을 거라 생각합니다. 그들이 저를 구명정 밖으로 던져 버리려고 했을까요? '해 보라고!' 제가 말했습니다. '두 푼만 생긴대도 던져 버리겠다.' '그것도 네게는 과해.' 그들은 함께 소리 질렀습니다. 너무 어두워서 그들 중의 한두 녀석이 움직일 때만 겨우 그들을 확실히 볼 수 있었습니다. 정말이지, 그들이 저를 바다로 던져 버리려고 했더라면 좋았을 것 같아요!"

「나는 "참, 별소리를 다 듣는군!"이라고 소리를 지르지 않을 수 없었어.

「"그랬더라면 좋았겠지요?" 그는 조금 놀랐다는 듯이 말했어. "그들은 모종의 이유가 있어서 제가 그 보조 엔진 기관사를 죽였다고 생각하는 것 같았습니다. 무엇 때문에 제가 그를 죽인단 말입니까? 도대체 제가 그 이유를 어떻게 알겠어요? 어떻든 제가 그 구명정에 타지 않았습니까? 그 구명정에 말입니다. 저는……." 그는 입술 주위의 근육을 수축하며 무의식적으로 얼굴을 찌푸리더군. 그의 일상적 표정의 마스크를 찢고 나온 그 찌푸림은 순간적으로 구름의 소용돌이를 볼 수 있게 해 주는 한 줄기 번개처럼 잠시 동안 격렬하게 비치는 무엇이었어. "저는 그 구명정을 탔던 거예요. 그래서 분명히 그들과 함께 있었던 거죠. 한 인간이 그런 일을 마지못해 저지르고 나서 책임을 져야 한다면 끔찍한 일이 아니겠어요? 그들이 고함을 지르며 찾고 있던 그 조지라는 자에 대해 제가 무얼 알고 있었겠습니까? 그가 갑판 위에서 새우잠을 자는 자세로 있는 것을 본 기억이 나더군요. '겁쟁이 살인자!' 기관장은 계속해서 저에게 욕을 하고 있었습니다. 그 두 낱말밖에는 기억나지 않는 듯했어요. 저는 상관치 않았지만 그 소리만은 듣기 거북하더군요. 그래서 저는 '닥쳐!'라고 말했지요. 그 말에 그는 용기를 내더니 미친 듯이 소리를 지르지 않겠습니까. '너는 그를 죽였어! 네가 그를 죽였다고!' 저는 '아냐.'라고 소리쳤지요. '하지만 네놈만은 내가 당장에 죽여 버리겠다!' 제가 벌떡 일어나자 그는 좌석 너머로 넘어지면서 지독히 요란한 쿵 소리를 내더군요. 지금도 그 이유를 알 수는 없어요. 너무 어두웠거든요. 뒤로 물러나려 했던 것 같습니다. 제가 여전히 선미 쪽을 향해 서 있는데 그 작은 못난이 이등기관사는 애처롭게 투덜댔습니다. '팔이 부러진 사람을 때려서는 안 되지. 그러고도 신사라고 자처할 건가?' 무거운 발걸음 소리가 한두 차례 들리더니 식식거리며 불평하는 소리도 들렸습니다. 다른 녀석이 선미에서 노를 덜거덕거리면서 제게로 오고 있었습니다. 저는 그의 크디큰 체구가 움직이는 것을 보았는데 안개 속이나 꿈속에서 보는 사람 같더군요. '덤벼 봐.' 제가 소리쳤지요. 그가 덤볐더라면 밧줄 동강이를 묶어 놓은 짐짝처럼 쓰러뜨렸을 겁니다. 그는 혼자 투덜대면서 멈춰 서더니 제자리로 되돌아가더군요. 어쩌면 그가 그때 바람 소리를 들었는지도 모르겠습니다. 저는 듣지 못했거든요. 그건 우리가 겪은 마지막 강풍이었어요. 그는 자기 노가 있는 곳으로 돌아갔고, 저는 속이 상하더군요. 마음대로 했더라면 그냥……."

「그는 구부린 손가락들을 폈다 접었다 했고 열띤 두 손은 잔인하게 떨리고 있었어. 그래서 나는 "고정하시게나, 고정해."라고 중얼거렸지.

「"네? 뭐라고요? 전 흥분하지 않았다고요." 그는 지독히 기분이 상해서 항의했고, 팔꿈치를 발작적으로 움직이다가 그만 코냑 병을 쓰러뜨리더군. 나는 놀라서 앞으로 나와 의자를 닦았고, 그는 마치 등 뒤에서 지뢰가 폭발한 듯이 테이블에서 튀어나가 몸을 반쯤 돌렸다가 다시 쭈그리고 앉아서는 놀란 두 눈과 콧구멍 주위가 창백해진 얼굴을 내게 보이고 있었어. 뒤이어 그는 지독히 속이 상한 표정을 짓더군. "참으로 죄송합니다. 제가 이렇게 변변치 못하다고요." 화가 난 그가 중얼거리는 동안 엎질러진 술의 독한 냄새가 시원하고도 맑은 밤의 어둠 속에서 별인 저급한 술판 분위기로 갑자기 우리들을 감싸는 것이었어. 식당에는 이미 불이 꺼져 있었고, 긴 회랑에서 우리 식탁의 촛불만이 외로이 가물거리고 있었을 뿐 돌기둥들도 바닥에서 꼭대기까지 시커멓게 보이기만 했어. 생생한 별들을 배경으로 해서 항만청 사무실의 높다란 모서리가 산책로 건너편에 또렷이 드러났는데 마치 그 어두운 벽돌 건물이 더 가까이에서 보고 듣기 위해 미끄러져 온 듯하더군.

「그는 될 대로 되라는 듯한 태도더군.

「"그때 저는 지금보다도 더 침착했었다고 말해야겠습니다. 저는 어떤 일에도 대처할 준비가 되어 있었거든요. 그건 모두 시시한 일들이었으니까……."

「"자네는 그 구명정에서 꽤 활발히 움직여야 했겠군." 내가 말했지.

「"저는 준비되어 있었다고요." 그가 거듭 말했어. "기선의 등불이 사라진 후에 구명정에서는 무슨 일이라도 일어날 수 있었습니다. 세상에서 일어날 수 있는 일 말입니다. 그런다고 세상이 알게 될 리도 만무했고요. 저는 그걸 감지하고 있었고 그래서 다행이라 여겼습니다. 게다가 무슨 일이든 일어날 수 있을 정도로 어두웠죠. 우리는 갑자기 널찍한 무덤 속에 갇힌 사람들 같았거든요. 세상일에는 아무 관심도 없었습니다. 아무도 의견을 제시하지 않았고요. 문제될 것도 전혀 없었어요." 대화를 하는 동안 그는 세 번째로 거칠게 웃었지만 술에 취해서 저러려니 생각할 사람조차도 주위에는 없었어. "아무 두려움도, 법도, 소리도, 눈도 없었습니다. 적어도 이튿날 아침에 해가 뜰 때까지 우리에게는 눈이 없는 것이나 다름없었으니까요."

「나는 그 말속에 포함된 암시적 진실에 놀랐어. 넓은 바다 위에 떠 있는 작은 구명정에는 무언가 특이한 데가 있는 법이야. 죽음의 그림자 아래로 떨어지지 않도록 구명정의 지탱을 받고 있는 사람들에게는 광기의 그림자가 드리우고 있는 것처럼 보이니까. 타고 있는 배가 우리를 배반하면 온 세상이, 즉 우리를 만들어 낸 후 통제하고 돌보아주던 세상이, 우리를 배반하는 것처럼 보이게 돼. 마치 심연 위에 떠다니며 엄청난 존재와 접촉하고 있던 우리의 영혼이 과도한 영웅주의, 부조리 또는 비행을 저지르도록 풀려난 것 같다고나 할까. 물론, 믿음, 사상, 사랑, 미움, 신조 혹은 심지어 실질적 사물의 가시적 외양에 있어서처럼, 세상에는 사람들의 수만큼 많은 난파(難破)가 있지만, 그 특정한 난파의 경우에는 무언가 비참한 데가 있어서 그들을 더욱 철저하게 고립시켰고, 무언가 짓궂은 환경이 그 사람들을 나머지 세상 사람들로부터 더욱 완벽히 격리시키고 있었지. 세상 사람들이 지닌 행동의 이상(理想)은 악마 같은 무시무시한 농간을 일찍이 겪어 본 적이 없을 테니까. 다른 선원들은 짐이 우유부단한 회피자라고 해서 격분하고 있었고, 짐은 모든 사태에 대한 증오심을 그들에게 집중시키고 있었어. 그는 그들이 자기에게 제공한 그 가증할 만한 기회에 대해 이보라는 듯이 복수라도 하고 싶은 심경이었을 거야. 공해에 떠 있는 구명정에 목숨을 의탁하면 모든 사상, 감정, 감각, 정서의 밑바닥에 도사리고 있던 '부조리한 것들'이 표면으로 드러나게 되지. 그들이 주먹다짐을 하지 않았던 것도 그 특정한 해상 재난에 팽배해 있던 희화적인 야비함의 일부였어. 처음부터 끝까지 그것은 온통 위협이요 지독히 효과적인 허세요 거짓이고 '어둠의 힘'의 엄청난 경멸에서 빚어진 것이지만, 이 힘이 지닌 실제적인 공포는 늘 기승을 부릴 듯하다가도 인간의 꿋꿋함으로 인해 영원히 좌절되곤 하지. 잠시 기다린 후 나는 그에게 "그리고 무슨 일이 일어났지?"라고 물었어. 하지만 그건 부질없는 물음이었지. 나는 이미 너무 많은 것을 알고 있었기 때문에, 내 기분을 돋우어 줄 단 하나의 은총이라든지 암시된 광기 및 가려진 공포를 새로 알게 되는 혜택 같은 것을 더 이상 바랄 수도 없었으니까. "아무 일도 일어나지 않았습니다." 그가 말하더군. "저는 진심으로 싸워 보려 했지만 그들은 말로만 떠들고 있더라고요. 그래서 아무 일도 없었지요."

「해가 떴을 때 짐은 뱃머리에서 처음 벌떡 일어섰을 때의 자세를 그대로 지키고 있었어. 참으로 끈질기게 싸울 태세로 있었던 거야. 게다가 밤새도록 키의 손잡이를 잡고 있었지. 키를 배로 옮겨 실으려다가 그들은 그만 그걸 바다에 빠뜨리고 말았고, 기선 옆에서 벗어나기 위해 한꺼번에 온갖 짓을 다하며 허둥대는 동안 그 손잡이가 발길에 차여 뱃머리 쪽으로 밀려왔던 것 같아. 그건 단단한 나무토막으로서 길고도 무거웠지. 그는 여섯 시간쯤 그 손잡이를 움켜잡고 있었던 것 같아. 그러니 어찌 그걸 싸울 태세가 아니었다고 할 수 있겠나! 날이 새도록 얼굴에 몰아치는 비바람을 맞으며 말없이 서서 어두운 형상들을 노려보며 희미한 동작이라도 있으면 경계하고 선미의 좌석에서 드물게 들려오는 나직한 중얼거림도 놓치지 않으려고 귀를 쫑긋 세우고 있었다는 걸 상상해 보게. 그걸 용기의 단호함이라 해야 할까 아니면 두려움에서 나온 분발이라 해야 할까? 자네들 생각은 어떤가? 게다가 그의 참을성도 부인할 수 없지. 바람이 부리는 변덕에 따라 구명정이 천천히 움직이거나 멈춰서 떠 있는 동안 여섯 시간 남짓을 그는 방어 자세로 있었고, 꼼짝도 하지 않고 경계했었다니까. 그사이에 바다는 조용해져서 드디어 잠이 들었고, 구름도 머리 위에서 사라졌지. 하늘은 빛깔 없이 검기만 한 거대한 덩어리에서 어둡지만 빛이 있는 천장으로 축소되어 점점 더 밝게 반짝였고, 결국 동녘부터 퇴색하더니 공중은 파리하게 변했어. 또 선미 쪽에서 나직한 별들을 가리고 있던 어두운 형상들이 부조(浮彫)처럼 윤곽을 드러내더니 어깨, 머리, 얼굴 및 이목구비를 보였고 쓸쓸한 눈초리로 그를 대면하며 헝클어진 머리카락에 찢어진 옷을 걸친 채 하얗게 동이 트는 쪽을 향해 충혈된 눈을 끔벅이고 있었어. "그들은 마치 일주일쯤 하수구에서 술에 취해 뒹굴던 사람들처럼 보였습니다." 그는 그 정경을 그림 그리듯이 묘사하고 나서, 해가 뜨는 것을 보고 그날 하루가 평온할 것을 미리 알 수 있었다고 중얼대더군. 자네들도 알다시피 선원들이란 모든 것과 관련해서 날씨 이야기를 하는 버릇이 있잖은가. 그리고 나도 그가 중얼댄 몇 마디만 듣고서 햇살의 아랫부분이 수평선을 열 때 광대한 잔물결의 진동이 시야가 미치는 데까지 넓은 바다 위로 번져갔을 것을 연상할 수 있었어. 마치 바닷물이 그 둥근 해를 탄생시키느라 전율하고 있는 동안 마지막 미풍은 안도의 한숨으로 허공을 흔들 듯했을 테니까.

「"그들은 선장을 가운데에 앉힌 채 서로 어깨를 맞대고 마치 세 마리의 더러운 부엉이처럼 저를 노려보고 있었습니다." 내가 듣기에 그는 증오의 의도로 말하고 있었는데, 그 증오는 한 잔의 물 속에 떨어진 한 방울의 강력한 독약처럼 평범한 어구 속으로 부식되고 있었지. 하지만 내 생각은 일출 광경에 집중되어 있었어. 나는 그 투명한 허공 아래서 바다의 고독 속에 네 사람이 갇혀 있는 모습이며, 외로운 태양이 하나의 점에 불과한 그 생명체를 아랑곳하지 않고 보다 높은 곳에서 고요한 대양에 반영된 자신의 화려함이나 열렬히 바라보려는 듯이 맑은 곡선을 이룬 하늘로 솟아오르는 것을 상상하고 있었어. "그들은 선미 쪽에서 저에게 말을 걸더군요." 짐이 말했어. "마치 우리가 서로 친한 친구인 것처럼 말입니다. 저는 듣고 있었지요. 그들은 저에게 좀 지각 있게 굴라느니, '그 망할 놈의 나무 막대'를 버리라느니 하고 간청했습니다. 제가 왜 그런 식으로 처신하느냐는 거였습니다. 자기네들이 저에게 해를 끼친 적이 없다고도 했고요. 글쎄, 아무 해도 끼치지 않았다는 거였어요……. 아무 해도!"

「그는 마치 허파에 든 공기를 제거할 수 없어서 애를 쓰는 사람처럼 얼굴이 새빨갛게 되더군.

「"아무 해도 끼치지 않았다니!" 그는 소리쳤어. "선장님의 판단에 맡기겠습니다. 선장님께선 이해하실 거예요. 안 그런가요? 선장님께선 아시죠? 해를 끼치지 않았다니! 맙소사! 그보다 더 큰 해를 끼칠 수가 있었을까요? 오, 네. 저는 잘 알고 있어요. 저는 뛰어내렸지요. 확실해요. 저는 뛰어내렸어요. 뛰어내렸다고요. 하지만 그들은 어느 누가 상대하기에도 너무 벅찬 존재였다고 말하고 싶습니다. 제가 뛰어내린 것도 실은 그들이 저지른 일임이 명백하다고요. 마치 그들이 보트의 갈고리를 위로 내밀어 저를 끌어내린 거나 마찬가지였으니까요. 상상이 되지 않나요? 상상해 보세요. 자, 말씀해 보세요. 터놓고 말씀하시라니까요."

「그는 불안한 눈으로 나를 노려보면서 묻고 애원하는가 하면 덤빌 듯이 간청하기도 했어. 그래서 아무래도 나는 "자네는 시련을 겪었군."이라고 중얼대는 수밖에 없었지. "저에게는 부당하다고 해야 할 시련이었지요." 그가 내 말을 잽싸게 이어 받으며 말하더군. "그런 녀석들을 상대해야 했으니 저에게는 기회가 거의 주어지지 않았던 겁니다. 그때 와서 그들은 다정하게 구는 거예요. 지독히도 다정했어요. 정다운 친구니 동료 선원이니 하고 말예요. 한 배를 타고 있는 처지니 최선을 다하자는 것이었지요. 그들에게는 아무것도 진심이 아니었습니다. 조지에게는 아무 관심도 없더군요. 조지가 마지막 순간에 무언가를 챙기러 자기 선실로 갔다가 그만 빠져나오지 못하고 말았다는 거였습니다. 그 녀석은 분명히 바보였지만, 물론 아주 슬픈 일이라고 했습니다……. 그들의 눈은 절 향하고 있었고 입술이 실룩거리더군요. 구명정의 저쪽 끝에서 세 사람은 머리를 살랑살랑 흔들며 제게 손짓도 하더군요. 왜 그러지 않았겠어요? 너도 뛰어내리지 않았느냐는 거였죠. 저는 아무 말도 하지 않았습니다. 제가 말하고 싶었던 것을 표현할 말이 없었거든요. 그때 만약 제가 입을 열었다면 그저 짐승처럼 으르렁거렸을 겁니다. 저는 제 자신에게 언제 정신을 차릴 것이냐고 묻고 있었지요. 그들은 저에게 선미 쪽으로 와서 조용히 선장의 말을 들어보라고 재촉했습니다. 수에즈 운하를 통과하는 모든 선박들이 지나다니는 길목에 있던 우리는 저녁이 되기 전에 구조될 것이 확실했습니다. 그때 북서쪽에서 연기가 보이더군요.

「"그 희미하고 흐릿한 연기를 보고 저는 충격을 받았습니다. 그 나직이 깔린 갈색 연기를 거쳐 바다와 하늘의 경계가 보였습니다……. 저는 그들에게 제자리에서도 잘 들을 수 있다고 소리쳤습니다. 선장은 까마귀처럼 거친 목소리로 욕을 하기 시작하더군요. 제가 듣기 편하도록 목청껏 소리를 높일 생각은 없다는 거였지요. '상륙했을 때 당국에서 당신을 상대로 청문회를 열까 봐 겁이 납니까?'라고 제가 물어보았어요. 그는 저를 갈기갈기 찢어 버릴 듯이 눈알을 부라리더군요. 기관장은 선장에게 제 비위를 맞추어 주라고 충고를 했습니다. 그는 제가 아직도 제정신이 아니라고 했습니다. 선장은 선미에서 두툼한 고깃덩이로 된 기둥처럼 일어서더니 말을 이었습니다……."

「짐은 생각에 잠겨 있었어. 내가 "그래서?"하고 물었지. "그들이 무슨 이야기를 날조하기로 합의하든 저는 상관치 않았다고요." 그가 무모하게 소리를 지르더군. "그들은 자기네 마음대로 말할 수 있었을 테니까요. 그건 그네들이 알아서 할 바였죠. 저는 그 실제 이야기를 알고 있었습니다. 그들이 당국자들에게 무슨 말을 해서 믿게 하든 그게 제 이야기를 바꿀 수는 없었습니다. 저는 선장이 거듭 말하고 따지도록 내버려 두었답니다. 그는 끝없이 말을 계속했어요. 갑자기 제 다리에 힘이 빠졌습니다. 저는 기분이 언짢고 피곤했습니다. 죽도록 피곤하더라고요. 저는 키의 손잡이를 떨어뜨리고 그들에게 등을 돌린 채 맨 앞자리에 앉아 있었습니다. 신물이 났던 거지요. 그들은 그 꾸민 이야기를 제가 알고 있는지 확인해 보려고 저를 불렀습니다. 그게 구구절절 사실이 아니냐고 하더군요. 맙소사! 그건 그들 나름으로 지어낸 진실이었죠. 저는 머리를 돌리지 않았습니다. 저는 그들이 저희끼리 이야기하는 것을 듣고 있었지요. '저 바보 같은 녀석은 아무 말도 하지 않을 거야.' '오, 그도 잘 알 테니까.' '내버려 두라고. 그는 괜찮을 거야.' '제놈이 어떻게 할 거야?' 제가 어떻게 할 수 있을 거냐고 합디다. 우리 모두가 한 배를 타고 있다는 거였죠. 그래서 저는 귀가 먹은 척했습니다. 연기는 북쪽으로 사라져버렸습니다. 사방은 죽은 듯이 고요했고요. 그들은 물통의 물을 마셨고, 저도 마셨지요. 그러고 나서 그들은 뱃전에 돛을 펴는 일을 하느라 수선을 떨더군요. 저더러 망을 보지 않겠느냐고 하더니, 다행히 그들은 돛베 아래로 기어들어 보이지 않았습니다. 저는 태어난 후 잠이라고는 한 시간도 자지 못한 것처럼 지쳐 녹초가 되었습니다. 반짝이는 햇빛 때문에 바닷물도 바라볼 수 없었고요. 이따금 한 녀석씩 기어 나와 서서 사방을 두리번거린 후 다시 기어들어 가곤 했습니다. 돛베 아래서 코 고는 소리도 들리더군요. 잠을 자는 녀석도 있더라니까요. 적어도 한 녀석은 잤다고요. 저는 잘 수 없었습니다. 주위는 온통 햇빛이었고 구명정은 그 빛 속으로 추락하고 있는 듯했습니다. 이따금 저는 구명정 좌석에 앉아 있는 제 자신을 보고 깜짝깜짝 놀라곤 했습니다…….”

「그는 내 의자 앞에서 일정한 걸음으로 오락가락하기 시작했어. 그는 한쪽 손을 바지 주머니에 넣고, 생각에 잠긴 채 머리를 숙이고 있었지만, 긴 간격을 두고 한 차례씩 오른팔을 쳐들어 눈에 보이지 않는 훼방꾼을 몰아내려는 듯한 몸짓을 하더군.

「“선장님께서는 제가 미치고 있었으리라 생각하시겠죠.” 그가 어조를 바꾸더니 말했어. “제가 모자를 잃었다는 것을 기억하신다면 그런 생각을 하실 만합니다. 태양은 동쪽에서 떠서 서쪽으로 질 때가지 천천히 기어가며 제 맨머리 위를 비추고 있었습니다. 그러나 그날 저는 아무 해를 입지 않았던 것 같아요. 태양이 절 미치게 하지는 못했거든요…….” 그는 오른팔로 미치다니 어림도 없다는 듯한 시늉을 하고 있었어……. “태양이 절 죽이지도 못했고요…….” 그의 팔은 다시 한번 어떤 허깨비라도 물리치고 있는 듯했어. “죽는 일이야 제 자신에게 달려 있었으니까요.”

「“그랬는가?” 이야기가 새로운 방향으로 전환되는 것을 보고 말할 수 없이 놀란 나머지 내가 말했지. 그때 나는, 만약에 그가 뒤꿈치로 홱 돌아서서 나에게 전혀 새로운 표정의 얼굴을 내밀었더라면 내가 겪었을 것으로 여겨지는 그런 느낌으로 그를 바라보고 있었어.

「"저는 뇌척수막염에 걸리지 않았고 그 자리에서 쓰러져 죽지도 않았습니다." 그가 말을 계속하더군. "저는 머리에 비치는 태양에 대해서는 전혀 신경을 쓰지도 않았어요. 그늘에 앉아서 생각에 잠겨 있는 사람 못지않게 냉정하게 생각했으니까요. 그 비곗덩어리 짐승 같은 선장이 돛베 아래서 바짝 깎은 큰 머리를 내밀면서 내 쪽으로 흐리멍덩한 눈알을 굴리고 있었습니다. '저런! 자네 그러다가 죽어.' 그는 이렇게 소리 지른 후 거북이처럼 돛베 아래로 들어가고 말았습니다. 저는 그를 보았고 그의 말도 들었습니다. 하지만 그가 저를 방해하지는 못했지요. 저는 그때 제가 죽지는 않을 거라고 생각했거든요."

「그는 지나는 길에 주의 깊은 눈초리로 내 생각을 타진해 보려고 했어. "자네가 죽을 것인가를 놓고 심사숙고하고 있었단 말인가?" 나는 될 수 있는 한 속을 드러내지 않는 어투로 물었어. 그는 거침없이 고개를 끄덕이더군. "네, 제가 거기 혼자 앉아 있을 때는 이미 그러했지요." 그가 말했어. 그는 오락가락하고 있던 그 상상 속의 길 끝을 향해 몇 발짝 더 걸어갔다가 획 돌아서더니 두 손을 주머니 속에 깊숙이 넣은 채 돌아왔어. 그는 내 의자 앞에서 걸음을 멈추더니 내려다보는 거야. "믿지 못하시나요?" 그는 강한 호기심을 보이며 물었어. 나는 그가 나에게 말해 주었으면 좋겠다고 여기는 것이면 무슨 이야기든 암묵적으로 믿어 줄 용의가 있다는 엄숙한 선언이라도 할 심경이 되어 있었지.」

11장

「그는 한쪽으로 머리를 숙인 채 내 말을 끝까지 들었어. 그래서 그가 움직이며 존재하던 그 안개 같은 세계의 갈라진 틈을 통해 나는 다시 한번 그를 흘낏 볼 수 있었지. 희미한 촛불이 유리 공 속에서 펄럭이고 있었는데, 그를 볼 수 있게 해 주는 빛은 그것뿐이었어. 그의 등 뒤에는 별이 초롱초롱한 어두운 밤하늘이 있었고, 그 멀어지는 평면에 배열된 아득한 별빛은 보다 큰 어둠의 깊이 속으로 내 눈을 유인하고 있었지. 그런데도 한 신비한 빛이 그의 소년 티 나는 머리를 내게 보여 주는 듯했는데, 바로 그때 마치 그의 내면의 젊음이 한순간 불타오르다가 꺼지는 것 같았어. "이렇게 귀담아들어 주시니 선장님께서는 참 좋은 분이십니다." 그가 말하더군. "저는 흐뭇해요. 그게 저에게 얼마나 소중한지 모르실 거예요. 모르실 거라고요…….” 이때 그는 자기 생각을 표현할 적절한 말을 찾지 못하는 듯했어. 그건 순간적으로나마 또렷하게 보이는 광경이었어. 그는 우리가 늘 주변에 두고 쳐다보고 싶어 하는 그런 유형의 젊은이였거든. 우리 자신이 과거에 그런 젊은이였더라면 좋았겠다 싶은 바로 그런 유형의 젊은이란 말이야. 그런 젊은이의 외양은 우리가 이미 사라졌거나 꺼졌거나 식어 버렸다고 여겨 온 환상들과의 연대를 요구하고 있어. 그래서 다른 하나의 불꽃이 다가오자 그 환상들은 다시 불이 붙은 것처럼 어딘가 깊숙한 곳에서 퍼덕이는 거야. 빛과…… 열기를 발하며 퍼덕이고 있어……. 아무렴. 그때 나는 그의 실체를 흘낏 보게 되었어. 그런데 그게 그런 식으로 본 그의 마지막 모습은 아니었다고. “저 같은 처지에 있는 녀석에게는 다른 사람들이 자기 말을 믿어 준다는 것이, 그리고 연상의 분에게 속 시원히 하고 싶은 말을 다 털어놓을 수 있다는 것이, 얼마나 중요한지 선장님께선 모르실 겁니다. 참으로 어렵고 지독히도 당치 않은 일이며 잘 이해되지 않는 일이지요.”

「안개가 다시 가리고 있었어. 그에게 내가 얼마나 나이가 들었으며 얼마나 슬기로운 사람으로 비쳤는지 나로서는 알 수 없어. 내가 그 당시에 느끼고 있던 만큼은 나이가 들지 않았고 내 스스로 생각하던 만큼 쓸모없이 슬기롭지는 않은 것으로 비쳤을 테지. 선원이 되어 침몰해서 죽거나 수영을 해서 살아야 할 운명으로 세상살이를 시작한 사람들의 심정은 젊은이들이 벼랑에 서서 자기 자신의 불타는 눈길을 반영하는 광대한 수면의 반짝거림을 빛나는 눈으로 바라보고 있는 모습 쪽으로 쏠리기 마련이거니와, 이런 심경에 있어서는 이 세상의 다른 어느 직종에 종사하는 사람들도 선원들에 미치지는 못할 거야. 우리 각자를 바다로 가지 않을 수 없게 했던 그 기대 속에는 참으로 화려한 막연함이 있고 참으로 찬란한 불확실성이 있으며 그 기대의 유일한 보답인 모험에 대한 참으로 아름다운 욕구가 있어. 우리들이 그 대가로 얻게 되는 것이 무엇이냐고? 뭐, 그런 이야기는 그만두도록 하지. 그러나 그런 걸 생각하고 미소를 자제할 수 있는 사람이 있을까? 다른 어떤 직종의 삶에서도 환상과 현실 사이의 거리가 선원 생활에 있어서만큼 멀리 떨어져 있지는 않을 거야. 또 다른 어떤 종류의 삶도, 선원의 삶처럼, 그 시초가 온통 환상이었다가 재빨리 환멸로 바뀌고 끝내 철저히 굴복하고 마는 일은 없을 거야. 우리 모두는 똑같은 것을 욕구하며 시작했다가 똑같은 것을 알게 된 후 끝내지 않았던가? 또 우리는 누추한 저주의 날들을 거치면서도 똑같이 소중히 여긴 매력에 대한 기억을 지니지 않았던가? 그러니 육중한 노선원이 고향으로 돌아오는 날이면 친밀한 유대를 찾을 수 있다든지, 선원 생활에서 맺은 동료 의식 이외에도 보다 넓은 감정, 이를테면 어른과 아이를 결속해 주는 감정의 힘까지 느낄 수 있는 것도 놀랄 일은 아니야. 짐은 그때 내 앞에 서서 내 나이와 슬기가 진실의 고통을 고쳐 줄 처방을 찾아낼 수 있으리라 믿었고, 궁지에 몰린 한 젊은이의 모습을 내게 보여 주고 있었어. 그 몹쓸 궁지는 노숙한 선원들로 하여금 미소를 감추고 엄숙히 턱을 살래살래 흔들게 할 그런 종류의 궁지였지. 게다가 그는 죽음을 심사숙고하고 있었어. 못난 녀석! 그는 자기 삶의 매력이 그날 밤 기선과 함께 사라지고 말았는데도 혼자서 구차하게 목숨을 구했다고 해서 바로 그 죽음을 곰곰이 생각하고 있었던 거야. 더없이 자연스러운 일이지. 그건 너무 비극적이고 우스운 일이라 사람의 도리상 요란하게 연민을 베풀게 하기에 충분했어. 내가 다른 사람들보다 더 훌륭한 데가 무엇이 있다고 그에게 연민 베풀기를 거절할 수 있겠는가? 내가 그를 바라보고 있는 동안에도 안개는 그 틈새로 굴러들었고, 그의 목소리만이 들리더군.

「"저는 참으로 어찌해야 할 것인지를 모르고 있었습니다. 그런 일이 자기에게 일어나리라고 생각하는 사람은 없을 거예요. 가령 그건 싸움과도 달랐어요."

「"다르겠지." 내가 동의했어. 그는 갑자기 성숙한 것처럼 사람이 달라 보였어.

「"아무도 자신은 없을 테니까요." 그가 중얼대더군.

「"아! 자네도 자신은 없었어." 내가 이렇게 말하고 나니까, 밤에 새가 날아가듯이 우리 두 사람 사이를 지나가는 희미한 한숨 소리가 내 마음을 달래 주더군.

「"네, 저는 자신이 없었어요." 그가 용기 있게 말하더군. "그건 그들이 꾸며 낸 못난 이야기 같은 무엇이었습니다. 그건 거짓말은 아니었지만 그렇다고 진실도 아니었지요. 그건 무언가……. 뻔한 거짓말이라면 누구나 알죠. 그런데 이번 일의 옳고 그름 사이에는 종이 한 장 두께의 차이도 없거든요."

「"자네는 얼마나 더 원하는가?" 내가 물었어. 그러나 내가 너무 나직이 말했기 때문에 그가 내 말을 알아듣지 못했던 것 같아. 그는 인생이 여러 개의 틈새로 분리된 오솔길 망(網)으로 되어 있는 것처럼 자기의 주장을 개진하고 있었지. 그의 목소리는 합리적으로 들렸어.

「"제가 달리 행동했다고 생각해 볼까요? 가령, 제가 그 기선을 고수했다고 생각해 볼까요? 그랬다면 얼마나 오랫동안 버텼을까요? 1분 동안이라든지 아니면 30초 동안이라고 할까요. 그때 확실했던 것은, 30초 후에는 제가 기선에서 뛰어내렸으리라는 것이죠. 그러고는 제가 손에 잡히는 것이면 무엇이건 잡지 않았을까요? 노라든지, 구명부표(救命浮標)라든지 구명정의 깔개 같은 물체 말입니다. 그렇게 생각하시지 않나요?"

「"그리고 목숨을 구했겠지." 내가 말을 가로챘어.

「"목숨을 구하고자 했을 겁니다." 그가 대꾸하더군. "제가 말입니다." 그는 마치 맛이 고약한 약을 먹으려는 사람처럼 몸서리를 치며 말했어. "제가…… 뛰어내렸을 때 그건 제가 의도했던 것 이상의 무엇이었습니다……." 그는 발작적으로 노력하며 말을 했는데 그 어조의 강세가 공기의 파동을 타고 전파되어 온 것처럼 의자에 앉아 있던 내 몸을 약간 들썩이게 했어. 그는 험상궂은 눈으로 나를 꼼짝 못하게 노려보고 있었어. "제 말씀을 믿지 못하시겠습니까?" 그가 소리쳤어. "정말이지!……. 젠장! 선장님께선 이야기를 들으려고 절 이곳으로 데리고 오셨잖아요. 그러니…… 선장님께선 믿으셔야지요!…… 믿겠다고 말씀하셨어요." "물론 나는 믿네." 내가 당연하다는 듯한 어조로 말하니까 그를 진정시키는 효과가 있더군. "용서해 주십시오." 그가 말하더군. "선장님께서 신사[21]분이 아니시라면, 물론 저는 이 모든 이야기를 하지도 않았을 겁니다. 제가 그 정도는 알고 있어야죠. 저는…… 저도 또한 신사거든요……." "그렇지. 그래." 내가 황급히 말했어. 그는 반듯하게 내 얼굴을 쳐다보다가 천천히 눈을 떼더군. "제가 왜 그런 식으로 나가지 않았는지 이제는 아시겠죠. 저는 제가 한 일에 대해 겁을 먹고 싶지 않았다고요. 그리고, 어쨌든, 제가 기선을 고수했다고 하더라도 목숨을 구하기 위해서는 최선을 다했을 거예요. 공해에서 여러 시간 동안 표류하면서도 결과적으로 더 잘못되는 일 없이 구조된 사례들이 여럿 알려져 있거든요. 저는 많은 다른 사람들보다도 더 잘 버텨 낼 수 있었을 겁니다. 제 심장은 전혀 문제가 없다고요." 그가 주머니에서 오른손 주먹을 끄집어내어 자기 가슴을 때리자 야음 속에서 무엇으로 싸서 억제한 듯한 발파음이 울리더군.

「"그렇겠지." 내가 말했어. 그는 가랑이를 약간 벌리고 턱을 떨어뜨린 채 생각에 잠겼어. "머리카락 하나의 차이였습니다." 그가 중얼댔어. "이러느냐 저러느냐 사이에는 머리카락 하나의 차이도 없었습니다. 게다가 그때……."

「"밤에는 머리카락을 보기가 어렵지." 내가 약간은 짓궂게 말을 가로챘던 것 같아. 자네들은 선원 직에 있어서의 결속이

---

21) 영국에서 신사(gentleman)라는 말은 원래 귀족과 상민(常民) 사이의 신사 계층(gentry)에 속하는 사람을 가리켰으나 오늘날에는 그런 계층적 의미보다도 일정한 학식이나 교양을 갖추고 도덕적 의무나 사회적 책임을 질 줄 아는 사람을 가리킨다.

라는 말로 내가 무얼 의미하는지를 알고 있을 거야. 나는 그가 원망스러웠어. 마치 내가 선원 생활을 시작할 때 가졌던 환상을 지켜나갈 화려한 기회를 놓고 그가 날 속이기라도 한 것처럼 말이야. 그리고 우리가 공유하는 삶에서 그 매력의 마지막 섬광을 그가 그만 앗아 가기라도 했던 것처럼 말이야. "그래서 자네는 곧장 기선에서 빠져나온 거로군."

「"뛰어내린 거지요." 그는 내 말을 통렬하게 수정했어. "뛰어내린 거라고요!" 그는 거듭 말하더군. 그래서 나는 그 명백하면서도 모호한 의도가 무얼까 의아해했지. "네, 그래요. 아마 저에겐 아무것도 보이지 않았던 거예요. 하지만 그 배에서 제게는 충분한 시간이 있었고 사물을 보이게 하는 빛도 조금은 있었습니다. 게다가 생각할 수도 있었고요. 물론 아무도 아는 사람이 없었을 겁니다. 하지만 그렇다고 해서 제 마음이 더 편해질 수는 없었어요. 선장님께서는 그 점도 믿으셔야 해요. 저는 이 모든 이야기를 하고 싶지 않았답니다……. 않았다고요……. 아니……. 거짓말은 하지 않겠습니다……. 이야기를 하고 싶었습니다. 그건 바로 제가 원했던 거예요. 만약에 제가…… 제가 말하는 걸 두려워한다면 선장님이나 다른 누구라도 저에게 말을 하게 할 수 있을까요. 저는, 저는 말이에요, 말하는 것이 두렵지 않답니다. 저는 생각하는 것이 두렵지 않았다고요. 저는 이 일을 정면으로 대할 수 있었고 도망치려 하지 않았습니다. 처음에…… 밤에, 그 녀석들만 아니었더라면 저는 아마도……. 아닙니다! 젠장! 저는 그들에게 그런 만족을 허용하고 싶지 않았다고요. 그들은 이미 온갖 짓을 다

했거든요. 그들은 이야기를 꾸며 냈고 제가 알기로는 꾸민 대로 믿고 있었습니다. 하지만 저는 진실을 알고 있었고, 혼자서, 저 혼자서, 그 진실을 삭이며 살아갈 작정이었습니다. 저는 그런 지독히 부당한 일에 굴복하고 싶지 않았다고요. 도대체 그 결과가 어떻게 되었습니까? 저만 꼴사납게 난도질당하고 말았지요. 정말이지 사는 것이 괴롭습니다. 하지만 그걸 회피한다고 해서, 그걸 그런 식으로 회피한다고 해서 무슨 소용이 있겠습니까. 그건 바른 길이 아니었지요. 제 생각으로는, 제가 생각하기로는, 그런다고 해도 아무것도 끝낼 수는 없었을 겁니다."

「내 앞에서 오락가락하고 있던 그가 그 말을 하고 나서는 나를 향해 멈춰 서는 것이었어.

「"선장님 스스로는 무엇을 믿고 계시나요?" 그가 격렬한 어조로 묻더군. 잠시 동안 말이 중단된 뒤에 갑자기 나는 어떤 깊고 절망적인 피로감에 압도되는 듯한 느낌이었어. 마치 내 영혼을 혼란케 하고 육신을 지치게 하던 그 거대한 허공을 방황하는 꿈을 꾸고 있던 내가 그의 목소리에 소스라치게 놀라 깨어난 듯한 기분이었어.

「"……결과적으로 아무것도 끝내지 못했을 겁니다." 잠시 뒤에 그는 나를 향해 완강한 어조로 중얼댔어. "못했고말고요! 중요한 것은 그 조사를 당당하게 받는 것이었습니다. 저 혼자서, 제 스스로. 그 조사를 받고 다른 기회를 기다리는 거죠. 그리고 찾아내야지요……."」

12장

「우리의 청력이 미치는 데까지 주위의 만물은 고요하기만 했어. 그의 감정의 연무(煙霧)는 마치 몸부림으로 인해 교란된 것처럼 우리 둘 사이에서 떠돌았고, 그 비실체적 베일의 균열을 통해 응시하고 있던 내 눈에 그의 모습은 뚜렷이 형체를 드러내고 있었으며 그림 속의 상징적 형상처럼 막연한 호소력까지 띠고 있더군. 싸늘한 밤공기는 마치 대리석 조각처럼 무겁게 내 팔다리를 누르는 듯했고.

「"알겠네." 이렇게 중얼댄 것은 내가 둔감 상태를 깨고 나올 수 있다는 것을 스스로에게 증명해 보이기 위해서였지 다른 이유 때문은 아니었어.

「"에이본데일호가 일몰 전에 우리를 구조했습니다." 그가 침통하게 말하더군. "우리 쪽으로 똑바로 다가오더군요. 우리는 앉아서 기다리기만 했으니까요."

「오랫동안 침묵하다가 그는 말을 잇더군. "그 사람들은 자기네가 지어낸 이야기를 했습니다." 이 말이 있고 나서 다시 압도적인 침묵이 시작되었지. "그때가 되어서야 저는 제가 마음먹고 있던 것이 무엇인지 알게 되었습니다." 그는 덧붙였어.

「"자네는 아무 말도 하지 않았겠군." 내가 속삭이듯이 말했지.

「"제가 무슨 말을 할 수 있었겠습니까." 그가 여전히 나직하게 말하더군. "충격은 미미했음. 배를 정지시켰음. 손괴 상태를 확인했음. 승객들 사이에 공포 분위기가 조성되지 않도록 조심해서 구명정을 준비하는 조처를 취했음. 첫 번째 구명정을 내리자 스콜 속에서 기선은 가라앉았음. 납덩이처럼 침몰했음……. 이보다 더 명백한 것이 어디 있겠습니까." ……이 대목에서 그는 고개를 떨구더군……. "그리고 더 끔찍한 일이 어디 있겠습니까?" 그가 내 눈을 똑바로 쳐다보고 있는 동안 그의 입술이 바르르 떨리더군. "저는 뛰어내렸지요. 안 그런가요?" 그가 불안해하며 묻더군. "그게 바로 제가 앞으로 살면서 잊으려고 노력해야 할 문제입니다. 지어낸 이야기 자체야 문제될 것 없지요." ……그는 잠시 동안 두 손을 움켜잡고 어둠 속을 좌우로 두리번거렸어. "죽은 자들을 속이는 짓과 다를 바 없었죠." 그는 더듬거리며 말했어.

「"하지만 아무도 죽지 않았거든." 내가 말했지.

「이 말을 듣자 그는 내 쪽에서 걸어 나가더군. 나는 그걸 그렇게밖에 그려낼 수 없어. 잠시 뒤에 보니 그는 난간에 등을 바짝 대고 있었어. 그는 맑고 조용한 밤을 찬미하려는 듯이 얼마 동안 거기 서 있더군. 아래쪽 정원의 꽃나무 숲은 축축한 공기 속으로 강한 향기를 보내고 있었고. 그는 종종걸음으로 나에게 돌아왔어.

「"그건 문제가 되지 않았다고요." 그는 더없이 완강하게 말했어.

「"아마 그랬겠지." 나는 동의해 주었어. 내가 상대하기에 그는 너무 벅찬 사람이라는 생각이 들기 시작하더군. 도대체 내가 뭘 알고 있었던 거야?

「"누가 죽었건 죽지 않았건, 제가 모면할 수는 없었지요." 그가 말했어. "저는 살아야 했거든요. 안 그래요?"

「"음, 그렇지. 자네가 그런 식으로 본다면 말일세." 내가 중얼거렸지.

「"저는 물론 다행이라 생각했습니다." 그는 다른 일을 집중적으로 생각하면서 아무렇게나 말했어. "그 진상이 폭로된 것 말입니다." 그는 천천히 말하면서 고개를 들었어. "그 진상을 알고 제가 맨 먼저 무얼 생각했는지 아십니까? 저는 후련했답니다. 제가 후련했던 것은 그 고함 소리들이……. 제가 고함 소리를 들었다는 말씀을 드렸던가요? 안 드렸다고요? 드렸는데요. 살려 달라는 고함 소리가…… 부슬비에 섞여 들려왔거든요. 지금 생각하니 제가 들은 것처럼 상상했던 거죠. 하지만 저로서는 도저히……. 참으로 바보처럼……. 다른 사람들은 못 들었다고요. 제가 나중에 그들에게 물어보았거든요. 그들은 모두 못 들었다고 했습니다. 못 들었다니요? 그 순간까지도 제게는 그 소리가 들리던데요. 제가 진상을 알아낼 수도 있었을 테지만 저는 생각은 하지 않고 오직 귀만 기울이고 있었거든요. 날마다 아주 희미한 비명이 들렸습니다. 그러던 중 이곳에 근무하는 그 작은 튀기 녀석이 찾아와서 저에게 말했어요. '파트나호를…… 프랑스 군함이…… 성공적으로 아덴 항까지 예인했고…… 조사가 있을 것이고…… 해무청에서는…… 선원들의 집에다…… 당신네들의 숙식을 알선해 놓았어요!'라고 하는 거예요. 저는 그와 나란히 걸으며 침묵에 빠져 있었습니다. 그러니 고함 소리는 없었던 거죠. 상상했을 뿐이죠. 저는 그의 말을 믿어야 했습니다. 저는 더 이상 아무 소리도 들을 수 없었습니다. 제가 그 고함 소리를 얼마나 더 오래 견딜 수 있었을지 모르겠군요. 그 소리는 점점 더 심해지고 있었거든요……. 소리가 더 요란해지고 있었단 말입니다."

「그는 생각에 잠기더군.

「"그러니 실은 제가 아무것도 듣지 않았던 거예요! 네, 그건 그렇다 치지요. 하지만 불빛은 어떻게 된 걸까요. 불빛이 사라졌거든요. 보이지 않았다고요. 없었어요. 만약에 불빛이 있었더라면 저는 헤엄쳐서 돌아갔을 겁니다. 돌아가서 배 옆에서 소리치며 저를 배에 태워 달라고 애원했을 겁니다……. 그랬다면 제가 절호의 기회를 가졌을 텐데요……. 제 말을 의심하시나요?…… 선장님께서야 제 심경을 어떻게 아시겠어요? ……그러니 선장님께선 제 말을 의심하실 권리가 없죠……. 사실 저는 거의 돌아갈 뻔했다고요. 아시겠어요?" 그의 목소리가 낮아지더군. "불빛은 하나도 보이지 않았습니다. 하나도 보이지 않았다고요." 그는 원통하다는 듯이 항변했어. "만약에 불빛이 보였더라면 제가 지금 여기서 선장님을 만나고 있지도 않을 것임을 알아주십시오. 그러나 저를 이렇게 앞에 두고도 당연히 의심을 하시겠죠."

「나는 그렇지 않다는 뜻으로 머리를 흔들었어. 구명정이 기선에서 미처 4분의 1마일도 떨어지지 않았을 때 기선의 불빛이 보이지 않았다는 것은 많은 논란의 여지가 있는 문제야. 짐은 첫 번째 소나기가 그친 후 아무것도 보이지 않았다는 주장을 고수하고 있었어. 다른 선원들도 에이본데일호의 간부 선원들에게 똑같은 사실을 주장했어. 물론 사람들은 그런 주장에 머리를 저으며 웃었지. 심판정에서 내 가까이에 앉아 있던 한 나이 지긋한 선장은 하얀 턱수염으로 내 귀를 간지럽게 하면서 속삭였어. "물론 거짓말이라도 하고 싶겠지." 사실은 아무도 거짓말을 하지는 않았어. 돛대에 매여 있던 등이 성냥을 그어 버릴 때처럼 뚝 떨어지고 말았다는 이야기를 했던 그 기관장까지도 거짓말을 하진 않았던 거야. 적어도 의식적으로 거짓말을 하진 않았단 말일세. 그런 위급한 상황 속에서 마음을 졸이고 있던 사람이라면 어깨 너머로 흘낏 훔쳐보는 순간에 한 가닥 떠도는 불빛이 눈꼬리에 비치는 걸 잘 볼 수 있었을 테니까. 그들은 기선의 불빛을 볼 수 있을 만큼 가까운 거리에 있었지만 아무런 불빛도 보지 못했던 거야. 그들이 그걸 설명할 수 있는 유일한 길은 배가 침몰했다는 거였어. 그것은 명백했고 위안이 되기도 했지. 예견했던 상황이 그처럼 빨리 다가왔다는 사실이 그들의 황급한 행동을 정당화해 주었거든. 그들이 달리 설명할 방안을 궁리하지 않았던 것도 놀랄 일은 아니야. 그러나 진짜 설명은 아주 간단했고, 브라이얼리가 그런 설명을 제시하자 심판관들은 그 문제에 더 이상 신경을 쓰지 않더군. 자네들이 기억하겠지만, 기선은 정지되어 있었고 밤새 운행 항로 쪽으로 뱃머리를 둔 채 서 있었어. 그리고 배의 앞부분에 물이 차 있었기 때문에 선미가 비스듬히 올라간 반면에 뱃머리는 물속에 나직이 가라앉아 있었던 거야. 이처럼 배의 무게가 한쪽으로 쏠려 있었기 때문에 스콜이 선측 후미(船側後尾)를 약간 때리자 기선은 마치 닻을 내리고 있는 배처럼 뱃머리를 바람이 불어오는 쪽으로 휙 돌리고 말았다는 거지. 이렇게 배의 위치가 바뀜으로 해서 기선에서 바람이 부는 쪽에 있던 구명정에서 보기에는 기선의 등불이 순식간에 모두 차단되고 말았다는 게 그 설명이었어. 그 등불들이 보였더라면 일종의 무언의 호소 같은 효과가 있었을 것이고, 또 어두운 구름 속에 사라져 버린 등불이 만약에 번뜩이고 있었더라면 가책과 연민의 정을 불러일으키는 인간의 눈초리 같은 신비한 힘을 지녔을 가능성이 높아. 그 번뜩임은 "나 여기에 있어, 아직도 있다니까."라고 말하고 있는 듯했을 거니까. 인간 중에서도 가장 버림받고 있는 자의 눈이라면 그 이상 무슨 말을 더 할 수 있었겠나? 그러나 기선은 마치 그들의 운명을 비웃기라도 하듯 그들 쪽으로 등을 돌리고 있었어. 기선은 사람들을 잔뜩 실은 채 휙 돌아서서 공해의 새로운 위험을 향해 완강하게 눈을 부라리고 있었고, 참으로 신기하게도 그 위험을 겪고 살아남아서는 폐선 해체장에서 일생을 마쳤지. 마치 여러 개의 망치가 가하는 매를 맞으며 이름 없이 죽어가는 것이 그 기선의 점지된 운명이었던 것처럼 말이야. 순례자들의 운명이 각자를 위해 어떤 다양한 종말을 마련하고 있었는지 나로서 말할 수 없어. 그러나 그 가까운 미래는 이튿날 아침 9시경에 레위니옹에서 귀국 중이던 프랑스 군함이 출현하는 거였어. 함장의 보고서는 공공 자료로 공개되어 있거든. 그는 정해진 항로에서 약간 벗어나서 연무가 낀 고요한 바다에서 뱃머리를 처박고 위험하게 표류하는 기선에 무슨 문제가 있는지 확인해 보았던 거야. 돛가름대에는 위험 신호 삼아 깃발을 거꾸로 매달아 두었는데, 날이 새자 인도인 선원이 조난 신호를 보내야겠다는 생각을 했던가 봐. 그러나 요리사들은 여느 때처럼 뱃머리 쪽의 조리실에서 식사 준비를 하고 있었지. 갑판마다 양 떼의 우리처럼 승객들이 가득했고, 그들은 갑판 난간에 온통 걸터앉아 있는가 하면 빽빽한 덩어리를 이루어 선교를 꽉 메우고 있었어. 군함이 기선 옆에 나란히 섰을 때 수백 개의 눈이 노려보고 있었지만 아무 소리도 들리진 않았어. 그 많은 입술들이 마치 마력에 걸려 봉해진 것처럼 말이야.

「프랑스 함정은 무슨 일이 있느냐고 물었지만 알아들을 만한 답을 얻지 못하자 배의 쌍안경을 통해 갑판의 무리들이 전염병에 걸린 것이 아님을 확인한 뒤에 구명정 한 척을 보내기로 결정했어. 두 명의 장교가 승선해서 인도인 선원의 이야기를 듣고 아랍인과도 이야기하려 했지만 자초지종을 알아낼 수가 없었지. 그러나 물론 그 비상사태의 성격만은 아주 분명했던 거야. 그들은 한 사람의 백인이 선교 위에서 웅크린 채 죽어 있는 것을 보고 크게 놀랐어. 먼 훗날 내가 어떤 늙수그레한 프랑스 해군의 위관급 장교를 만났을 때 그는 내게 프랑스어로 "그 시신을 보니 기막히게 흥미롭군요."라고 말했어. 나는 어느 날 오후 시드니에 있는 카페처럼 생긴 곳에서 참으로 우연히 그와 마주치게 되었는데, 그는 그때 있었던 일을 완벽하게 기억하고 있더군. 내가 지나는 길에 주목해 두고자 하는 것은, 참으로 그 사건이야말로 기억은 짧고 세월은 길다는 통설을 거부하는 비상한 힘을 지니고 있었던 거야. 그 사건은 일종의 기이한 생명력을 가지고 있어서 사람들의 마음속에서 그리고 혀끝에서 살아남아 있는 듯했거든. 오랜 세월이 흐르고 난 뒤 수천 마일 떨어진 곳에서 그 사건과는 가장 거리가 먼 화제로 이야기하다가도 그 사건이 등장하게 된다든지 또는 가장 관계없는 일을 언급하다가도 그 사건이 표면으로 떠오르는 것을 볼 때마다 나는 수상쩍은 즐거움을 느끼곤 했지. 오늘 저녁에도 그 사건이 우리들의 화제로 등장하지 않았는가? 그런데 여기서는 내가 유일한 뱃사람이군. 그 사건을 기억하고 있는 유일한 뱃사람이란 말이야. 그런데도 그 사건이 화제로 등장하지 않았는가. 서로 모르는 사이지만 각각 그 사건만은 알고 있는 두 사람이 이 세상 어디서든 우연히 만나게 된다면 헤어지기 전까지는 그 이야기가 운명처럼 어김없이 튀어나오게 되어 있거든. 나는 그 프랑스인을 전에 만난 적이 없었고 한 시간 후에는 헤어져서 평생 다시는 만나지 않게 되어 있었지. 그도 또한 각별히 말이 많은 사람은 아니었어. 그 조용하고 덩치 큰 녀석은 구겨진 제복을 입고서 무언가 검은 액체로 반쯤 차 있는 유리잔을 놓고 졸음에 겨운 듯이 앉아 있더군. 그의 견장은 약간 퇴색해 있었고, 깨끗이 면도한 뺨은 큼직했으나 핏기가 없었어. 그는 코담배 냄새 맡는 데 중독된 사람 같더군. 무슨 말인지 알겠나? 그가 꼭 코담배를 맡았다는 뜻은 아냐. 하지만 그런 습성이 그 같은 사람에게는 잘 어울렸을 거라는 뜻이야. 내가 원하지도 않는데 그가 대리석 탁자 너머로 여러 부의 《고국 소식》 지를 내게 보내 준 데서 이야기는 시작되었어. 나는 프랑스어로 "감사합니다."라고 말했어. 겉으로 보기에 그 사건과는 아무 관련도 없는 말을 나누고 있다가도 우리는 어느새, 갑자기 영문도 모르게, 그 사건 이야기를 하고 있었고, 그는 자기네 측에서 "그 시신을 보고 기막히게 흥미를 느꼈다."라는 말을 했어. 그가 바로 승선했던 두 장교 중의 한 사람이었던 거야.

「우리가 앉아 있던 그 업소에서는 기항한 해군 장교들을 위해 여러 종류의 외국산 음료수가 마련되어 있었어. 그가 들고 있는 약물처럼 보이는 검은 액체는 아마도 '까씨살로'[22]보다 더 고약하지는 않은 음료수였을 테지만, 한 모금 마시더니 한쪽 눈으로 잔을 들여다보며 머리를 살래살래 젓는 거야. "아시다시피, 이해가 되지 않는 일이었죠." 그는 신기하게도 무관심과 사려 깊음이 뒤섞인 어투로 말했어. 그 일이 그들에게는 참으로 이해하기 어려웠으리라는 걸 나는 아주 쉽게 알 수 있었지. 그 군함에는 인도인 선원의 이야기를 알아들을 만큼 영

22) 까막까치밥(black-currant) 열매로 만든 강장제.

어를 할 줄 아는 사람이 하나도 없었던 거야. 게다가 그 두 장교 주위는 무척 시끄러웠거든. "사람들은 우리에게 몰려들었죠. 그 시신 주위에는 사람들이 빽 둘러서 있었고요." 그는 그 장면을 묘사하고 있었어. "우리는 가장 화급한 문제부터 돌보아야 했습니다. 사람들이 동요하고 있었거든요. 정말이지! 굉장한 군중이었어요. 아시겠죠?" 그는 철학적 탐닉을 보이며 감탄조로 말했어. 그 칸막이벽으로 말하자면, 상태가 너무 위태로워 보여서 그냥 내버려 두는 것이 가장 안전하겠다는 건의를 함장에게 했다는 거야. 그들은 신속히 굵은 밧줄 두 가닥을 올려 보내고 파트나호를 예인했는데 선미를 앞으로 해서 끌었다는 거야. 그렇게 한 것이 당시 상황으로는 그리 바보스러운 조처가 아니었지. 왜냐하면 기선의 키가 너무 물 밖으로 올라와 있어서 운전에 별로 도움이 되지 않았고 또 그렇게 예인하는 것이 칸막이벽에 대한 수압을 줄이는 방도가 되었기 때문이야. 그가 냉철하게 술술 설명한 바에 의하면 그 칸막이벽은 실로 대단히 조심해서 다루어야 할 정도로 위태로운 상태였던가 봐. 그래서 나는 그 새로 사귄 친구가 대부분의 조처를 취하는 데 있어서 발언권을 가졌으리라고 생각하지 않을 수 없었지. 그는 전처럼 아주 활동적일 수는 없었겠지만 그런 대로 믿음직한 장교였고 어떤 면에서는 선원다운 데도 있었거든. 하지만 가볍게 깍지를 낀 두 손을 복부에 대고 앉아 있는 모습이 답답하고 조용한 마을 사제를 연상시키더라니까. 여러 세대에 걸쳐 마을 소작농들의 죄며 고통이며 회한 따위나 실컷 들어 주고, 얼굴에 영문 모를 고통과 상심을 가려 주는 베일 같은 평화롭고 순박한 표정을 짓고 있는 사제 말이야. 그 장교는 견장에다 놋단추가 달린 프록코트를 입는 대신에 그 살진 턱에 이르도록 미끈하게 단추를 끼운 낡은 검정색 수탄을 입어야 더 어울렸을 거야. 그는 나에게 당신도 선원이니까 짐작할 수 있겠지만 정말로 그건 끔찍한 일이 아니냐고 했는데 그 말을 하는 동안 그의 넓은 가슴은 규칙적으로 일렁이었어. 이야기를 끝내자 그는 몸을 약간 내 쪽으로 기울이고 수염을 깎아 버린 입술을 벌리면서 조용히 씨익 소리를 내더라고. "다행히도 말입니다." 그는 말을 계속했어. "바다는 지금 이 테이블만큼이나 평평했고요, 이곳처럼 바람도 없었습니다……." 사실 내게는 그곳이 견딜 수 없이 답답하고 더워서 내 얼굴이 화끈거리고 있었어. 마치 내가 아직도 당혹감을 느끼거나 얼굴을 붉힐 수 있을 만큼 젊었던 것처럼 말이야. 그들이 가장 가까운 영국 항구를 향해 진로를 바꾼 것은 너무나 당연했고 그 항구에 이르러 그들의 책임도 끝났다고 말한 후 그는 "휴, 생각만 해도……!"라고 덧붙이더군. 그는 납작한 뺨을 약간 부풀리더니 말했어. "알고 계시나요. 예인하는 동안 우리는 사뭇 두 명의 조타원에게 도끼를 들려 밧줄 곁에 서 있게 했답니다. 만약에 기선이 침몰할 경우에는 우리 군함에서 예인 밧줄을 잘라 버리자는 것이었지요……." 그는 무거운 눈꺼풀을 아래쪽으로 펄럭이면서 자기가 의미하는 바를 되도록 명백히 하려고 했어. "그런 경우 선장께서는 어떻게 하시겠습니까? 우리는 우리의 능력껏 할 수 있는 일을 하지요." 그러고 나서 그는 잠시 동안 자기의 무거운 부동자세에다 체념의 모습을 입히는 것이었어. "서른 시간 동안 두 명의 조타원을 그곳에 세워 두었다고요. 두 명씩이나!" 그는 같은 말을 거듭하면서 오른손을 약간 쳐들고 두 개의 손가락을 펴 보였어. 정말이지 그가 몸짓을 한 것은 그때가 처음이었다고. 그 틈에 나는 그의 손등에 별무늬 흉터가 있는 걸 눈여겨볼 수 있었지. 총상의 흉터임이 분명했어. 그걸 보고 내 시력이 더욱 예리해진 건지 다른 상처의 봉합 자국도 보이더군. 그건 관자놀이의 약간 아래쪽에서 시작해서 머리 측면의 짧게 깎은 머리카락 아래까지 뻗었다가 사라지는 흉터였는데 창에 스쳤거나 장검에 베여 생긴 상처였어. 그는 다시 자기 배 위로 두 손을 움켜잡더군. "나는 그 배에 타고 있었지요. 배 이름이 그러니까…… 내 기억력이 쇠퇴하는 통에. 아! 빠뜨으나라고요. 그래 정확히 그거지요. 빠뜨으나예요. 감사합니다. 이렇게 잊어버리다니 우습지요. 저는 그 배에서 서른 시간이나 머물렀답니다……."

「"그러셨군요!" 내가 소리쳤어. 그는 여전히 자기 손을 응시하면서 입술을 약간 삐죽거렸지만 씨익 소리는 내지 않더군. 그는 별 감정을 드러내지 않으며 눈썹만 치켜세우고 말하는 것이었어. "장교 한 사람이 그 배에 남아서 감시의 눈을 게을리 하지 않았다는 건 올바른 판단이었습니다." ……그는 부질없이 한숨을 짓더군……. "게다가, 아시다시피, 예인선과 신호로 연락을 취한다든지 뭐 그런 일도 해야 했죠. 그 밖의 것들도 모두 내 의견대로 했지요. 우리 배는 구명정들을 내릴 준비를 해 두었고, 나 역시 그 배에서는 여러 조처를 취했지요……. 그래요. 나는 내가 할 수 있는 조처를 취한 거예요. 참으로 미묘한 위치에 처해 있었지요. 서른 시간 동안이나 말이에요! 사람들은 내가 먹을 음식을 마련해 왔지요. 포도주로 말하자면, 아무리 찾아봐야 한 방울도 구경할 수 없더군요." 그래서 자기가 몹시 불쾌했다는 것을 참으로 비범하게 나에게 전하면서도 그는 맥 빠진 태도나 고요한 얼굴 표정을 두드러지게 바꾸지는 않았어. "아시겠지만, 저는 말이에요, 포도주를 한 잔 곁들이지 않은 식사는 도저히 못 하거든요."

「그가 그런 식의 불평을 장황하게 늘어놓으면 어쩌나 싶어지더군. 비록 팔다리를 꼼짝하지 않았고 표정 하나 바꾸지 않았지만 그가 그때 일을 회상하고는 참으로 불쾌히 여기는구나 하는 생각을 나는 하지 않을 수 없었거든. 그러나 그는 모든 것을 잊어버린 듯하더군. 그들은 예인해 온 기선을 그의 말대로 '항만 당국'에 인계했어. 그는 당국자들이 그 배를 침착하게 인수하는 것을 보고 놀랐다는 거야. "그처럼 우스꽝스러운 상황에서 발견된 배를 매일 인수하는 데 이골이 났나 보다고 생각할 지경이었죠. 당신네들은 참으로 별난 사람들입니다. 당신네는 좀 다르다고요." 이렇게 논평하면서 등을 벽에 기대고 있던 그는 마치 한 자루의 식품만큼도 감정 표현을 하지 못하는 사람처럼 보이더군. 그 당시 항구에는 마침 군함 한 척과 인도 해운회사의 기선이 한 척 있었다는 거야. 그런데 이 두 배의 구명정들이 파트나호에서 승객들을 능률적으로 하선시키는 것을 보고 감탄했다고 그는 숨김없이 말하더군. 사실 그는 태도가 아둔하긴 했지만 아무것도 숨기지는 않았어. 그 태도는 간파할 수 없는 수단으로 괄목할 만한 효과를 자아내는 신비하고 거의 기적적인 능력을 지니고 있었는데, 그런 수단이야말로 최고 예술이 이루는 절정의 경지라 할 수 있지. "25분 걸렸다니까요. 손에 시계를 들고 재어 보니, 25분밖에 걸리지 않았어요……." 그는 복부에서 두 손을 떼지 않은 채 손가락만 깍지를 꼈다 풀었다 하고 있었는데, 경탄의 표시로 두 팔을 허공에 쳐드는 것보다는 그런 동작이 무한히 더 효과적이더군……. "모든 승객들이 자기네 짐을 들고 상륙했고 배에는 선원 경비원 한 사람과 그 흥미 있는 시신만 남아 있었지요. 25분 만에……." 시선을 내리깔고 머리를 한쪽으로 갸우뚱한 채 그는 깔끔하게 끝낸 일을 혀에 올려놓고 굴리며 알 만하다는 듯이 음미하고 있는 듯했어. 그는 더 이상의 몸짓 없이 자기가 그렇게 인정해 주는 것이야말로 값진 찬사로 받아들여야 할 것이라고 했어. 그러고 나서 그는 거의 흐트러지지 않는 부동자세를 다시 취하면서 자기들은 투롱까지 최단 시간에 귀항하라는 명령을 받고 있었으므로 두 시간 후에는 출항했으며, "그 결과 내 일생일대의 그 사건에서 많은 것이 불분명한 상태로 남게 되었지요."라고 말했어.」

13장

「이 말을 끝내자 아무 태도의 변화도 없이 그는, 말하자면, 침묵 상태로 순순히 들어가 버리더군. 나는 계속해서 그와 함께 있었어. 그는 마치 자기의 온화하고 쉰 목소리가 그 부동자세를 버리고 나오도록 미리 정해져 있던 시간이 당도한 것처럼 갑자기, 그러나 그리 무례하지 않게, "정녕! 세월은 참 빠르기도 하지!"라고 말하더군. 그 말보다도 더 진부하게 들리는 말은 없었을 거야. 하지만 내가 보기에는 그 말이 어떤 순간적인 비전과 일치하고 있었던 거야. 우리가 일생을 살면서 눈을 반쯤 감고 귀는 멍하니 닫고 생각은 잠재우고 있는데 그야말로 보통 일이 아니지. 어떻게 생각하면 그래서 오히려 좋을지도 모르겠어. 셀 수 없이 많은 다수 대중에게 삶을 견디고 반길 만하게 해 주는 것도 바로 이 우둔함 덕분인지 누가 알겠나.

그럼에도 불구하고, 어떤 번쩍하는 섬광 속에서 많은 것을, 아니 모든 것을, 보고 듣고 이해할 수 있는 희귀한 깨침의 순간을 겪어 보지 못한 사람은 거의 없을 거야. 그런 순간이 지나고 나면 우리는 다시 우리 자신의 편안한 수면 상태로 빠져들게 되지. 그 말을 듣고 나는 눈을 치켜떴고 이전에는 본 적이 없는 사람을 보듯 그를 바라보았어. 나는 가슴 위로 떨어뜨리고 있던 그의 턱이며 그의 코트에서 볼 수 있던 맵시 없는 주름들이며 맞잡은 두 손이며 아무 동작도 없는 자세 같은 것들을 보고 있었는데, 그런 것들은 그가 그곳에서 버림받고 있을 뿐임을 기이하게 암시해 주고 있었어. 참으로 세월은 흐르고 있었던 거야. 세월이 그를 따라잡고는 앞질러 버렸던 거지. 세월은 몇 가지 초라한 선물을 남긴 후 그를 절망적으로 뒤쳐지게 해 버렸던 거야. 철회색(鐵灰色)으로 변한 머리카락, 그을린 얼굴에 나타난 무거운 피곤, 두 개의 흉터, 한 쌍의 퇴색한 견장 같은 선물이었지. 그는 위대한 명성을 만들어내는 원료였던 그 꿋꿋하고도 믿음직한 사람들 중의 하나였고, 기념비적인 성공을 말해 주는 초석 아래서 북 소리나 나팔 소리도 없이 묻히게 되는 하찮은 사람들 중의 하나였던 거야. 그는 "지금 나는 빅토리에스호에서 소위로 근무하고 있습니다." 라고 말하면서 자기소개를 하려는 듯이 벽에서 어깨를 두어 인치 떼더군. 그 군함은 당시에 프랑스 태평양 선단의 기함이었어. 나는 테이블 이쪽에서 약간 허리를 굽히면서 러슈커터스 만에 정박 중인 상선의 선장이라고 자기소개를 했지. 그는 그 배를 눈여겨보았는데 작고 예쁜 선박이라고 하더군. 그는 감정이 섞이지 않은 어조로 그 배에 대해 아주 정중하게 말했어. 사뭇 눈에 띄게 숨을 쉬면서 "아, 네. 까맣게 칠한 귀여운 배더군요. 아주 예쁘고 예쁜 배였어요."라고 거듭 말하면서 그는 칭찬 삼아 자기 머리까지 숙였던 것 같아. 얼마 뒤에 그는 몸을 천천히 비틀더니 우리 오른쪽에 있던 유리문을 향하더라고. 그는 거리를 응시하면서 "따분한 고장이군요."라고 했어. 눈부시게 맑은 날인데 남녘에서 차고 거센 바람이 불어오고 있었어. 보도를 지나는 남자와 여자들이 바람에 밀리는 것이 보였고, 길 건너 집들의 햇볕 쬐는 앞면이 높다랗게 이는 먼지로 흐려져 있었지. 그가 말하더군. "다리나 좀 펴 볼까 하고 상륙을 했지만……." 그는 말을 마치지 않고 깊은 휴식 속으로 푹 빠지고 말았어. "봐요, 말 좀 해 보시라고요." 그가 무겁게 몸을 일으키더니 말하기 시작했어. "그 사건의 밑바닥에 정확히 무슨 일이 있었던가요? 이상하다고요. 가령 그 죽어 있던 사람이라든지 뭐 그런 것들이 이상하지 않습니까."

「"산 사람들도 있었지요." 내가 말했어. "더 이상하기야 바로 그 사람들이죠."

「"아무렴, 그렇지요." 그가 들릴까 말까 하는 목소리로 내 말에 동의하고 나서 심사숙고하고 난 것처럼 중얼대더군. "분명히 그래요." 나는 그 사건에서 내게 가장 흥미 있는 부분을 그에게 전달하는 데 별 어려움이 없었어. 그에게는 마치 알 권리가 있는 듯했거든. 그는 자기가 파트나호의 선상에서 서른 시간이나 보냈고, 말하자면 임무 승계를 했던 셈이고 또 "자기의 최선을 다 했다."는 거였어. 그는 내 이야기에 귀를 기울이고 있었는데, 전보다 더 사제처럼 보였고, 눈을 내리뜬 탓이었겠지만, 경건하게 정신을 집중하고 있는 듯한 모습이기도 했어. 그는 눈까풀을 까딱하지 않고 한두 차례 눈썹만 추켜올렸는데 그건 마치 "망할 것!"이라고 말하려는 듯했어. 한번은 그가 조용히 숨을 죽인 채 "아, 저런!"이라는 소리를 내기도 했고, 내가 이야기를 마치자 신중히 입술을 비쭉거리며 슬픔에 젖은 휘파람 소리를 내기도 했지.

「다른 사람의 경우라면 그게 권태의 증거나 무관심의 표시로 보였을지도 몰라. 그러나 그는 자기 나름의 오묘한 방식으로 자기의 부동자세가 심오한 반응을 보이게 했을 뿐만 아니라, 달걀이 육질로 가득하듯이, 귀중한 사념들로 가득하게 했어. 결국 그는 "아주 흥미롭군요."라고 정중하게 속삭이듯이 말했을 뿐이야. 내가 실망감을 이기지 못하고 있는데 그는 혼잣말을 하듯이 "그래. 바로 그랬었군."이라고 덧붙였어. 그의 턱은 가슴 위로 더 처져 내리는 듯했고 육신은 앉은자리에서 더욱 무거워 보이더군. 내가 그에게 왜 그러느냐고 물을까 하는데 그의 온몸에는 무언가를 준비하듯 일종의 전율이 지나가더군. 바람이 느껴지기도 전에 침체된 수면 위에 잔물결부터 이는 격이었지. "그러니 그 가엾은 젊은이는 다른 자들과 함께 도망쳤군요." 그는 무겁게 침착함을 보이며 말했어.

「나는 내가 무엇 때문에 미소를 지었는지 모르겠어. 내가 기억하기에, 짐의 일과 관련해서 내가 진지한 미소를 지었던 것은 그때뿐이었거든. 그런데 그 문제에 대한 단순한 진술도 프랑스어로 말하니까 왠지 우습게 들리더군……. 글쎄 그 소위는 "세 탕퓌 아베크 레 조트르."[23]라고 하더라니까. 그래서 갑자기 나는 그의 분별력을 대견하게 여기기 시작했지 뭐야. 그는 당장에 문제의 핵심을 알아냈거든. 그는 내가 관심을 두고 있던 유일한 것을 파악했던 거야. 나는 마치 그 문제에 대한 전문적인 견해라도 듣고 있는 듯한 기분이었어. 동요할 줄 모르는 그의 성숙한 침착성은 사실들을 파악하고 있는 전문가에게나 가능한 것이었는데, 그런 전문가에게는 우리의 당혹감이 아이들의 장난에 불과하겠지. "아! 젊은이들이란, 젊은이들이란, 참. 하지만, 뭐니 뭐니 해도, 우리가 그런 일로 죽지는 않는 법인데." 그는 홀딱 빠진 듯한 어조로 말했어. 그래서 내가 대번에 "무엇 때문에 죽는다고요?"라고 물었지. "무서움 때문에 죽는 일은 없다는 뜻이죠." 그는 해명하고 나서 음료수를 한 모금 마시더군.

「내가 보니 그의 부상한 손의 가운뎃손가락부터 새끼손가락까지의 세 손가락이 경직되어 있어서 따로따로 움직이지 못하더군. 그래서 그는 잔을 꼴사납게 잡고 있었어. "사람들은 늘 무서워하지요. 말이야 그렇지 않겠죠, 하지만……." 그는 잔을 어색하게 놓더군……. "무서움, 무서움 말이에요, 그건 늘 있죠." ……그는 놋단추 근처의 가슴 부위에 손을 댔는데, 짐이 자기 심장에는 아무 문제가 없었다고 주장하면서 손으로 때리던 곳도 바로 그 부위였어. 내가 그 말에 동의하지 않는다

---

23) S'est enfui avec les autres. '그는 다른 자들과 함께 도망했다.'는 뜻의 프랑스어.

는 내색을 했던가 봐. 왜냐하면 그는 이렇게 주장했어. "그럼. 그렇다고요! 사람들이 말은 잘 하지요. 그건 좋다고요. 하지만 이것저것 따져 볼 때, 사람들이 결국은 이웃들보다 더 영리할 것도 없지요. 용감해지지도 않고요. 용감하다니요! 언제 보아도 늘 그렇더라고요. 나는 세상 구석구석에서 이 엉덩이를 굴리며 나돌아 다녀 보았답니다." 그는 조금도 동요 없이 진지하게 그런 속된 표현[24]을 쓰더군. "나는 용감한 사람들을 만났지요. 유명한 사람들도 만났답니다. 정녕!……." 그는 음료수를 흘리며 마시고 있더군……. "배를 타는 사람들은 용감해야 합니다. 직무가 그걸 요구하니까요. 그렇지 않습니까?" 그는 이치를 따지듯이 내게 호소하고 있었어. "원 참. 하지만 선원들 각자는, 각자가 말입니다, 각자가 만약에 정직한 사람이라면 당연히 고백할 겁니다. 우리 중의 가장 훌륭한 사람도 결국 어떤 지점에 이르게 되고 거기 이르면 모든 것을 놓아 버리게 된다고 말입니다. 그런데 우리는 바로 그 진실과 더불어 살아야지요. 아시겠어요? 여러 상황이 이루는 복합적인 환경에 처하게 되면 두려움이 반드시 찾아오게 되어 있어요. 지긋지긋한 무서움 말입니다. 이 진실을 믿지 않는 사람들에게도 어쨌든 두려움은 있습니다. 자기네 자신들에 대한 두려움이지요. 절대로 그렇다고요. 제 말을 믿으세요. 네, 네……. 제 나이가 되면 사람들은 뭔가를 알고서 이런 말을 한답니다. 젠장……."

---

24) 프랑스어에서 '내 살덩이를 굴리다(rouler ma bosse)'라는 표현을 콘래드는 영어로 'roll my hump'라고 번역하고 있는데, 우리말의 '떠돌아다니다'에 상당하는 비속한 표현인 듯하다.

이 모든 말을 하면서도 그는 마치 추상적인 지혜의 대변인이라도 된 것처럼 부동자세로 있더군. 그러나 그 대목에 이르러 그는 두 엄지를 천천히 비틀기 시작함으로써 초연한 자세의 효과를 높이고 있었지. "정말이지 그건 분명합니다!" 그가 말을 이었어. "아무리 결심을 단단히 한다고 하더라도 사소한 두통이나 발작적인 소화불량증 때문에 그만 그 결심이…. 예를 들어 날 좀 보세요. 내가 바로 그 증거지요. 젠장! 지금 선장께 말을 걸고 있는 이 사람도 바로 한때는……."

「그는 자기 잔을 비우고 다시 두 엄지를 비틀었어. "아니죠, 아니라고요. 우리가 무서움 때문에 죽지는 않는답니다." 그가 단호하게 말했지. 그리고 그가 개인의 체험담을 이야기할 생각이 없다는 것을 알고 나는 지극히 실망했어. 그런 종류의 이야기는 재촉할 수도 없는 것이기에 나는 그만큼 더 실망했지. 나는 잠자코 있었고 그 또한 가만히 있었는데 마치 침묵보다 더 기분 좋은 건 없다는 것 같았어. 그의 엄지까지도 가만히 있더라니까. 갑자기 그의 입술이 움직이지 시작했어. "그게 그래요." 그가 편안하게 다시 말하더군. "인간은 겁쟁이로 태어나죠. 그래서 어렵다고요. 정말! 그렇지만 않다면 아주 쉬울 텐데. 하지만 관습, 관습이랄까, 필요성이랄까, 아시겠어요? 남들의 눈이랄까, 그런 게 있죠. 우리는 그런 것에 굴종하며 산답니다. 그리고 우리들보다도 더 나을 것이 없으면서도 겉으로 훌륭해 보이는 남들의 본보기도……."

「그의 목소리가 멎더군.

「"그 젊은이는 그런 것들의 인도를 전혀 받지 못했다는 걸

아셔야 해요. 적어도 그 순간에는 말입니다." 내가 말했어.

「그는 용서한다는 듯이 눈썹을 추켜세웠어. "내 말은 그게 아니고요. 그게 아니라고요. 그 문제의 젊은이가 최고의 성향, 바로 그 최고의 성향이라는 걸 가지고 있었을지도 모른다는 겁니다." 그는 "최고의 성향"이란 말을 되풀이하면서 약간 씨근거렸어.

「"그렇게 관대하게 생각해 주시니 보기 좋습니다." 내가 말했지. "그 문제에 있어서는 그 사람 자신의 감정도, 아! 희망에 차 있었거든요. 그런데……."

「테이블 아래서 그의 발이 찍찍 끌리는 소리에 내 말은 중단되고 말았어. 그는 무거운 눈꺼풀을 거둬 올리더군. 나는 거둬 올렸다고 했어. 그처럼 꿋꿋이 신중하게 눈꺼풀을 들어 올리는 모습을 다른 어구로는 묘사해 낼 수가 없으니까. 그러고 나니까 두 눈이 내게 완전히 노출되더군. 나는 두 개의 회색 동그라미와 대면하게 되었는데, 그 동그라미들은 깊은 검정색 동공 주위를 싸고 있는 작은 강철 테 같더라니까. 그 엄청난 덩어리에서 나오는 예리한 눈초리는 전투용 도끼의 예리한 날처럼 극단적인 능률을 생각하게 하더라니까. "실례하겠습니다." 그는 깍듯이 예절을 지키며 말했고, 오른손을 올리며 몸을 앞으로 숙였어. "내가 하고 싶은 말은…… 우리의 용기가 저절로 생겨나지 않는다는 것을 잘 알아두어야 좋겠다는 거죠. 그렇다고 해서 속상해할 이유도 없다고요. 한 가지 진실이 더 밝혀졌다고 해서 삶이 불가능해지는 건 아니니까……. 하지만 선원의 명예, 명예 말이에요, 선장님! ……그 명예라는 것…… 그게 실로 문제지요. 문제라고요. 삶이라는 것이 무슨 값이 나가겠습니까. 만약에 우리가……." 그는 놀란 황소가 풀밭에서 일어서듯이 무거운 충동을 보이며 일어나더군. "만약에 우리에게서 명예가 사라진다면 말입니다. 아! 바로 그거예요……. 나로서는 아무 의견도 말할 수 없군요. 말할 수가 없다고요. 왜냐하면, 선장님, 나는 그런 걸 전혀 모르니까요."

「나도 따라 일어섰고, 우리들은 한없이 정중한 태도를 지키려 하면서, 마치 벽난로 선반 위에 놓인 두 마리의 도자기 개처럼, 말없이 서로 마주 보고 있었지. 망할 녀석! 그가 그만 환상의 비누 거품을 찔러서 터뜨리고 말았던 거야. 인간의 언어를 방해하려고 매복해 있던 부질없음이라는 고사병(枯死病)이 우리의 대화에 영향을 주어 그걸 그만 의미 없는 소리로 만들고 말았던 거지. "좋습니다." 내가 당혹한 나머지 미소를 보이며 말했어. "하지만 축소해서 발각되지 않게 할 수는 없었을까요?" 그는 대번에 대꾸를 할 듯이 덤볐지만, 정작 입을 열었을 때는 마음을 고쳐먹었어. "그게, 선장님, 나에게는 너무 미묘한 문제군요. 내 능력을 넘어서는 문제이므로 생각하지도 못하겠군요." 그는 벗어 든 모자를 앞세운 채 그 너머로 나에게 묵직하게 절을 했어. 그는 부상한 손의 엄지와 검지로 모자의 꼭지를 잡고 있었지. 나도 절을 했어. 우리는 서로 절을 하고 있었지. 우리는 깍듯이 예절을 갖추어 서로를 향해 발을 뒤로 빼면서 절을 했어. 그러는 사이에 더러운 차림의 웨이터는 별꼴을 다 본다는 듯이 지켜보고 있었는데 마치 그걸 구경하려고 돈이라도 낸 사람 같더군. "죄송합니다만." 그 프랑스인이 말했어. 그리고 다시 절을 했지. "선장님." …… "장교님……." 그의 듬직한 등 뒤로 유리 출입문이 획 닫히더군. 거센 남풍이 그를 붙잡자 그는 바람에 휩쓸려 갔어. 그는 머리에 손을 대고 어깨를 펴고 있었지만 저고리 자락이 바람에 날려 그의 가랑이를 강하게 치고 있었지.

「나는 다시 혼자 의기소침해진 채 앉아 있었어. 짐의 경우를 생각하고 의기소침해졌던 거야. 삼 년 이상 지났는데도 그 일이 여전히 현실감을 지니고 있었다는 걸 자네들이 의아해할 것 같아서 말해 두지만, 나는 그 직전에 그를 본 적이 있었던 거야. 시드니 행의 화물을 싣고 사마랑에서 오는 길이었거든. 그건 아주 따분한 업무의 일부였는데, 여기 이 찰리는 그런 걸 내 정상 업무 중의 하나라고 부르곤 하지. 그런데 사마랑에서 나는 짐의 모습을 조금 볼 수 있었어. 당시 그는 내 추천으로 드용에게 고용되어 있었거든. 입항 선박에 오르내리는 점원이었지. 드용은 짐을 '나의 떠다니는 대리점'이라고 부르고 있었어. 그처럼 위안이라곤 주지 못하고 매력의 빛이라고는 찾을 수 없는 생활 방식을 자네들은 아마 상상할 수 없을 거야. 보험 판매원의 업무를 제외하다면 말이네. 여기 찰리도 아주 잘 알고 있는 리틀 밥 스탠튼이 바로 그런 일을 겪어 본 적이 있어. 세포라호의 참사 때 한 귀부인의 몸종을 구조하려다가 익사했던 바로 그 사람이지. 자네들이 기억하는지 몰라도 스페인 해안에서 연무가 낀 어느 날 아침에 있었던 충돌 사고였지. 모든 승객들을 구명정에 깔끔하게 싣고 모선을 막 벗어나고 있을 때 밥은 다시 돌아가서 그 소녀를 구하기 위해 모선을 기어오르지 않았겠나. 어쩌다 소녀만 배에 남게 되었는지 나로서는 알 수 없어. 어쨌든 제정신이 아니었던 소녀는 배를 떠나지 않으려고 음침한 죽음처럼 난간에 매달려 있었던 거야. 그때 벌어졌던 레슬링 시합 같은 광경은 구명정에서도 볼 수 있었지. 가엾은 밥은 우리 상선 업계에서 가장 키가 작은 일등항해사였고 그 여인은 신을 신으면 키가 5피트 10인치나 되는데다가 말처럼 힘이 셌다는 거야. 그래서 엎치락뒤치락이 계속되는 동안 그 못난 소녀는 사뭇 비명을 올리고 있었고 밥은 이따금 자기 구명정을 향해 침몰선에서 떨어지라고 소리를 지르고 있었어. 그때 배에서 일했던 사람 중의 하나가 그 일을 회상하고는 미소를 감추면서 내게 말하더군. "선장님, 그건 아무리 보아도 버릇없는 아이가 자기 어머니하고 싸우는 광경이었답니다." 바로 그 늙은 녀석이 말했어. "결국은 스탠튼이 그 소녀를 끌어당기기를 포기하더니 감시하는 듯한 눈초리로 바라보고 있었습니다. 우리가 나중에 생각해 보니까 그는 아마도 물이 몰려와 결국 그녀가 난간에서 떨어지게 되면 구조할 기회가 생기리라고 생각하고 있었던 것 같습니다. 우리는 위험 때문에 배 옆으로 가지 않았지요. 얼마 뒤에 그 낡은 배는 우현으로 기울어지더니 갑자기 풍덩 가라앉았습니다. 그렇게 빨려 들어가는 광경은 참으로 끔찍했지요. 우리는 산 사람이나 죽은 사람이 다시 떠오르는 걸 보지 못했어요." 가엾은 밥은 애정 관계에 복잡하게 얽힌 나머지 해안에서 일정 기간을 보냈던가 봐. 어리석게도 그는 바다 생활을 영원히 끝내길 바라며 지상의 모든 환희를 움켜잡으려고 애를 쓰고 있었던 거야. 그러나 결국 그는 보험 외판원이 되었어. 리버풀에 살던 그의 사촌인가가 일을 구해 주었지. 그는 자기가 그 분야에서 겪은 이야기들을 우리에게 들려주었어. 그는 눈물이 고이도록 우리를 웃기기도 했어. 작은 키에 난쟁이 요정처럼 수염을 허리까지 기르고 다니던 그는 자기 이야기의 효과에 그리 기분이 나쁘지 않았던지 우리들 사이를 살금살금 지나다니면서 말했어. "못난 녀석들, 자네들이 웃는 건 좋아. 하지만 그놈의 일을 일주일 동안 하고 나니까 내 불멸의 영혼이 말라비틀어진 땅콩 알맹이 크기로 위축되더라니까." 짐의 영혼이 그 새로운 생활 조건에 어떻게 적응하고 있었는지 나로서는 알 수 없어. 나는 간신히 연명이라도 하게 그에게 일거리를 구해 주는 데만 너무 열중하고 있었지. 그러나 그의 모험심 많던 공상은 굶주림이라는 고통을 겪고 있었으리라 확신해. 새 일자리에는 그의 공상을 키워줄 먹이가 아무것도 없었음이 확실했거든. 그가 그런 일을 하고 있는 것을 보면 안타까웠지만, 그는 마음을 편하게 먹으며 일을 질기게 해내고 있었고 그 점에 대해서는 후한 점수를 주고 싶어. 나는 그가 초라하게 고역을 치르고 있는 것을 지켜보면서 그건 그의 공상이 빚은 영웅적 행위에 대한 처벌이요 자기가 감당할 수 있는 것 이상으로 화려한 것을 갈망한 데 대한 속죄라고 생각했지. 그는 자신을 명예로운 경기용 말이라고 즐겨 여기곤 했는데 이제는 거리의 외판원이 데리고 다니는 당나귀처럼 아무 영광도 없이 고된 일만 해야 하는 악운에 처해 있었던 거야. 그는 그 일을 아주 잘 해내고 있었어. 그는 자신을 가두어두고 고개를 숙인 채 아무 말도 하지 않고 살았지. 그런 식으로 잘 지내고 있었던 거야. 잘 지내고 있었어. 어쩌다 파트나호 사건에 대한 이야기가 걷잡을 수 없이 노출되는 처참한 경우에 부닥치면 놀라울 만큼 격렬한 감정을 폭발시키기도 했지만 그런 경우를 제외하고 그는 잘 지냈어. 하지만 불행히도 동방의 바다에서 있었던 그 스캔들은 좀처럼 사라지려 하지 않았어. 그래서 나는 짐의 문제에서 영영 손을 뗄 수 있겠다는 생각을 좀처럼 할 수가 없었지.

「프랑스 해군 소위가 떠난 후 나는 앉아서 짐에 대해 생각하고 있었어. 하지만 나는 그 얼마 전에 그와 황급히 악수했던 드용 상점의 시원하고도 침침한 뒷방을 연상하며 그를 생각한 것이 아니고, 그보다 몇 해 전에 말라바 하우스의 긴 갤러리에서 어둡고 싸늘한 밤공기를 배경으로 깜박이는 마지막 촛불 앞에서 나와 함께 앉아 있던 그의 모습을 회상하고 있었지. 조국의 법이라는 존대한 장검이 그의 머리 위에 걸려 있었어. 이튿날이면, 아니, 우리가 헤어지기 오래전에 이미 자정이 지났으니 바로 그날이라고 해야 할지도 몰라. 대리석 같은 얼굴을 한 경찰 치안 재판관이 구타 사건에 대해 벌금이나 수감 기간을 선고한 후에 그 무시무시한 장검을 쳐들고는 짐의 숙인 목을 내려치게 되어 있었어. 그래서 그날 밤에 나누었던 우리들의 교분은 사형 선고를 받은 죄수와 마지막 밤을 함께 새우는 것 같은 특별한 일이 되고 말았지. 그는 죄과가 있었고, 내가 마음속으로 누차 생각한 대로, 죄를 짓고 끝장이 났던 거야. 그럼에도 불구하고 나는 공식적 처형이라는 세부적

절차만은 면하도록 해주고 싶었어. 내가 그걸 열망한 이유를 설명하진 않겠어. 설명을 할 수도 없을 거야. 하지만 자네들이 이쯤에서도 그 이유를 짐작하지 못한다면, 내 이야기가 너무 불명확했거나 아니면 자네들이 너무 졸려서 이야기의 뜻을 파악하지 못했거나, 이 두 가지 중의 어느 한쪽일 거야. 나는 내 도덕성을 옹호하지는 않겠어. 브라이얼리의 제안을 나는 '도피책'이라 부르고 싶거니와, 내가 그 제안을 원시적 순박함 그대로 짐 앞에 내어놓도록 유인했던 충동 속에는 아무 도덕성도 없어. 그걸 실천하는 데 필요한 돈은 내 주머니 속에 있었고, 그에게는 아주 요긴했을걸. 오! 그건 빌려주는 돈이었어. 물론 빌려주는 돈이었다고. 그리고 랭군에서 그에게 직장을 알선해 줄 사람에게 보내는 소개장이 필요하다면……, 그야, 내가 기꺼이 썼을 것이고. 2층에 있는 내 방에는 펜이며 잉크며 편지지도 있었지. 그와 이야기를 나누고 있는 동안에도 나는 그 편지가 쓰고 싶어 좀이 쑤시더군. 모년 모월 모일 오전 2시 30분……. 우리의 옛 우정을 생각하며 나는 자네에게 제임스 아무개 씨의 일자리를 마련해 주길 부탁하네. 그로 말하자면…… 어쩌고저쩌고. 나는 짐에 대해서 그런 식으로 쓰려 했었어. 그가 내 동정심을 사지는 못했다 하더라도 그 스스로 그보다 더 효과 있게 처신해 오고 있었던 셈이야. 그는 동정심이라는 감정의 근원에 이르러 있었고 내 이기심이라는 은밀한 감성까지 건드리고 있었으니까. 나는 자네들에게 아무것도 숨기지 않아. 내가 만약 숨기려 한다면 내 행동은 그 어느 누구의 이해할 수 없는 행동보다도 더 불가해하게 보일 거야. 다른 이유도 있지. 내일이 되면 자네들은 나의 성실성을 다른 과거의 교훈과 함께 잊어버리고 말 테니까. 전체적으로 정확히 말하건대, 그 거래에서 나는 비난을 받을 짓은 전혀 하지 않았어. 그러나 내 부도덕성에서 나온 그 미묘한 의도는 죄인의 도덕적인 순박성과의 싸움에서 그만 지고 말았다니까. 물론 그도 이기적이었어. 하지만 그의 이기성은 더 고매한 근원과 더 고귀한 목표를 가지고 있었지. 내가 무슨 말을 하려 해도 그는 처형이라는 의식을 거치려고 단단히 마음먹고 있다는 걸 알게 되었거든. 그래서 나는 많은 말을 하지 않았어. 왜냐하면 논쟁을 벌일 경우 그의 젊음이 내게 아주 불리하게 작용할 것임을 느꼈기 때문이야. 내가 기왕에 의심하지 않게 된 것을 그도 믿고 있었다니까. 말로 표현되지 않고 명확히 설명된 적도 거의 없었지만 그의 거센 희망 속에는 무언가 멋진 데가 있었어. "도망치라뇨! 생각도 할 수 없는 일입니다." 그는 머리를 흔들며 말했어. "나는 자네에게 이 제안을 하면서 어떤 종류의 사례를 요구하거나 기대하지 않네." 내가 말했지. "자네가 편리할 때 그 돈을 갚으면 되지. 그리고……." "참으로 고마운 일이군요." 그는 날 쳐다보지도 않고 중얼거리더군. 나는 그를 곰곰이 지켜보았어. 그에게는 장래가 무섭도록 불안정해 보였을 것임이 틀림없었어. 그러나 그는 진정 자기 심장에는 아무 탈도 없다는 듯이 비틀거리지 않았지. 나는 화가 났는데 그게 그날 저녁에 처음 있었던 일은 아니야. 나는 말했어. "그간 있었던 불운한 일이 자네 같은 사람에게는 너무 가혹하단 말이네……." "네. 가혹합니다. 가혹해요." 그는 마루를 뚫어지게 바라보며 같은 말을 되풀이했어. 그걸 보니 내 가슴이 찢어지더군. 그는 촛불 위로 우뚝 솟아 있었고, 나는 그의 뺨에 난 솜털과 얼굴의 매끈한 피부 아래서 따뜻하게 번지는 홍조를 볼 수 있었지. 자네들은 믿을지 모르겠으나, 그 광경은 격하게 내 가슴을 찢어 놓았어. 그 광경에 자극을 받고 나는 무례하게 말했지. "그럴 테지." 내가 말했어. "자네가 이 사건의 찌꺼기를 핥는다고 해서 무슨 소득이 있는지 나로서는 전혀 상상할 수도 없다는 걸 말해야겠네." "소득이라뇨!" 가만히 있던 그가 중얼대더군. "나는 도저히 상상할 수 없어." 나는 화가 나서 말했지. "저는 그 사건과 관계되는 모든 것을 선장님께 말씀드리려고 애썼습니다." 그는 대답할 수 없는 무엇을 생각하듯 천천히 말을 이었어. "그러나, 어쨌든, 이건 바로 제 문제랍니다." 나는 그 말에 대꾸하기 위해 입을 열었지만 갑자기 내 자신에 대한 믿음이 사라지더군. 그도 또한 나를 포기해 버린 것처럼 보였어. 그는 꽤 요란한 생각을 하고 있는 사람처럼 투덜거리고 있었거든. "도망쳐 버렸지요……. 병원에 입원하기도 했고……. 누구 하나 심판을 받으려 하지 않았으니까……. 그들이야말로……." 그는 경멸을 암시하듯이 손을 약간 움직이더군. "하지만 저는 이걸 극복해야 합니다. 조금도 회피해서는 안 됩니다……. 조금도 회피하지 않을 거예요." 그는 잠자코 있었어. 무엇에 홀린 듯이 멍하게 응시하고 있더군. 그의 무의식적인 얼굴은 건듯 지나가는 경멸, 절망과 결의의 표정들을 차례로 반영하고 있었어. 마치 마법의 거울이 미끄러지듯 지나가는 비현세적 형상들을 반영하는 것 같더군. 그는 기만적인 유령들이라든지 가혹한 허깨비들에게 둘러싸인 채 살고 있었던 거야. "오! 말도 안 되는 소린 그만둬, 이 사람아!" 내가 입을 열었어. 그는 참을 수 없다는 동작을 보이더군. "선장님께선 이해하시지 못하는 듯해요." 그는 통렬하게 말하고 나서 눈 하나 깜박이지 않으며 날 바라보더니 "제가 뛰어내렸는지는 모르겠어요. 하지만 도망치지는 않습니다."라고 하더군. "자네의 기분을 상하게 할 의도는 없었네." 나는 이렇게 말하고 나서 바보처럼 덧붙였지. "자네보다 더 훌륭한 사람들도 더러는 도망치는 것이 편하다고 여긴 적이 있다네." 그의 얼굴이 온통 붉어지더군. 한편 혼란에 빠진 나머지 나는 혀로 내 자신을 거의 질식시키고 있었어. "그랬겠죠." 그가 드디어 입을 열더군. "저는 도망칠 만큼 잘난 사람이 아니라고요. 제게는 그럴만한 마음의 여유가 없습니다. 저는 이번 일을 싸워서 눌러야 하니까요. 그래서 지금 싸우고 있는 거죠." 나는 의자에서 일어났는데, 온몸이 굳어지는 느낌이었어. 침묵은 내게 당혹스러웠고, 그 침묵을 끝장내려고 내가 생각해 낸 것은 고작 가벼운 말투로 "어느새 시간이 이렇게 늦어졌을까."라고 말하는 것이었지……. "이번 일이 선장님에게는 지겹지요." 그가 퉁명스럽게 말했어. "그런데, 말이야 바른 말이지." 그는 두리번거리며 모자를 찾기 시작하더군. "저도 지겹답니다."

「암! 그는 그 별난 제안을 거절하고 말았어. 그는 내 구원의 손길을 떨치고 떠나려 했던 거야. 난간 저편에서 밤은 마치 짐을 먹이로 점찍어 둔 것처럼 아주 조용히 그를 기다리고 있는 듯하더군. 그의 목소리가 들리더군. "아! 여기 있었군." 그는 자기 모자를 찾아냈던 거야. 몇 초 동안 우리는 엉거주춤 서 있었지. "이번 일이 끝나면 어떡할 작정인가?" 내가 나직이 물어보았어. "십중팔구 따분한 신세로 전락하고 말겠죠." 그가 거친 어조로 대답하더군. 나는 어느 정도 정신을 가다듬고 나서 그런 대답은 가볍게 받아넘기는 것이 최선이라고 판단했어. "제발 기억해 두게나." 내가 말했지. "자네가 떠나기 전에 내가 자넬 꼭 다시 만나야겠네." "그렇게 하시겠다면 말릴 이유가 있겠습니까? 이 망할 놈의 일을 겪는다고 해도 제가 보이지 않는 인간으로 변할 수는 없을 테니까요." 그는 지독히 냉소적인 어조로 말하더군. "그렇게 변할 수 있다면 오죽 좋겠어요." 그리고 나서 나와 작별하며 그는 말을 더듬었고 수상쩍은 언동을 혼란스럽게 보이는가 하면 지독하게 머뭇거리기까지 하더라니까. 하느님께서 그를 용서해 주시길! 그리고 나도 용서해 주시길! 그는 내가 악수하는 것을 꺼릴 것 같다는 허황한 생각을 했던 모양이야. 말로 표현하기는 너무 끔찍한 상황이었어. 나는 절벽으로 걸어가는 사람을 보고 소리를 지르듯이 갑자기 고함을 질렀던 것 같아. 우리가 목청을 높였다든지 그의 얼굴에 비참한 미소가 떠올랐다든지 그가 내 손을 으스러지게 붙잡았다든지 겁먹은 웃음을 짓던 일들을 나는 지금도 잘 기억하고 있어. 촛불이 펄럭이더니 꺼졌고, 어둠 속에서 내 쪽으로 다가오는 신음 소리와 함께 드디어 그 일은 끝났어. 어쨌든 그는 가 버렸어. 밤이 그의 형상을 삼켜 버렸던 거야. 그는 끔찍하게도 서투른 사람이었다고. 끔찍하게도. 그의 구둣발 아래서는 잔돌들이 빠르게 사각사각 소리를 내고 있었어.

그는 뛰고 있었던 거야. 아무 데도 갈 곳이 없는 사람이 죽어라 뛰고 있더라니까. 그런데 그때 그의 나이는 미처 스물네 살도 되지 않았던 거야.」

14장

「잠을 설친 나는 조반을 드는 둥 마는 둥 한 후 약간 망설이다가 이른 아침에 내 배를 찾아가는 걸 단념했는데, 그건 실로 잘못된 결정이었어. 왜냐하면 내 일등항해사는 여러모로 훌륭한 사람이긴 했지만 아주 음울한 망상의 희생자였기 때문이야. 자기가 기대하는 날짜까지 아내의 편지를 받지 못하면 그는 분노와 질투로 미치게 된 나머지 모든 일손을 놓고 부하 선원들과는 언쟁이나 벌였고 자기 선실에 가서 울거나 사납게 성질을 부렸기 때문에 선원들은 거의 선상 반란을 일으킬 지경까지 몰리곤 했거든. 나에게는 늘 그게 도무지 이해되지 않더라니까. 그들은 결혼한 지 십삼 년이나 되었고 언젠가 한번 나는 그녀를 흘낏 본 적도 있어. 그처럼 매력 없는 여인 때문에 죄를 지을 정도로 자포자기하는 인간을, 정말이지, 나로서는 상상할 수가 없더군. 가엾은 셀빈에게 나의 그런 생각을 말해 볼까 하다가 그만두었는데 그게 잘못이 아니었는지 모르겠어. 그는 스스로 세상살이를 고통스럽게 했고 그 결과 나도 간접적으로 고통을 당했지만, 뭔가 거짓 민감성 때문에 내가 그런 말을 하지 못하고 말았음이 틀림없어. 선원들의 부부 관계는 흥미 있는 화젯거리이고 나는 그런 사례를 많이 알고 있지……. 하지만 지금은 그런 이야기를 할 때가 아니고 또 그럴 자리도 아니야. 짐의 이야기를 하던 중이니까. 짐은 미혼이었어. 만약에 그가 상상하는 양심이나 자존심이, 그리고 어린 시절부터 익히 사귐으로써 재앙을 자초했던 모든 화려한 유령과 엄한 허깨비들이, 그가 단두대에서 도망치는 것을 허용하지 않으려 했다면, 그런 것들과 익히 사귄 혐의가 없는 나로서는 그의 머리가 잘려서 굴러 떨어지는 꼴을 보러 가고 싶은 충동을 거역할 수 없었지. 그래서 나는 심판정으로 갔던 거야. 내가 감명을 받거나 교훈을 얻거나 흥미를 느끼거나 심지어는 경악하게 되길 바랐던 건 아니야. 물론 우리 앞에 삶이 조금이나마 남아 있는 한, 대단한 경악의 체험이 이따금 유익한 훈련이 될 수는 있어. 그러나 나는 그토록 끔찍하게 기분을 잡치게 되리라고 생각하진 않았지. 그가 받는 처벌이 가혹했다면 그건 그 냉정하고 야박한 분위기에 있었거든. 범죄의 진짜 의미는 인간 공동체와의 신의를 저버리는 데 있는데, 그런 관점에서 볼 때 그는 결코 야비한 반역자는 아니었어. 그러나 그의 처형은 아무도 모르게 은밀히 이루어지고 있었지. 높다랗게 설치된 처형대도 없었고, 진홍색 천도 없었고(타워 힐

[25]에서 처형할 때도 진홍색 천이 있었던가? 있었을 테지.) 그의 죄를 무서워하면서도 그의 운명을 보고 눈물 흘리는 겁에 질린 관중도 없었고, 음울한 응보(應報)의 분위기도 없었으니까. 내가 걸어가고 있을 때 맑은 햇살이 비치고 있었는데 그 눈부심이 너무 열정적이라 오히려 위안이 되지 못했고, 거리에는 손상된 만화경처럼 뒤죽박죽이 된 여러 색깔들이 가득했어. 노랑, 초록, 파랑, 눈부신 하양, 아무것도 걸치지 않고 드러난 갈색 어깨의 맨살, 불깐 황소가 끄는 빨간 덮개의 달구지, 검은 머리에 먼지투성이의 편상화(編上靴)를 신고 황갈색 무리를 이루어 행군 중인 원주민 보병 부대원들, 보잘것없이 재단된 제복을 입고 에나멜가죽 허리띠를 두른 원주민 순경 등이 거리에 가득했거든. 그 순경은 동양적인 연민이 가득한 눈으로 날 쳐다보고 있었는데, 마치 그의 떠도는 영혼이 예측하지 못한(뭐라 할까?) 권화(權化) 혹은 화신(化身) 때문에 과도한 고통을 겪고 있는 듯하더군. 뜰에 외로이 서 있던 나무 그늘 아래는 폭행 사건과 관련된 마을 사람들이 그림처럼 모여 앉아 있었는데 마치 동방 여행기 속의 채색 석판화로 인쇄한 캠프 그림 같았어. 그 그림에서 빠진 것이라고는 앞쪽에서 으레 피어오르고 있어야 할 담배 연기와 풀을 뜯고 있는 가축 떼뿐이었지. 아무 장식도 없는 노란색 벽이 그 나무 뒤에 우뚝 솟아 눈부신 빛을 반사하고 있었어. 심판정은 어두웠고 더 넓어 보이

25) 오늘날의 런던 탑(the Tower of London)이 있는 곳. 오랫동안 감옥과 참수 형장으로 이용되었다. '진홍색 천'은 사형수의 눈을 가리는 천을 가리키는 듯하다.

더군. 침침한 공간 드높이 풍카 부채들이 앞뒤로 짤막한 간격으로 흔들리고 있었고. 여기저기 몸에 천을 두른 사람들이 여러 줄의 벤치 사이에서 부동자세로 서서 경건한 명상에 잠긴 듯했는데 아무 장식도 없는 벽 탓인지 그들은 왜소해 보이더라고. 구타당했다는 원고는 초콜릿 색깔의 피부를 가진 뚱보였는데, 머리카락은 면도날로 밀어버리고 살진 한쪽 가슴을 드러내고 있었어. 콧날 위쪽에 밝은 황색 카스트 표지를 하고 있던 그는 당당한 부동자세로 앉아 있었지. 오직 그의 눈알만이 구르며 침침한 가운데서 반짝이고 있었고, 그가 숨을 쉴 때마다 콧구멍이 요란하게 벌름거리고 있었어. 브라이얼리는 간밤에 석탄재를 깐 트랙에서 뜀뛰기를 하며 밤을 새우기라도 한 것처럼 지쳐 빠진 표정으로 자리에 눌러앉아 있더군. 경건한 범선 선장은 흥분한 얼굴로 불안한 동작을 하고 있었는데 당장에라도 일어서서 우리에게 기도하고 참회하자고 열심히 권유하고 싶은 충동을 억누르기 위해 애쓰고 있는 듯하더군. 깔끔하게 손질한 머리카락에다 여리게 창백한 모습을 하고 있던 치안판사의 머리는 막 씻겨서 솔질까지 한 후 병상에다 부축해서 앉혀 놓은 가망 없는 환자의 머리 같았어. 그는 긴 줄기의 분홍 꽃 몇 송이가 섞인 한 묶음의 자주색 꽃을 담은 꽃병을 옆으로 밀어놓고 푸르스름한 색깔의 기다란 종이 한 장을 두 손으로 잡고 훑어보더니 책상 모서리에 팔을 고이고는 기복 없이 또렷하되 무심한 목소리로 낭독하기 시작하더군.

「정말이지! 내가 단두대니 굴러 떨어지는 머리니 하고 바보같이 떠들었지만, 짐의 경우는 실제로 목을 베는 것보다도 한

없이 더 고약했어. 이젠 끝장이라는 무거운 느낌이 온통 덮고 있었을 뿐, 도끼가 떨어지고 나면 안식과 안정이 뒤따를 것이라는 희망이 그 느낌을 씻어 주지 못했으니까. 그 심판에는 사형 선고에서나 볼 수 있는 모든 냉혹한 보복이 있었고 유배형에서나 볼 수 있는 온갖 잔인함도 있었어. 그날 아침에 나는 그 문제를 그런 식으로 보고 있었지. 그리고 지금까지도 나는 흔히 있는 사건에 대한 그 과장된 견해 속에서 부인할 수 없는 진실의 흔적을 보는 듯해. 그 당시 내가 그것을 얼마나 절감했는지 자네들이 상상할 수 있길 바라네. 이젠 모든 것이 끝장이라는 것을 내 스스로 인정할 수 없었던 것은 아마도 바로 그런 이유 때문일 거야. 그 문제가 실제로는 해결되지 않은 것처럼 그 사건은 늘 나를 따라다녔고, 나는 그 문제에 대한 의견이라면 개인적 의견이냐 국제적 평판이냐를 가리지 않고 늘 열심히 들으려 했어. 그 프랑스인의 의견은 한 예일 뿐이지. 그는 자기 나라가 내린 판정을 말했는데, 만약에 기계가 말을 한다면 사용했을 그런 감정을 곁들이지 않은 명확한 어구를 빌어서 말했어. 치안판사의 머리는 서류로 반쯤 가려져 있었고 그의 이마는 설화석고(雪花石膏)처럼 보이더군.

「심판정에서는 몇 가지 의문점이 있었어. 첫 의문은 그 기선이 모든 면에서 그런 항해를 하기에 적합한 능력을 갖추고 있었느냐 하는 것이었지. 그렇지 않았다는 결론이 내려졌어. 다음으로는 사고가 있던 시점까지 그 기선이 선원수칙에 맞는 적절한 조처에 따라 항해했느냐 하는 것이었어. 사람들은 무슨 이유에서인지 그 물음에 대해서 그렇다고 대답하고 나서, 사고의 정확한 원인을 밝혀 줄 증거는 없다고 말했어. 아마도 버림받고 표류 중이던 배에 부딪혔을지도 모른다고도 했지. 내 기억으로는, 그 당시 마침 송진 소나무를 싣고 출항했던 노르웨이 선적의 바크 범선이 실종된 것으로 간주되고 있었어. 스콜 속에서 전복된 후 밑바닥을 위로 쳐들고 여러 달 동안 표류하며 어둠 속에서 다른 배를 침몰시키기 위해 어슬렁거리는 일종의 바다 귀신 같은 존재가 되어 버렸을지도 몰라. 이런 떠도는 시체 같은 선박들을 북대서양에서는 흔히 볼 수 있었는데, 참으로 그곳은 안개, 빙산, 그리고 사고를 저지르려고 작정한 듯한 난파선과 길고도 불길한 돌풍 따위가 유령처럼 들끓고 있거든. 이런 것들이 흡혈귀처럼 달라붙으면 우리는 모든 힘과 정기와 심지어는 희망까지 사라지게 되고 결국 빈껍데기 인간이 된 듯한 느낌이 들지. 그러나 그런 바다에서도 사고는 아주 드문 편이어서 어쩌다 일어나는 사고는 악의에 찬 섭리가 특별히 꾸며 낸 일처럼 보일 지경이야. 그리고 만약 그 섭리에 한 보조 엔진 기관사를 죽이고 짐에게는 죽음보다 더 나쁜 상황을 초래하려는 목표가 없었다면, 전적으로 아무 목적도 없는 마성(魔性)의 사례로만 보였을 거야. 내게 이런 생각이 떠오르자 주의력이 산만해지더군. 얼마 동안 나는 그 치안판사의 목소리를 단순히 소리로만 듣고 있었을 뿐이야. 그러나 순간적으로 그 소리는 "자기들의 명백한 임무를 전적으로 저버리고"라는 말로 형성화되더라니까. 그다음 문장은 듣지 못했지만, 뒤이어 "위험한 순간을 맞자 자기들의 책임에 위탁된 인명과 재산을 버리고……"라는 목소리가 평탄하게 계속되더니 멎었어. 그 하얀 이마 아래서 한 쌍의 눈이 서류의 가장자리 너머로 어둡게 흘낏 쳐다보더군. 나는 마치 짐이 사라져 버릴 것이라 기대했던 것처럼 서둘러 그의 모습을 찾아보았어. 그는 아주 조용하게 자리에 남아 있더군. 그는 분홍색 얼굴빛에 금발 머리였고 지극히 주의를 기울이며 듣고 있었어. "그러므로……." 그 목소리가 강세를 띠며 말하기 시작했어. 짐은 책상 뒤에 앉아 있던 사람의 말을 주의 깊게 들으며 입술을 벌린 채 응시하고 있었지. 그의 말은 풍카 부채에서 나오는 바람에 밀려 정적 속으로 전해지고 있었어. 나는 그 말이 짐에게 미치는 영향을 살피다가 그만 공식적 발언 내용을 단편적으로밖에 주워듣지 못했어. "본 심판정은…… 독일 출신…… 선장 구스타프 아무개와…… 항해사…… 제임스 아무개의…… 선원 자격증을 취소한다." 침묵이 내려앉았어. 치안판사는 종이를 내려놓고 의자의 팔걸이에 기대며 몸을 옆으로 굽히더니 편안하게 브라이얼리와 말을 나누기 시작하더군. 사람들은 나가기 시작했고, 또 다른 사람들이 밀고 들어왔어. 나도 문간으로 갔지. 밖에서 나는 가만히 서 있다가 짐이 출입문을 향해 내 앞을 지날 때 그의 팔을 잡고 붙들었어. 마치 그의 처지에 대한 책임이 나에게 있는 것처럼 나는 그가 던지는 눈초리에 당혹하고 있었어. 그는 마치 나를 악의 화신이라고 여기듯이 바라보더군. "이제 모든 게 끝났군." 내가 더듬거리며 말했지. "네." 그가 굵은 목소리고 답했어. "이젠 어느 누구든……." 그는 내게 붙잡혀 있던 팔을 뿌리쳤어. 나는 멀어지고 있는 그의 등을 지켜보고 있었지. 그 길이 길었기 때문에 한동안 그의 모습은 내 시야에서 사라지지 않았어. 그는 꽤 천천히 가고 있었는데 마치 똑바로 걷기가 어려운 것처럼 약간 다리를 벌리고 걸어가고 있었지. 그가 내 시야에서 사라지기 직전에 나는 그가 약간 비틀거린다는 생각을 했어.

「"배에서 뛰어내린 사람이군." 내 뒤에서 어떤 깊은 목소리가 들리더군. 돌아서서 보니 내게 약간의 면식이 있던 서부 호주 출신의 사내였어. 체스터가 그의 이름이었지. 그도 역시 짐의 뒷모습을 바라보고 있었던 거야. 그는 가슴둘레가 육중한 사람으로서 마호가니 빛의 얼굴은 거칠었으나 깨끗이 면도되어 있었고 굵은 철사처럼 보이는 두 덩어리의 철회색 콧수염이 무뚝뚝하게 그의 윗입술을 덮고 있었어. 내가 알기로, 그는 진주 채취자요 난파선 구조자였으며 상인이요 고래잡이이기도 했지. 그 자신의 말로 그는 한 사내가 바다에서 할 수 있는 일이라면 해적질을 빼고는 다 한다는 거였어. 태평양은 남과 북을 가리지 않고 온통 그 자신의 사냥터였던 셈이지. 그러나 그는 싸구려 기선을 한 척 살까 하고 마침 그 먼 곳까지 와 있었던 거야. 그의 말에 의하면 얼마 전에 그는 어딘가에서 구아노[26] 섬을 하나 발견했는데 그 섬은 접근하기가 위험했고, 다른 것은 고사하고 통상적인 닻 내리기조차 안전하지 않은 곳이라는 거였어. "금광만큼 값진 곳이지요." 그는 소리쳤어. "월폴 암초의 한복판에 있는데, 깊이가 마흔 길[27] 이내의 곳으

26) 태평양의 몇몇 섬에서 발견되는 새들의 분뇨 더미. 채취해서 비료로 사용함.

27) 여기서 '길'은 영어의 '패돔(fathom)'을 번역한 말. 1패돔은 6피트(약 180

로는 닻을 내릴 바닥이 아무 데도 없는 것이 사실이라면 어떻게 해야 하는 거죠? 게다가 태풍까지 부는 곳이니까요. 하지만 일급 구아노 섬인걸요. 금광 같은 곳이지요. 아니 더 나을걸요. 그런데도 그곳에 가 보려는 바보가 한 사람도 없군요. 그 근처까지 갈 선장이나 선주를 구할 수가 없네요. 그래서 내가 손수 그 귀한 물건을 실어 나르기로 작정했습니다……." 그런 이유로 그에게는 기선이 한 척 필요하게 되었던 거야. 그리고 내가 알기로, 그때 그는 시대착오적인 90마력짜리 낡은 배 한 척을 사기 위해 어떤 파르시 교도들의 상사와 열심히 흥정을 하고 있는 중이었어. 이전에 우리는 몇 차례 만나서 이야기를 나눈 적이 있었지. 그는 알 만하다는 듯이 짐의 뒷모습을 바라보고 있었어. "저 친구가 그 일로 너무 상심하고 있나요?" 그가 경멸하듯 묻더군. "대단히 상심하고 있지요." 내가 말했어. "그렇다면 못난 녀석이군요." 그가 의견이랍시고 늘어놓았어. "무엇 때문에 야단들인가요? 선원 자격증을 상실했다고 바보처럼 굴어? 그게 있어야 사람 구실을 하나? 사물의 실상을 보아야 한다고. 그렇지 못할 경우에는 당장에 굴복해 버리는 편이 낫죠. 이 세상에서 아무 일도 하지 못하고 말 테니까. 날 보세요. 나는 어느 무엇 때문에도 상심하지 않는 것을 습관화하고 있답니다." "네, 선생은 사물을 실상대로 보시니까." 내가 말했어. "내 동업자가 나타났으면 좋겠군요. 지금 내가 바라는 건 그거죠." 그가 말했어. "내 동업자를 아세요? 로

센티미터)이므로 우리말의 한 길과 거의 비슷하다 할 수 있음.

빈슨 말입니다. 네, 바로 그 로빈슨이지요. 모르신다고요? 그 악명 높은 로빈슨 말입니다. 그가 한창 때에는 지금 살아서 나돌고 있는 어느 누구보다도 더 많은 아편을 밀수했고 더 많은 물개를 잡았었지요. 전해 오는 말로는, 안개가 너무 짙어서 하느님 빼고는 아무도 서로를 분간할 수 없는 계절에도 그는 알래스카 방면으로 올라가서 물개잡이 스쿠너 범선을 탔다는 겁니다. 공포의 로빈슨이었지요. 그는 바로 그런 사람이었어요. 그가 이 구아노 사업에서 나와 동업을 한답니다. 그가 평생 처음 맞는 좋은 기회지요." 그가 내 귀에 입을 대고 말했어. "식인종 말이냐고요? 네, 여러 해 전에 사람들은 그를 그렇게 불렀지요. 그 이야기를 기억하시나요? 스튜어트섬의 서쪽에서 있었던 난파였어요. 일곱 사람이 해변에 이르렀는데 사이좋게 지낼 수 없었던가 봐요. 세상에는 성미가 너무 고약해서 아무 일도 할 수 없는 사람들이 있는 법이지요. 어려운 일에서 최선을 다할 줄 모른다든지 사물을 실상대로 못 본다든지 하는 사람들 말입니다. 실상대로 못 본다! 그러면 결과가 어떻게 되는 거죠? 뻔하지요. 말썽, 말썽뿐일 테니까요. 그러다가 십중팔구 머리를 한 대씩 얻어맞게 될 텐데, 그런 대접을 받아도 싸죠. 그런 부류의 인간은 죽어야 가장 쓸모가 있는 법이니까. 이야기인즉, 영국 해군의 울버린호에서 구명정을 보냈을 때 로빈슨은 해초를 깔고 무릎을 꿇고 있더랍니다. 그는 발가벗은 채 찬송간지 뭔지를 부르고 있었는데 마침 가볍게 눈이 내리고 있었다는 거예요. 그는 구명정이 해변에 거의 도달할 때까지 기다리고 있다가 일어나서 도망을 쳤다는 겁니다. 사람들은 한 시간 동안이나 바위를 오르내리면서 그를 뒤쫓았고, 결국은 해병대원 한 사람이 돌을 던져 천우신조로 그의 귀 뒤쪽을 맞히니까 정신을 잃고 쓰러졌죠. 혼자였느냐고요? 물론이죠. 하지만 그 물개잡이 스쿠너 범선에 대한 이야기는 그러했다고요. 이야기의 진위야 아무도 모르죠. 군함 측에서도 그 문제를 깊이 조사하지는 않았으니까. 사람들은 구명 외투로 그를 감싼 후 서둘러 데리고 나왔다는 거죠. 날은 저물고 있었고 날씨마저 악화되고 있어서 군함에서는 오 분마다 돌아오라는 신호로 포를 쏘고 있었기 때문이었습니다. 삼 주일이 지난 후 그는 정상적인 건강을 되찾았지요. 상륙하자 사람들이 조사를 한답시고 벌인 소동 때문에 자기 기분이 상하는 걸 그는 용납하지 않았답니다. 그는 그저 입을 꼭 다물고 있었고 사람들이 소리를 지르게 내버려 두었지요. 자기의 배를 잃고 전 재산까지 잃은 것만으로도 속이 상해 죽을 지경이라 사람들이 자기에게 무어라 몹쓸 욕을 하든 상관하고 싶지 않았던 거죠. 내게 필요한 사람은 바로 그런 사람이죠." 그는 길을 따라 다가오고 있던 어떤 사람에게 팔을 들어 신호를 보내더군. "그에게는 약간의 돈이 있습니다. 그래서 그를 내 사업에 끌어들여야 했죠. 어쩔 수 없었다고요. 그런 구아노 섬을 발견해 놓고 포기한다는 것은 죄가 될 테니까요. 게다가 나는 무일푼이거든요. 속이 쓰렸습니다만 나는 문제를 실상대로 보았던 거죠. 나는 만약에 누구하고든 동업을 해야 한다면 로빈슨하고 해야겠다고 생각했던 겁니다. 아침에 호텔의 조반상에 그를 내버려 두고 나는 심판정으로 왔던 거예요. 내게 생각이 있었거든요. 아! 안녕하세요, 로빈슨 선장…… 내 친구, 로빈슨 선장입니다.”

「하얀 무명 능직 수트를 입고 노령으로 떨리는 머리에 녹색 테가 둘린 솔라 헬멧 모자를 쓴 야윈 노인이 종종걸음으로 발을 끌며 길을 건너 우리와 합세하더니 두 손으로 우산 손잡이에 기대고 서더군. 호박색 털이 섞인 하얀 턱수염은 그의 허리까지 축 늘어져 있었어. 그는 당황한 듯이 나를 향해 쭈글쭈글한 눈까풀을 껌벅이더군. “안녕하세요? 안녕하세요?” 그는 카랑카랑한 목소리로 다정하게 말하더니 비틀거렸어. “약간 귀가 먹었죠.” 체스터가 나에게만 들리게 말했어. 그래서 내가 물었지 “싸구려 배 한 척을 사려고 이분을 6000마일이나 떨어진 곳으로 데리고 왔단 말입니까?” “나는 그를 보자마자 그를 데리고 이 세상을 두 바퀴라도 돌 것 같은 기분이었답니다.” 체스터가 엄청나게 정력적으로 말했어. “우리의 성패는 그 기선에 달려 있으니까. 젊은이, 온 호주와 아세아 지역에 있는 모든 선장이나 선주들이 못난 바보임이 드러난다고 해도 그게 어디 내 탓인가요. 언젠가 한번 나는 오클랜드에서 어떤 사람과 세 시간이나 이야기를 했지요. ‘배를 한 척 보내 줘.’ 내가 말했지요. ‘배를 한 척 보내라고. 처음 실은 화물의 반을 공짜로 줄 테니. 좋은 사업의 출발을 위해서.’ 그러니까 그가 ‘이 세상에서 배를 보낼 만한 곳이 아무데도 없다고 해도 그렇게는 못 하겠어.’라고 대답합디다. 물론 아주 바보 같은 소리였죠. 암초가 있는데다 조류는 급하고 닻을 내릴 계류장은 아무 데도 없고 정선(停船) 시킬 곳이라고는 절벽밖에 없는데 보험 회사에서는 그 위험을 부담하려 들지 않을 것이고, 그래서 삼 년 이내에는 짐을 싣게 될 가능성이 없다는 거죠. 바보 같으니라고! 그래서 나는 그의 앞에서 무릎을 꿇고 빌다시피 했죠. '하지만 이 사업을 실상대로 보라니까.' 내가 말했습니다. '망할 놈의 암초며 태풍 타령일랑 그만두고, 이 사업의 실상이나 보라니까. 그곳 구아노를 본다면 퀸즐랜드의 사탕수수 재배업자들이 서로 싸움을 벌일걸. 부두에서 싸움이라도 벌일 거라고…….' 바보를 데리고는 아무 일도 할 수가 없지……. '그거야 자네가 늘상 하는 실없는 소리 중의 하나고, 체스터.' 그가 말합디다…… 실없는 소리라니! 나는 울고 싶은 심경이었는데. 여기 로빈슨 선장께 물어보세요…… 그리고 또 한 사람의 선주가 있었지요. 웰링턴에 살며 하얀 조끼를 입고 다니던 그 뚱보 녀석은 내가 무슨 사기나 뭐 그런 비행을 저지르고 있다고 생각하는 듯했답니다. '자네가 어떤 부류의 바보를 찾고 있는지 모르겠지만, 난 바쁘니까 가 보게.'라고 말하는 거예요. 나는 그 녀석을 두 손으로 붙잡아 사무실 창밖으로 내던지고 싶었지만 그만두었답니다. 나는 목사님처럼 점잖게 처신했지요. '생각해 보게.' 내가 말했지요. '다시 한번 생각해 보라고. 내일 다시 들를 테니.' 그는 '종일 외출 중일 거라느니' 뭐니 하며 투덜댑디다. 계단에서 나는 화가 나서 머리를 벽에 부딪고 싶은 심경이었습니다. 여기 로빈슨 선장께 물어보면 말씀해 주실 겁니다. 그 멋진 비료가 햇볕 아래서 썩고 있을 것을 생각하니 미치겠더군요. 사탕수수를 쑥쑥 하늘까지 자라게 할 비료였거든요. 퀸즐랜드를 성공의 땅으로 만들 겁니다. 퀸즐랜드를 성공의 땅으로 만들 거라고요. 그리고 브리즈번에서 마지막으로 선주를 구하고 있는데 사람들은 나를 미친놈이라 부릅디다. 바보들 같으니! 지각이 있는 사람이라고는 날 태우고 다니던 마부밖에 없었어요. 영락한 멋쟁이였다고 생각해요. 봐요, 로빈슨 선장? 브리즈번의 마부 이야기를 기억하고 계시죠? 그 녀석에게는 사물을 보는 놀라운 눈이 있습디다. 단숨에 알아보곤 했지요. 그와 이야기하는 것은 진짜 즐거움이었다고요. 어느 날 저녁 하루 종일 선주들 사이에서 속상해하던 내가 너무 기분이 나빠서 '좀 취하기라도 해야겠군. 갑시다. 취하기라도 해야지 그러지 않고는 미칠 것 같소.'라고 했지요. 그랬더니 그는 '알아서 모시겠습니다. 가실까요.'라고 말하는 것이었습니다. 그 마부가 없었더라면 내가 어떻게 했을지 모르겠어요."

「그는 자기 동업자의 옆구리를 쿡 찌르더군. "헤! 헤! 헤!……." 그 늙은이는 웃으며 무심코 거리를 훑어보더니 슬픔에 젖은 흐린 눈동자로 나를 수상쩍다는 듯이 바라보는 것이었어…… "헤! 헤! 헤!……." 그는 전보다 더 무겁게 우산대에 기대면서 시선을 땅으로 떨어뜨리더군. 말할 필요도 없는 일이거니와, 나는 몇 번이나 그 자리를 벗어나려 했지만 체스터는 내 옷자락을 잡고 번번이 내 시도를 좌절시키더군. "일분만. 내게 생각이 있다고요." "무슨 놈의 생각이오?" 참다못한 내 감정이 폭발하고 말았지. "혹시 내가 당신 사업에 동참할 것이라 생각한다면 그건……." "아니, 아니죠, 혹시 그걸 원한다 하더라도 너무 늦었다오. 우리는 이미 기선을 구했거든."

"말이 기선이지 허깨비 같은 기선을 구했더군요." 내가 말했어. "사업을 출발시키는 데는 그만하면 충분하지. 우리는 어이없는 엉터리 수작은 하지 않지요. 그렇지 않습니까, 로빈슨 선장?" "안 하지, 안 해! 안 하고말고!" 그 늙은이는 눈을 치켜들지도 않고 말했는데, 단호한 의지 때문인지 노망기 어린 머리 흔들기가 격심해지더군. "내가 알기로는, 저 젊은이를 알고 계시는 것 같더군요." 체스터는 짐이 이미 사라진 지 오래되는 길 쪽을 향해 머리를 끄덕이며 말했어. "어제저녁에 그 젊은이와 말라바 하우스에서 식사를 하셨다고 들었는데요."

「나는 그게 사실이라고 말했어. 그랬더니 그는 자기도 멋지게 잘살고 싶지만 당장에는 한 푼의 돈도 아껴야 할 형편이라고 하더군. 그는 "사업을 하는 데는 돈이 많을수록 좋으니까. 로빈슨 선장, 그렇지 않습니까?"라고 묻는 것이었어. 그가 어깨를 확 펴면서 짤막한 콧수염을 쓰다듬고 있는 동안, 악명 높은 로빈슨은 옆에서 기침을 하면서 우산 손잡이를 전보다 더 꽉 잡고 있었는데 마치 언제든 순순히 주저앉으면 낡은 뼈 더미가 되고 말 듯하더라니까. "이 늙은이가 모든 자금을 가지고 있다는 걸 아셔야 해요." 체스터가 나에게만 은밀히 속삭이더군. "이 망할 놈의 사업을 기획하느라 나는 무일푼이 되고 말았거든요. 하지만 조금만 기다려요. 기다려보라고요. 좋은 시절이 다가올 테니……." 내가 참을 수 없다는 것을 내색하자 그는 문득 놀라는 듯했어. "오! 맙소사!" 그가 소리치더군. "나는 최고의 사업 이야기를 하고 있었는데, 선장께선……." "약속이 있어서요." 나는 온화한 어조로 말했지. "무슨 약속인데요?" 그가 진심으로 놀라며 묻더군. "그 약속일랑 미루도록 하세요." "지금 이렇게 미루고 있지 않습니까?" 내가 말했어. "하고 싶은 이야기가 무엇인지 말씀해 주시면 좋겠는데요?" "그런 호텔이야 스무 곳쯤 사 들이지, 뭐." 그가 혼잣말로 으르렁대더군. "그러면 그 호텔에 투숙하는 익살꾼들도 스무 배는 될 테고." 그는 재기 있게 머리를 쳐들며 말했어. "그 젊은이를 가지고 싶소." "나로서는 이해가 되지 않습니다." 내가 말했어. "그 사람이 쓸모가 없을까요?" 그가 명랑하게 묻더군. 나는 "그런 건 모르겠소."라고 항변했지. "그가 그 사건에 대해 너무 상심하고 있다고 말하지 않았소?" 그가 따지더군. "내 의견으로는, 그런 녀석이야말로……. 어쨌든 그는 별로 쓸모가 없을 거요. 하지만 나는 사람을 구하고 있던 중이오. 그에게 알맞은 일거리가 있거든요. 그를 내 섬에서 일하게 할까 하는데." 그는 의미심장하게 머리를 끄덕이더군. "나는 그 섬에 마흔 명의 일꾼들을 데려다 둘 작정이거든요. 그 많은 사람들을 훔쳐낼 수만 있다면 말이오. 누군가가 그 일을 해야 하거든요. 오! 나는 정당하게 행동할 작정이란 말이에요. 목조 가옥을 지어 골함석 지붕을 씌우고. 나는 호바트에 있는 사람을 하나 아는데 그가 내 육 개월짜리 어음을 받고 자재를 공급해 줄 거요. 나는 정당하게 할 거요. 명예를 걸고 하는 거니까. 물 보급 문제도 있죠. 날 믿고 열두 개의 철제 중고 탱크를 공급해 줄 사람을 찾아서 뛰어다녀야겠죠. 빗물을 받아 둬야 하니까. 그 젊은이에게 맡기는 겁니다. 일꾼들을 거느리는 최고 우두머리로 삼자는 거죠. 좋은 생각이죠? 어떻게 생각하세요?" "월폴 섬에는 일 년 내내 비가 한 방울도 내리지 않는 해도 있는 걸요." 나는 너무 놀란 나머지 웃지도 못하고 말했지. 그는 입술을 깨물며 괴로운 표정을 짓더군. "그렇다면 일꾼들을 위해 무슨 조처를 취하거나 물을 가져가서 보급해야겠죠. 젠장! 그건 문제될 것 없다고요."

「나는 아무 말도 하지 않았어. 그늘도 없는 바위 위에 앉아 있는 짐의 모습이 번쩍 떠오르더군. 그의 무릎까지 구아노에 가려 있고 귀에는 바닷새들이 시끄럽게 우짖는 소리가 들리는데 머리 위에서는 둥근 태양이 작렬하고 있는 광경이었어. 눈이 미치는 데까지 텅 빈 허공과 대양은 열기 속에 함께 끓으며 바르르 떨리고 있었지. "나 같으면 아무리 미운 원수에게도 그런 곳에 가라고 권하지는 않겠습니다……." 내가 입을 열었어. "무슨 말씀을 그렇게?" 체스터가 소리 지르더군. "나는 그에게 좋은 보수를 주려고 한다오. 물론 사업이 시작되자마자 주겠다는 뜻이지요. 식은 죽 먹기처럼 쉬운 일이라고요. 일이라야 별것 아니니까. 허리에는 육혈포를 두 자루 차고 있을 테고……. 혼자서만 두 자루의 육혈포로 무장하고 있을 테니 마흔 명의 일꾼들이 무슨 짓을 하든 겁을 낼 이유도 없을 테고. 보기보다도 훨씬 더 나은 일거리지요. 내가 그 젊은이를 설득하도록 좀 도와주시기 바랍니다." "싫습니다." 내가 고함 질렀어. 늙은 로빈슨은 잠시 동안 불안한 듯이 흐릿한 눈을 치켜떴고, 체스터는 한없이 경멸하듯 날 쳐다보더군. "그러면 그 사람에게 권해 볼 생각이 없단 말이군요." 그가 느리게 중얼대기에, 나는 "없고말고요."라고 대답하며 마치 그로부터 살인 방조의 요구라도 받은 것처럼 화를 내고 말았지. "더욱이 그가 승낙하지 않을 것이 확실합니다. 그가 깊은 상처를 입은 것은 분명하지만, 내가 아는 한, 미치진 않았으니까요." "그렇다면 그는 세상에서 어떤 일을 하기에도 부적합할걸." 체스터는 속으로 생각하던 것을 큰 소리로 말했어. "하지만 내가 맡기는 일만은 잘 해낼 수 있을 텐데. 선장께서 사물을 실상대로 보신다면, 그가 그 일에 적격이라는 걸 알 거요. 어디 그뿐이겠어요? 가장 멋지고 확실한 재기의 기회가 될 거요……." 그는 갑자기 화를 내더군. "내게는 사람이 필요하다고요. 바로 그거예요!……." 그는 발을 구르며 불쾌하게 웃더군. "어쨌든 나는 그가 간다고 해도 그 섬이 침몰하지는 않을 것임을 보증할 수 있다고요. 내가 알기로, 그 사람은 침몰에 대해 꽤 신경을 쓸 것 같아서 하는 말이오." "안녕히 계세요." 내가 퉁명스럽게 말했지. 그는 별놈의 바보를 다 보겠다는 듯이 날 바라보더군……. "갑시다, 로빈슨 선장." 그는 갑자기 노인의 귀에 대고 소리를 질렀어. "그 파르시 사람들이 계약을 체결하려고 우릴 기다리고 있다고요." 그는 로빈슨의 팔을 움켜잡고 획 돌려세우더니 별안간 어깨 너머로 날 노려보는 것이었어. "나는 그에게 친절을 베풀려고 했을 뿐이오."라고 그가 주장했을 때 그 태도와 어조에 내 피가 끓는 듯하더군. "그를 대신해서 고맙다는 말을 하겠습니다." 내가 대꾸했지. "지독히도 똑똑하시군!" 그가 빈정댔어. "하지만 다른 사람들과 다를 바가 없지. 너무 혼몽한 상태에 빠져 있으니까. 그를 어떻게 할 건지 알 만하군." "내가 그를 어떻게 해야겠다는 생각은 없다고요."

"없다고?" 이 말을 내뱉는 순간 그의 잿빛 콧수염은 분노로 인해 곤두서고 있었지. 그의 곁에는 악명 높은 로빈슨이 우산대에 기대며 내 쪽으로 등을 돌린 채 마차를 끄느라 지쳐 빠진 말처럼 참을성 있게 가만히 서 있었어. "내가 구아노 섬을 발견한 건 아니니까요." 내가 말했어. "팔을 잡고 구아노 섬으로 데리고 간대도 당신은 그 섬을 알아보지 못할걸." 그가 재빨리 되받아치더군. "그런데 이 세상에서는 우선 사물을 제대로 볼 수 있어야 그걸 활용할 수도 있는 법이라고요. 게다가 더도 덜도 말고 사물을 꿰뚫어 볼 수는 있어야죠." "그리고 다른 사람들에게도 볼 수 있게 해야 한다는 거겠죠." 옆에 있던 로빈슨의 구부러진 등을 흘낏 바라보며 내가 넌지시 말했어. 체스터는 내게 콧방귀를 뀌면서 "이 양반의 눈은 제대로 박혀 있으니까 걱정하지 마시오. 그는 풋내기가 아니오."라고 말하는 거였어. "그야, 아니겠죠!" 내가 대꾸했지. "갑시다, 로빈슨 선장." 그가 늙은이의 모자 테 아래로 위협하듯 존경을 표하며 소리치더군. 그러니까 그 무모한 인간은 깜짝 놀라면서 순응하더군. 유령 같은 기선 한 척이 그들과 더불어 그 멋진 섬에서 거둘 행운을 기다리고 있었던 거야. 그들은 호기심 어린 두 명의 아르고나우타이[28] 같았어. 체스터는 건장한 체격으로 육중하게 정복자다운 태도를 보이며 느긋이 걷고 있었지만, 선장은 그 큰 키에 노쇠한 몸을 굽히고 체스터에게 붙

28) 그리스 신화에서 이아손과 함께 아르고선(船)을 타고 황금 양털을 되찾기 위해 나선 영웅들.

잡힌 채 필사적으로 서두르면서 말라빠진 정강이를 질질 끌고 있더군."

15장

「내가 당장에 짐을 찾아 나서진 않았어. 소홀히 할 수 없는 약속이 있었기 때문이야. 그런데 운이 나쁘게도, 내 대행업자 사무실에서 나는 마다가스카르에서 멋진 사업 계획을 가지고 막 나타난 녀석에게 붙잡히고 말았지. 그 사업은 축우(畜牛)와 탄약 그리고 라보날로 왕자인지 뭔지 하는 사람과 관계된 것이었지만, 피에르 제독인가 뭔가 하는 사람의 바보 같은 짓이 중심축을 이루고 있었다고 생각해. 모든 것은 그것에 달려 있었는데 녀석은 자기의 자신감을 충분히 표현해 줄만큼 강한 어구를 찾지 못해 안달이었다고. 공처럼 생긴 그의 눈은 물고기 눈처럼 번득이며 불거져 나왔고, 이마가 울퉁불퉁한가 하면 긴 머리카락은 가르마도 없이 뒤로 빗어 넘겨져 있었어. 그는 "최소한의 위험 부담으로 최대의 이윤을 챙기는 것이 내

모토랍니다. 어때요?"라는 어구를 애용했는데, 그 말을 기고만장하게 되풀이하고 있었지. 나는 골치가 아팠고 점심 식사까지 망쳤지만 그는 내게서 얻어낼 것을 모두 얻고 있었던 거야. 나는 그 녀석을 떨쳐 내자마자 곧장 부둣가로 나갔지. 부두 난간에 기대고 있는 짐의 모습이 보였어. 세 명의 원주민 보트꾼들이 5아나[29]의 돈 때문에 언쟁을 벌이느라 그의 곁에서는 지독한 소동이 벌어지고 있더군. 그는 내가 다가오는 소리를 듣지 못했지만 내 손가락이 가만히 닿자 마치 잡혀 있던 상태에서 풀려난 것처럼 획 돌아서더라니까. "구경하고 있었습니다." 그가 더듬으며 말했어. 그때 내가 뭐라고 말했는지 기억나지 않지만 하여간 많은 말을 하진 않았어. 그러나 그는 어렵잖게 날 따라 호텔로 오더군.

「그는 어린이처럼 고분고분하게 날 따라왔어. 태도가 너무 순종적이고 아무런 의사 표명도 없어서 마치 내가 그곳에 나타나서 자기를 데리고 가길 기다리고 있었던 것 같더군. 내가 그 고분고분함에 그리 놀랄 필요는 없었어. 이 둥근 지구를 어떤 이들은 너무 넓다고 여길 것이고 또 어떤 이들은 겨자씨보다도 작다고 여길 테지만, 이 지구 위에는 그가 물러나서 지낼 수 있는 곳이 한군데도 없었거든. 그게 문제였어. 물러나서 자신의 고독만을 상대하며 지낼 수 있는 곳이 없었다니까. 내 옆에서 그는 아주 조용히 걸으며 좌우를 두리번거렸

29) 1아나는 인도 화폐 1루피의 16분의 1에 해당한다. 19세기에 싱가포르에서는 인도 화폐가 유통되고 있었다.

고, 한번은 고개를 돌려 무연탄 덩어리처럼 반질반질한 검은 피부의 아프리카인 화부(火夫)가 모닝코트에 노란 바지를 입고 있는 모습을 뒤돌아보기도 했어. 그러나 그가 무엇이건 눈여겨보고 있었는지 혹은 나와 함께 있다는 것을 사뭇 의식하고나 있었는지 의심스럽더군. 왜냐하면 내가 만약에 그를 왼쪽으로 밀거니 오른쪽으로 당기거니 하며 인도하지 않았다면 필경 그는 어떤 방향으로든 똑바로 가다가 결국 벽이나 기타 장애물에 부딪혔을 것이라 여겨질 정도였으니까. 나는 그를 내 방으로 인도했고, 자리를 잡자 곧장 편지를 쓰기 시작했어. 월폴 암초는 교통이 불편한 곳이니 제외하기로 하고, 내 방이야말로 그가 세상 사람들 때문에 시달리지 않고 자기 자신을 상대로 담판을 지을 수 있는 유일한 곳이라 할 수 있었지. 그가 말한 대로, 그 망할 놈의 사건이 그를 눈에 보이지 않는 존재로 만들지는 못했지만, 나는 마치 그가 눈에 보이지 않는 사람인 것처럼 대하고 있었거든. 의자에 앉자마자 나는 중세의 서기처럼 책상에 웅크리고 있었고, 펜을 쥔 손의 움직임을 제외하고는 온 신경을 곤두세우고 가만히 있었어. 내가 겁을 먹고 있었던 건 아니야. 그러나 마치 그 방 속에 무언가 위험한 것이 있어서 내가 조금이라도 움직일 기미를 보일 경우 대번에 도발을 받고 내게 덤벼들 것 같아서 가만히 있었음이 분명해. 그 방 속에는 많은 것들이 있지도 않았어. 자네들이 알다시피 그런 침실에는 기둥이 네 개 있는 침상에 모기장이 걸려 있고, 두세 개의 의자, 내가 앉아 있던 책상, 그리고는 맨 마룻바닥밖에 없었거든. 위층 베란다 쪽으로 유리문이 하나가 있었는데, 짐은 그 문을 향해 서서 자기에게 가능한 모든 내밀한 경지를 상대하며 고통스러워 하고 있었어. 어둠이 내리더군. 나는 마치 불법행위라도 저지르고 있듯이 최대한으로 동작을 아끼면서 촛불을 켰지. 그는 아주 난처해하고 있음이 분명했고 나 또한 그만 그가 파멸해 버리거나 적어도 월폴 암초로 쫓겨나길 바랄 정도로 난처했음을 자인해야겠어. 체스터야말로 이런 난경을 효과적으로 다룰 수 있는 인물이라는 생각이 떠오른 적도 한두 차례 있었다니까. 그 괴이한 이상주의자는 그 재난을, 아무 오류 없이 당장에 실제적으로 활용하는 방안을 찾아냈던 거야. 그래서 체스터야말로 상상력이 부족한 보통 사람들에게는 불가사의하거나 전적으로 가망이 없는 것으로 비치는 사물들의 참모습까지 실제로 보고 있을지도 모르겠구나 하는 생각까지 하지 않을 수 없었지. 나는 편지를 쓰고 또 썼어. 나는 그간 답장 쓰기를 미루어 왔던 편지 빚을 모두 갚았고, 나아가서는 나의 수다스러운 편지를 기대할 이유가 전혀 없는 사람들에게까지 편지를 썼어. 이따금 내가 곁눈질로 훔쳐보니, 그는 제자리에 뿌리라도 내린 듯이 서 있었지만 발작적인 전율이 그의 등골을 따라 내려가고 있었고 갑자기 그의 어깨가 들먹이곤 하더군. 그는 싸우고 있는 듯했는데 보아하니 대체로 숨을 쉬기 위해 싸우고 있었어. 양초의 곧은 불꽃에서 한쪽 방향으로만 던져지는 그 큰 그림자에게는 암울한 의식이 있는 듯했고, 그리고 꼼짝 않는 비품들의 모습도 내 은밀한 눈으로 보기에는 주의력을 기울이고 있는 것 같더군. 열심히 편지를 쓰는 도중에 내가 그만 공상에 빠지게 되었던가 봐. 내 펜이 긁적이는 소리가 잠시 멎을 때면 방이 온통 정적과 침묵에 휩싸이곤 했지만, 나는 바다의 무거운 돌풍 같은 격렬하고 위협적인 소요 때문에 생긴 생각의 깊은 동요 및 혼란을 겪고 있었지. 자네들 중에는 내가 의미하는 바를 아는 사람도 있을 거야. 불안, 상심 및 분노가 일종의 겁먹은 감정과 섞여서 몸에 기어드는 듯한 느낌 말이야. 그런 느낌이 든다고 시인하는 것이 즐거운 일은 못 되지만 조용히 우리의 인내력을 특별히 값진 것으로 만들어주기도 해. 짐의 정서가 가해 오는 스트레스에 내가 잘 견딘 것을 값지게 여긴다고 말하지는 않겠어. 나는 그 스트레스를 피해 편지 쓰기 속에 몸을 숨길 수 있었고, 필요하다면 잘 모르는 사람에게도 편지를 쓸 수 있었으니까. 내가 새 편지지를 한 장 집어 드는데 갑자기 나직한 소리가 들렸어. 그건 우리가 함께 그 방에 갇히게 된 후 어스름한 정적 속에서 내게 처음 들려온 소리였지. 나는 머리를 숙이고 쓰기를 멈춘 채 가만히 있었어. 환자의 병상 곁에서 밤을 새워본 적이 있는 사람들이라면 야간 당직 때의 정적 속에서 망가진 육신과 지친 영혼이 쥐어짜는 희미한 소리를 들은 적이 있을 거야. 그가 유리문을 아주 세차게 밀치고 나가자 모든 유리창이 울리고 있었어. 그는 밖으로 걸어 나갔고, 나는 숨을 죽인 채 어떤 다른 소리를 듣게 될지도 모른다고 생각하면서 귀만 긴장시키고 있었지. 체스터의 혹독한 비판에 비추어 보건대, 사물을 실상대로 볼 수 있는 사람에게는 일고의 가치도 없을 듯한 그런 헛된 형식 때문에 짐이 너무 상심하고 있는 것은 사실이었어. 헛된 형식이지.

한 장의 양피지[30] 때문이었으니까. 글쎄. 그 접근하기 어려운 구아노 퇴적지로 말하자면, 전혀 다른 이야기지. 그런 것 때문에 상심한다는 것은 이해라도 되니까. 아래층 식당에서는 많은 사람들이 떠드는 소리가 식기와 유리잔이 부딪히는 소리와 섞여서 희미하게 올라오고 있었어. 열려 있던 문을 통해 내 촛불이 그의 등을 희미하게 비치고 있더군. 그 너머는 온통 어둠뿐이었어. 그는 암담하고 절망적인 대양의 기슭에 서 있는 외로운 사람처럼 거대한 어둠의 가장자리에 서 있었던 거야. 그 대양 속에는 분명히 월폴 암초가 있었고 어두운 허공 속에서는 하나의 점에 불과한 그 섬도 물에 빠진 사람을 위해서는 지푸라기가 될 수도 있었지. 그에 대한 나의 연민은 순간 그의 모습을 가족들에게 보여 주고 싶지 않다는 생각으로 바뀌더군. 그게 나에게는 괴로운 일이었어. 그의 어깨가 더 이상 거친 숨 때문에 들먹거리지는 않더군. 그는 화살처럼 꼿꼿이 서 있었지만 거의 보이지 않았고 가만히 있었어. 가만히 서 있는 그 모습의 의미가 마치 물속으로 떨어지는 납덩이처럼 내 영혼의 바닥으로 가라앉은 후에 내 영혼을 너무 무겁게 했기 때문에 한순간 나는 그만 내게 열려 있는 유일한 길이 그의 장례식 비용을 내는 일이면 좋겠다고 간절히 바라기까지 했다니까. 법마저도 그를 끝장내고 말았으니, 그를 묻어버리는 일은 아주 쉬운 친절이 되었을 거야! 그를 매장하는

30) 서양에서는 졸업 증서 따위를 양피지나 모조 양피지로 발행해 왔다. 여기서는 선원 자격증을 가리킨다.

일은 곧 삶의 슬기에 아주 잘 부합되었을 거야. 삶의 슬기는 우리 인간이 우둔하고 연약하며 언젠가는 죽는다는 사실을 상기시켜 주는 것들이라든지, 실패에 대한 기억들과 사라지지 않는 공포의 암시와 죽은 친구들의 시신 등등 우리의 능률을 저해하는 것들을 모조리 눈에 보이지 않게 치워 버리는 데 있거든. 아마도 그는 그 사건으로 너무 상심하고 있었을 텐데, 그렇다면 체스터의 제안이야말로……. 바로 그런 생각을 하다가 나는 새 편지지 한 장을 들고 단호하게 편지를 쓰기 시작했어. 그와 어두운 대양 사이에는 나밖에 없었기에 내게는 책임감이 있었지. 내가 말을 한다면, 꼼짝 않고 서서 괴로워하는 그 젊은이는 막연함이라는 바다로 뛰어들어 지푸라기라도 붙잡을까? 이따금 나는 소리를 내기가 무척 어렵다는 것을 알게 되었어. 발언된 말 속에는 무시무시한 힘이 있는 법이야. 그렇지 않아야 할 이유라도 있을까? 나는 써나가면서 나 자신에게 끈질기게 묻고 있었어. 그러자 갑자기 아무것도 쓰지 않은 종이 위의 내 펜촉 끝에서 체스터와 그의 늙은 동업자의 또렷하고 온전한 모습들이, 마치 어떤 시각(視覺) 장난감 속의 시야에서 재생된 것처럼, 살짝 나타나서 온갖 몸짓을 하며 활보하고 있었어. 나는 그 모습을 한동안 지켜보았지. 아니! 그들은 너무 환영적(幻影的)이고 너무 터무니없어서 어느 누구의 운명 속으로도 들어갈 수는 없었어. 게다가 말은 세월을 통해 멀리까지 옮겨 가며 허공을 나는 총알처럼 파괴를 가하기도 한다고. 나는 아무 말도 하지 않았어. 그리고 그는 촛불을 등지고 저만큼 서서 눈에 보이지 않는 인간의 모든 적들에게 묶이고 재갈 물린 것처럼 꼼짝도 하지 않았고 아무 소리도 내지 않고 있더군.」

16장

「그가 다시 사람들의 사랑, 신임 및 찬양을 받게 되고 마치 영웅의 자질을 갖춘 것처럼 힘과 용기의 전설이 그의 이름 주위를 둘러싸는 것을 내가 보게 될 날이 다가오고 있었어. 그게 사실이었음을 말해 두겠네. 내가 여기 앉아 부질없이 그의 이야기를 하고 있는 것만큼이나 사실이지. 그에게는 암시만 있으면 자기 욕망의 얼굴과 꿈의 형상을 바라볼 수 있는 능력이 있었던 거야. 그런 욕망과 꿈이 없다면 이 세상에는 사랑이나 모험을 하는 사람들이 없을 거야. 그는 밀림 속에서 많은 명예와 일종의 아르카디아 풍(風)의 행복을 붙잡았지만 여기서 그 천진성 여부에 대해서는 아무 말도 하지 않겠어. 일반 사회에서 찾는 명예와 아르카디아 풍의 행복이 다른 사람들에게 흡족한 것과 마찬가지로 밀림 속에서도 그것은 그에게

만족스러웠던 거야. 지극한 행복은 이 지상의 어디에서든(뭐라고 해야 할까.) 금 잔에 담아 마실 수 있지만 그 맛은 마시는 사람에게 달려 있어서 각자는 원하는 만큼 그 속에 도취할 수 있는 법이지. 앞서 내가 한 이야기에서 자네들은 짐작할 수 있겠지만, 그는 그 행복을 깊이 들이켤 사람이었어. 내가 보니까, 그가 정확히 도취하지는 않았지만 적어도 그 만병통치약을 입술에 댄 채 얼굴이 상기해 있더라니까. 그가 그 약을 대번에 얻을 수 있었던 건 아니야. 알다시피 그는 그 지옥 같은 선구상(船具商)들 사이에서 얼마 동안의 수련기를 겪어야 했는데, 그동안 그는 고통을 당했고 나도 내 신임이랄까 하는 것을 두고 걱정을 해야 했지. 그가 온통 영광에 휩싸인 것을 보고 나서 이제는 내가 완전히 마음을 놓을 수 있었던 건지 알 수가 없군. 내가 본 그의 마지막 모습은 바로 그러했으니까. 강한 빛을 받으며 군림하면서도 숲 속의 생활이나 인간의 생활 같은 자기 주위 환경과 완벽한 조화를 이루고 있었거든. 나는 감명 받았음을 시인해. 하지만 그것이 어쨌든 지속적인 인상은 아니었음을 인정해야겠어. 그는 자기가 속한 우월한 인종의 유일한 인간으로서 자연과 긴밀하게 접촉하며 고립 속에서 보호받고 있었거든. 자연은 자기를 사랑해 주는 사람들에게 그처럼 편안한 관계로 신의를 지켜 주는 법이야. 하지만 나는 그가 안전하다는 이미지를 내 눈앞에 고정시킬 수가 없어. 나는 언제까지나 내 방의 열린 문을 통해 엿볼 수 있던 그의 모습을 기억할 텐데, 그건 자기가 겪은 실패의 결과만 놓고 너무 상심하고 있는 모습이거든. 물론 나의 노력에서 약간의 좋은 결과랄까 눈부신 결실까지 맺었다는 걸 나는 기쁘게 여기고 있어. 그러나 이따금 체스터의 그 지독히 너그러운 제안과 짐 사이에서 내가 방해하지 않았더라면 내 마음의 평화를 위해서는 더 좋았을 것 같다는 생각이 들기도 해. 월폴 섬으로 말하자면 이 세계의 수표면 중에서도 가장 가망 없이 버림받은 메마른 땅이었지만, 짐의 넘치는 상상력이 그 섬을 밑천으로 어떤 성과를 거두었을지가 궁금하군. 하지만 그 결과를 내가 듣게 되었을 것 같지는 않아. 내가 자네들에게 말해 두어야 할 것은, 체스터가 그 시대착오적인 낡은 쌍돛 범선을 땜질하기 위해 어떤 호주 항구에 들른 후에 모두 스물두 명의 일꾼들을 태우고 태평양으로 출항했다는 거야. 그의 운명에 대해서는 알려진 바가 없지만 그것과 관계될지도 모르는 유일한 뉴스는 한 달쯤 뒤에 월폴 모래톱을 휩쓸고 지나갔을 것이라 여겨지는 태풍뿐이야. 그 후 체스터를 따라갔던 아르고나우타이들의 흔적은 보이지 않았고, 그 버려진 땅에서는 아무 소식도 들리지 않았어. 끝장이 났던 거야. 태평양은 살아서 열띤 성질을 부리는 대양 중에서도 가장 신중한 바다야. 싸늘한 남극해도 비밀은 지키지만 무엇보다 무덤이 될 수 있다는 면에서 그러하지.

"그런데 그 신중함 속에는 일종의 축복 받은 종말감(終末感)이 들어 있고, 그런 느낌을 우리는 어느 정도 진지하게 받아들이려고 하지. 죽음에 대한 생각을 견딜 만하게 해 주는 것치고 그런 종말감 말고 따로 무엇이 있겠는가? 끝장! 종결! 이런 강력한 말들이 생명의 집에 유령처럼 출몰하는 운명의 그림자를 쫓아낼 수 있는 거야. 나의 목격과 스스로의 장담에도 불구하고, 짐의 성공담을 뒤돌아볼 때마다 늘 아쉬운 것은 바로 이 점이야. 목숨이 붙어 있는 한, 정말이지 희망은 있어. 그러나 두려움 또한 있는 법이야. 나는 내 행동을 후회한다든지, 그 결과로 밤에 잠을 설친다는 주장은 하지 않을 거야. 그러나 실제로 문제가 되는 것은 죄뿐인데도 그가 자기의 불명예를 너무 심각히 여긴다는 생각이 불쑥불쑥 떠오르곤 해. 그는 나에게 분명치가 않았다고 말해도 좋을 거야. 분명하지가 않았지. 그리고 그가 자기 자신에게도 분명치 못했으리라는 생각도 들어. 그에게는 섬세한 감성, 섬세한 감정 및 섬세한 동경이 있었는데, 일종의 승화되고 이상화된 이기성(利己性)이기도 했지. 이렇게 말해서 좋을지 모르겠지만, 그는 너무 섬세하고 섬세해서 아주 불행했던 거야. 조금만 더 거친 성격이었다면 그런 마음고생을 겪지 않았을 것이고, 한숨짓거나 불평하거나 아니면 너털웃음을 웃으며 자신과 화해했을 테니까. 좀 더 거친 성격이었다면 아무 상처를 받을 수 없을 만큼 무지했겠지만, 그런 사람이라면 내게는 전혀 흥미가 없었을 테지.

「하지만 그가 나에게는 너무 흥미 있고 너무 불운한 사람이었기 때문에 파멸하게 내버려 둔다든지 심지어 체스터 같은 자에게 맡겨버릴 수가 없었어. 그가 내 방에서 지독하게 은밀히 가쁜 숨이나마 쉬려고 싸우다시피 헐떡이고 있는 동안 나는 편지지에 얼굴을 대고 앉아서 그 점을 절감했어. 그가 마치 투신이라도 하려는 듯이 베란다로 뛰어 나갔다가 정작 그러지 않았을 때 나는 절감했던 거야. 그가, 마치 암담하고 희망 없는 바닷가에 서 있듯이 베란다에서 희미한 빛을 받으며 밤을 배경으로 서 있는 동안 나는 더욱 절감하고 있었어.

「난데없는 무거운 굉음에 나는 머리를 들었어. 그 소리는 굴러가 버리는 듯했고 갑자기 격렬히 탐색하는 듯한 섬광이 밤의 눈먼 얼굴에 떨어지더군. 그 지속적이고 눈부신 번쩍임이 무척 오랫동안 계속되는 듯했어. 빛의 바다 기슭에 단단히 뿌리내린 듯이 검은 모습으로 뚜렷하게 서 있던 그를 내가 바라보고 있는 동안 천둥소리는 꾸준히 커지고 있었지. 번개가 가장 밝게 번쩍이는 순간, 최고의 충격으로 어둠은 껑충 물러났고, 그의 모습도 마치 원자로 분해되어 날아가 버린 것처럼 내 놀란 눈에서 완전히 사라지고 말더군. 세찬 한숨소리가 지나갔고, 분노의 손길이 건물의 전면을 따라 온통 숲을 할퀴고 아래쪽 나무들의 꼭대기를 흔드는가 하면 문들을 쿵 닫히게 했고 유리창 틀을 깨고 있었어. 그는 걸어 들어와 문을 닫더니 책상에 몸을 굽히고 있던 나를 쳐다보더군. 그가 무슨 말을 할 것인지 내 걱정은 너무 커진 나머지 거의 두려움의 지경에 이르렀어. "궐련 한 개비를 주시겠습니까?" 그가 묻더군. 나는 머리를 들지 않고 담뱃갑을 내밀었지. "담배가 몹시 피우고 싶군요." 그는 중얼대고 있었어. 나는 지극히 들뜬 기분이라 "잠깐만" 하고 듣기 좋게 중얼댔지. 그는 이리저리 몇 걸음 걸어 다니더니 "이젠 끝이군요."라고 말했어. 먼 천둥소리가 조난 신호로 쏜 포성처럼 바다 쪽에서 들려왔어. "올해는 몬순이 일찍 파하는군요." 그가 내 등 뒤쪽 어디에서 대화하듯이 말하고 있었어. 그 말을 듣고 힘을 얻은 나는 마지막 봉투에 주소를 쓰자마자 돌아앉았지. 그는 방 한가운데서 게걸스럽게 담배를 빨고 있었는데 내가 움직이는 소리를 듣고도 한동안은 내게 등을 돌리고 있더군.

「"보세요. 저는 꽤 잘 처신해 왔습니다." 그가 갑자기 돌아서며 말했어. "얼마 되지는 않지만 대가도 치렀습니다. 앞으로 어떻게 될지는 모르겠습니다만." 그의 얼굴은 아무런 감정도 드러내지 않았고, 오직 숨을 멈추고 있는 것처럼 약간 어둡게 부어오른 듯했을 뿐이야. 말하자면 그는 마음 내키지 않는 미소를 짓고 있었고, 내가 말없이 바라보고 있는 동안 계속 말을 하더군……. "아무튼 감사합니다. 선장님께서 계시는 방은 아주 편리하네요. 심한 우울증에 걸려 있는 녀석이 보기에는……." 정원에서는 비가 후드득 내리고 있었어. 배수 파이프에 구멍이 났는지 창밖에서는 우스꽝스런 오열과 그르럭거리는 비탄의 울부짖음을 슬프게 흉내 내는 듯한 소리가 들렸는데 이따금 발작적으로 끊어지며 정적을 이루곤 했지. "조금은 피신처도 되고요." 그가 중얼대더니 그치더군.

「퇴색한 번개의 섬광이 검은 창틀을 거쳐 들어왔다가 아무 소리도 없이 물러나더군. 다시 내침을 당할까 겁이 난 나는 그에게 접근하는 최선의 방법이 무얼까 고심하고 있었는데, 마침 그가 가벼운 미소를 띠며 "이젠 떠돌이가 된 것이나 다름없죠."라고 말하더군. ……마지막까지 타 들어간 궐련이 그의 손가락에서 연기를 내고 있었어……. "단 하나도 없어요. 단 하나의……." 그는 천천히 말했어. "하지만……." 그는 말을 그쳤어. 비가 곱으로 세차게 내리고 있었어. "장차 어느 날 기회가 오면 모든 것을 되찾을 수 있겠죠. 찾아야죠." 그는 내 구두를 노려보면서 또렷하게 속삭이고 있었어.

「그가 그토록 되찾고 싶어 하고 그토록 절실히 아쉬워하는 것이 무엇인지 나로서는 알 수조차 없더군. 그게 너무 엄청난 것이어서 말로 표현하기 어려웠는지도 모를 일이야. 체스터의 말을 빌린다면, 바보 같은 선원 자격증이었을 텐데……. 그는 무얼 캐어묻듯이 날 쳐다보더군. "아마도 되찾게 되겠지. 인생이 길기만 하다면 말이네." 나는 이유 없이 적의를 나타내며 시큰둥하게 중얼거렸어. "하지만 너무 큰 기대는 걸지 말게."

「"젠장! 아무것도 저를 건드릴 수 없을 것 같은 느낌입니다." 그가 암담한 신념을 표명하는 어조로 말했어. "이번 일도 저를 쓰러뜨리지 못했는데, 제가 기어 나오는데 필요한 시간이 충분하지 않을 거라고 두려워할 필요는 없지요. 게다가……." 그는 위를 쳐다보았어.

「그 많은 길 잃은 떠돌이들이 생겨나서 떼를 지어 이 세상의 시궁창 속으로 행진해 가는 것도 바로 짐 같은 사람들이 있기 때문이구나 하는 생각이 번쩍 들더군. "조금은 피신처가 된다."고 하던 그 호텔 방을 떠나는 순간 그는 그런 무리의 대오에 합세하여 바닥없는 심연을 향한 여행을 시작할 터였어. 적어도 나에게 환상은 없었지. 그러나 얼마 전까지도 언어의 힘을 확신하다가 이제는 미끄러운 바닥에서 자칫하다 넘어질까 꼼짝도 하지 않으려는 사람처럼 말하기를 두려워하고 있는 사람 또한 나 자신이었어. 별빛과 태양열을 우리와 공유하는 사람들이 어찌하여 우리에게 이토록 이해하기 어렵고 유동적이고 모호해 보이기만 하는가를 절감하는 것도 바로 우리가 다른 사람들의 내밀한 필요가 무엇인지 포착해 보려고 애를 쓸 때야. 마치 외로움이 인간 실존의 비정한 절대 조건인 듯해. 우리가 시선을 고정시키고 바라보는 피와 살로 된 육신도 손을 내미는 순간 녹아 버리고, 어떤 눈으로도 좇을 수 없고 어떤 손으로도 포착할 수 없는 변덕스럽고 위무(慰撫)할 수 없고 종잡을 수도 없는 망령만 남게 되거든. 나로 하여금 잠자코 있게 한 것은 그를 놓치게 될지도 모른다는 두려움이었어. 왜냐하면 내가 만약 그를 어둠 속으로 사라지게 놓아준다면 영영 나 자신을 용서할 수 없을 것이라는 생각이 갑자기 불가해한 힘으로 날 짓누르고 있었기 때문이야.

「"네, 다시 한번 감사드립니다. 선장님께서는…… 어…… 흔히 보기 어려운…… 참으로 무어라 말씀드려야 할지……. 흔히 보기 어려운! 정말이지, 이유를 모르겠군요. 이 모든 일이 저에게 무섭게 들이닥치지만 않았더라도 제가 느낄 수 있었을 만큼의 감사를 지금 제가 느끼지 못하는 것이 아닐까 두렵습니다. 왜냐하면 마음속으로……. 선장님 자신께서……." 그는 말을 더듬고 있었어.

「"그럴 수도 있겠지." 내가 그의 말을 가로챘어. 그는 상을 찌푸리더군.

「"어쨌든 책임은 져야 하니까요." 그는 매처럼 날 노려보았어.

「"그것 또한 사실이네." 내가 말했지.

「"좋습니다. 저는 이번 일을 끝까지 겪었습니다. 앞으로 어느 누구든 이번 일을 가지고 저에게 도발해 온다면 후회하게 할 겁니다." 그는 주먹을 불끈 쥐더군.

「"문제는 자네 자신이야." 나는 미소를 지으며 말했지만 그게 서글픈 미소였음을 누가 알겠나? 그는 위협적으로 날 바라보고 있었어. "그건 제가 알아서 할 일입니다." 그가 말하더군. 불굴의 결심을 하는 듯한 태도가 언뜻 지나가는 허망한 그림자처럼 그의 얼굴에 비쳤다 사라지더군. 다음 순간 이전처럼 그는 정겹고 착한 소년이 궁지에 몰리게 된 듯한 표정을 지었어. 그는 궐련을 던져버리더군. "안녕히 계십시오." 그는 자기를 기다리고 있는 시급한 일거리를 앞두고 너무 오랫동안 머뭇거리고 있었던 사람처럼 갑자기 서두르며 말했어. 그러더니 일이 초 동안 그는 꼼짝도 않고 서 있더군. 무겁고 거침없는 홍수로 모든 것을 휩쓸어 버릴 듯이 폭우가 쏟아지고 있었는데, 아무 제지도 받지 않은 그 압도적인 분노의 소리는 내 마음에 허물어지는 다리며 뿌리 뽑힌 나무며 무너진 산의 이미지들을 떠올려 주더군. 우리가 마치 어떤 섬에서처럼 위태롭게 비바람을 피하고 있을 때 우리를 감싸고 있던 희미한 정적에 부딪쳐서 소용돌이치는 듯하던 그 엄청나게 몰려오는 물살을 아무도 헤쳐 나갈 수 없었어. 구멍 난 배수 파이프는 목숨을 구하기 위해 싸우다시피 헤엄치는 사람을 음흉하게 비웃기라도 하듯이 끄르럭 소리며 숨이 막히는 듯한 소리며 침을 뱉는 소리며 첨벙거리는 소리를 내고 있었어. "비가 오고 있다네." 내가 타일렀지. "그리고 내가……." "비가 오건 햇빛이 나건." 그는 퉁명스럽게 말을 시작했지만 이내 중단하고 창 쪽으로 걸어가더군. "막 퍼붓는군요." 그는 잠시 동안 중얼거리더니 유리창에 이마를 기대더군. "어둡기도 하고요."

「“암, 아주 어두워.” 내가 말했어.

「그는 뒤꿈치를 축으로 몸을 휙 돌리고 방을 건너더니 복도로 통하는 문을 열었어. 그래서 나는 의자에서 벌떡 일어나서 “기다리게.” 하고 소리를 질렀어. “내가 자네에게…….” “오늘 저녁에 제가 선장님과 다시 식사를 할 순 없어요.” 그가 나에게 덤벼들 듯이 말했을 때 한쪽 발은 이미 문밖에 나가 있었어. “식사에 초대할 생각은 조금도 없다네.” 나는 고함을 질렀어. 내가 그렇게 나오자 그는 문밖으로 나간 발을 끌어들였지만 나를 신뢰할 수 없다는 듯이 문간에 서 있더군. 나는 지체 없이 그에게 제발 우습게 행동하지 말고 어서 들어와서 문이나 닫으라고 간절히 타일렀어.」

17장

“드디어 그가 들어오더군. 하지만 무엇보다도 비 때문이었다고 생각돼. 마침 비가 온 세상을 부숴 버릴 듯이 퍼붓고 있었는데 우리가 이야기를 하는 동안 그 기세가 차츰 진정되더군. 그의 태도는 아주 차분히 가라앉아 있었어. 천성이 과묵한 사람이 어떤 사념에 사로잡힌 것 같은 태도였으니까. 내 이야기는 그가 처한 물질적인 형편에 관한 것이었어. 그 지역에서 친구나 거처도 없이 지내야 하는 사람에게 대번에 엄습해 올 수 있는 타락이며 파멸이며 절망 같은 것으로부터 그를 구하자는 것이 내 유일한 목적이었지. 나는 그에게 내 도움을 받으라고 호소했고 또 조리 있게 따지기도 했어. 침통하지만 젊음이 넘치는 그의 매끈한 얼굴이 무엇인가에 집착하고 있는 것을 볼 때마다, 나는 그의 상처 입은 정신이 벌이는 그 영문을 알 수 없고 해명되지 않으며 종잡을 수도 없는 투쟁에 도움이 되기는커녕 방해가 되고 있구나 싶어 심란하더군.

「"자네가 늘 하던 방식으로 먹고 마시고 자려는 것이겠지." 나는 이 말을 하며 화를 내던 기억이 나는군. "자네 몫으로 나가게 되어 있는 봉급에는 손을 대지 않겠다고 했지……." 이 말을 듣자 그는 공포의 몸짓을 지었는데, 그건 그 부류의 사람들이 지을 수 있는 몸짓에 가장 가까운 것이었어. (그는 파트나호의 항해사로서 삼 주일 더하기 닷새분의 봉급을 받을 자격이 있었던 거야.) "그건 너무 적은 금액이라 포기해도 별 문제가 되진 않아. 하지만 당장 내일 어떻게 할 건가? 어디 가서 도움을 청할 건가? 우선 살아야 할 것 아냐……." "그건 중요하지 않습니다."라는 논평이 그의 숨소리에 섞여 나왔어. 나는 그 말을 무시한 후, 과장된 민감성이 빚은 망설임이라고 여겨지던 것을 상대로 싸움을 계속했지. "어떤 근거를 놓고 생각해도 자네는 내 도움을 받아야 하네." 내가 결론적으로 말했어. "선장님께서는 도우실 수 없습니다." 그는 아주 순박하게 또 점잖게 말하면서 어떤 깊은 사념에 집착하고 있었어. 그 사념이 어둠 속의 물웅덩이처럼 아른거리는 걸 나는 볼 수 있었지만 그 깊이를 헤아리기 위해 접근하는 데 대해서는 절망하고 있었지. 나는 그의 균형 잡힌 체격을 훑어보았어. "어쨌든 말이네." 내가 말했지. "내가 자네에 대해서는 내 요량대로 도와줄 수 있다네. 그 이상은 돕겠다고 나서지도 않겠어." 그는 날 쳐다보지도 않고 의심스럽다는 듯이 머리만 흔들었어. 내 감정이 달아오르더군. "하지만 나는 도울 수 있어." 내가 주장했지. “그 이상도 할 수 있고 또 하고 있다네. 자네를 신임하니까…….” “그 돈은…….” 그가 입을 열더군. 그래서 나는 일부러 화를 불끈 내며 소리 질렀어. “정말, 자네는 못난 인간이라는 말을 들어도 싸네.” 그는 깜짝 놀라더니 미소를 지었고 나는 정통으로 공격을 가했어. “이건 전혀 돈 문제가 아니야. 자네는 너무 피상적이니까.” (이렇게 말하는 한편 나는 속으로 “이젠 됐어. 어쨌든 그는 피상적이니까.”라고 생각하고 있었지.) “이걸 보게. 자네가 지참하고 가길 바라는 편지라네. 일생 동안 내가 청탁이라고는 하지 않은 사람에게 쓴 편질세. 자네에 대한 이야기를 썼는데 친한 친구에 관해 말할 경우에나 감히 쓸 수 있는 어투로 썼다네. 나는 자네에 대해 아무 주저 없이 책임을 지려고 하는 거야. 그게 바로 내가 하고 있는 일이지. 그러니 정말이지 자네가 그 뜻을 조금이라도 생각해 주려 한다면…….”

「그는 머리를 들더군. 비는 지나갔고, 창밖에서는 배수 파이프만이 눈물이라도 흘리듯이 우스꽝스럽게 물방울을 뚝뚝 떨어뜨리고 있었어. 방 안은 조용하기만 했고, 비수처럼 꼿꼿한 모양으로 타고 있던 조용한 촛불이 던진 그림자들이 방 구석 구석에 모여 있었지. 얼마가 지나자 마치 동이 트고 햇살을 받게 된 것처럼 그의 얼굴에는 부드러운 빛이 확산되는 듯했어.

「“정말이지!” 그가 거친 목소리로 내뱉더군. “고매하십니다!”

「그가 나를 우롱하며 별안간 혀를 내밀었다고 해도 내가 그때보다 더 모욕감을 느끼진 않았을 거야. 그래서 나는 속으로 “내가 공연히 남의 일에 끼어드는 못난 짓을 했으니 이런 꼴을 당해도 싸지 싸…….”라고 생각했어. 그는 반짝이는 눈으로 내 얼굴을 빤히 들여다보고 있었는데 그 반짝임 속에는 조롱의 빛이 전혀 들어 있지 않음을 나는 알 수 있었어. 별안간 그는 발작적으로 움직였는데 마치 줄에 매달려 움직이는 납작한 나무 인형 같더라니까. 그의 두 팔이 올라가더니 철썩 소리를 내며 내려왔어. 그는 전혀 다른 사람이 되어 있었던 거야. “그런데도 저는 알지 못했습니다.” 그가 소리치더니 갑자기 입술을 깨물며 상을 찌푸리더군. “전 정말 형편없는 바보였습니다.” 그는 압도된 듯한 어조로 천천히 말하더니, 이내 숨을 죽인 목소리로 “선장님은 참으로 훌륭한 분이십니다.”라고 소리치는 거였어. 그는 마치 내 손을 처음 본 것처럼 덥석 움켜잡더니 곧 놓더군. “그러니, 이거야말로 제가…… 선장님께서…… 저는…….” 그는 말을 더듬고 있더니 다시 그 멍청하다고 할까 아니면 고집스러운 태도로 무겁게 말하는 것이었어. “제가 짐승 같은 놈이 아니고야 어찌 감히…….” 이 대목에서 그의 목소리는 울먹이기 시작하더군. “괜찮네.” 내가 말했지. 그가 그런 식으로 감정을 토로하고 또 그걸 통해 일종의 기이한 의기양양함을 드러내자 나는 아주 놀라고 말았어. 말하자면, 내가 어쩌다 꼭두각시 줄을 당기게 된 셈이라고나 할까. 나는 그 인형이 어떻게 작동할지 제대로 알지 못했던 거야. “이제 가야겠습니다.” 그가 말했어. “정말이지! 선장님께선 그간 저를 도와주셨어요. 가만히 앉아 있을 수가 없군요. 바로 그게…….” 그는 당혹한 찬탄의 눈초리로 나를 바라보고 있었어. “바로 그게…….”

"물론 그게 바로 중요한 점이었어. 나는 그를 십중팔구 굶주림에서 구해 낸 셈이었는데, 그건 어김없이 술과 관련 있는 그런 특이한 종류의 굶주림이었지. 그게 모두였어. 그 점에 있어서는 내게 아무런 환상도 없었어. 하지만 그 마지막 3분 동안 그가 가슴속에 담고 있었음이 분명했던 그 환상의 성격에 대해서는 궁금해지더군. 그의 상처 입은 영혼이 날개가 부러진 새처럼 깡충거리며 퍼덕이다가 어떤 구멍에 빠져 결국은 영양실조로 조용히 죽어가는 동안 그가 늘 하던 대로 일상의 중요 용무를 보며 먹고 마시고 자는 데 필요한 생계비를 나는 그의 손에 억지로 쥐어 주었지. 내가 그에게 내민 것은 확실히 얼마 되지 않았지만, 그가 받아들이는 태도로 보아 그건 희미한 촛불 속에서 크고 불분명하고 아마 위험하기도 한 그림자처럼 부각되더라니까. "이럴 경우에 해야 하는 인사 말씀을 제가 드리지 못한다고 해서 언짢아하지 마십시오." 그가 큰 소리로 말했어. "할 말도 없고요. 간밤에 이미 선장님께서는 저에게 무한히 잘 대해 주셨습니다. 제 말씀을 들어주셨으니까요. 정말이지, 제 머리 꼭대기가 날아가 버릴 듯하다고 생각한 적이 한두 번이 아니었다고요…." 그는 이리저리 획획 오가면서 주머니에 손을 넣었다 뺐다 하더니 머리에 모자를 쓰기도 했어. 나는 그가 그처럼 가볍게 움직일 수 있다는 걸 미처 모르고 있었던 거야. 나는 돌개바람 속에 갇힌 가랑잎 하나를 생각하고 있는데, 영문 모를 불안감이랄까 불확실한 의혹이 의자에 앉아 있는 내 몸을 무겁게 짓누르더군. 그는 어떤 일이 밝혀져서 그만 꼼짝하지 못하게 된 사람처럼 가만히 서 있었어. "선장님께서는 저를 신임해 주셨습니다." 그는 차분한 어조로 말하더군. "오! 이보게, 제발, 그런 말일랑 말게나!" 나는 마치 그의 말 때문에 속이 상한 것처럼 간절히 말했지. "네, 좋습니다. 지금부터는 입을 다물지요. 하지만 제가 생각하는 것까지 막을 수는 없겠죠……. 개의치 마세요!…… 하지만 제가 보여 드리고 싶은 건……." 그는 서둘러 문간으로 가더니 머리를 숙인 채 멈추었고 신중한 걸음으로 되돌아오더군. "저는 늘 생각했답니다. 우리가 심기일전하고 다시 시작할 수만 있다면야……. 그런데 이제 선장님께서……. 어느 정도는……. 네…… 심기일전해야죠." 나는 그에게 손짓을 했고 그는 뒤돌아보지도 않고 나가 버렸어. 닫힌 문 뒤에서 그의 걸음이 떨어지는 소리가 점차 작아지더니 사라지더군. 그건 대낮에 활보하는 한 사내의 거침없는 걸음걸이였어.

「하지만 외로운 촛불을 벗 삼아 혼자 남게 된 나로 말하자면 이상할 만큼 뭐가 뭔지 알지 못하는 상태에 빠져 있었지. 나는 이미 젊은이가 아니었고, 그래서 선과 악 속에서 우리가 내딛는 무의미한 걸음 하나하나를 둘러싸고 있던 그 화려한 것들을 고비마다 눈여겨보려 하지 않았어. 우리 두 사람 중에서 그래도 무언가를 알게 되는 쪽은 짐일 거라는 생각을 하며 나는 웃었지. 그러니까 슬퍼지더군. 그가 심기일전하겠다고 말했던가? 마치 우리 각자의 운명을 말하는 머리글자들이 암벽에 지워지지 않는 글자로 새겨져 있지 않은 것처럼 말이야.」

18장

「육 개월이 지난 후 한 친구가 나에게 편지를 보내 왔어. 그 친구는 중년이 지난 냉소적인 노총각으로서 괴벽(怪癖)으로 이름을 떨치던 쌀 방앗간 주인이기도 했지. 내가 짐을 열렬히 추천한 것으로 보아 필경 알고 싶어 할 것이라고 판단한 그는 편지에서 짐의 완벽함에 대해 길게 쓰고 있었지. 그런데 그것은 조용하면서도 효과 있는 그런 종류의 완벽한 것이었던 것 같아. "나는 마음속으로 어느 인간에 대해서도 체념적인 아량 이상의 것을 베풀 수 없었기 때문에 이 푹푹 찌는 기후에서조차 혼자 살기에는 너무 크다고 할 만한 집에서 지내면서도 지금까지 혼자 살고 있었던 걸세. 그런데 지난 얼마 동안은 그를 데리고 한 집에서 살고 있었어. 그 판단이 잘못되었던 것 같지는 않아." 그 편지를 읽어 보니 내 친구는 마음속으로 짐에 대해 아량 이상의 것을 느끼고 있었으며 본격적으로 짐을 좋아하기 시작했던 것 같았어. 물론 그는 특유의 방식으로 그 근거를 진술하고 있었지. 우선, 짐은 그 기후에서도 자기의 싱싱함을 유지하고 있었다는 거야. 그는 편지에서 만약에 짐이 소녀였다면 요란한 열대지방의 꽃이 아니라 제비꽃처럼 수수하게 피는 꽃이라고 말할 수 있었을 거라고 썼더군. 짐은 그의 집에서 여섯 주나 머물렀는데도 여전히 그의 등을 찰싹 때린다든지 그를 '이봐요'라고 정겹게 부른다든지 그로 하여금 이제는 일할 나이가 지나버린 화석 같은 존재로 느끼게 하려던 적이 없다는 거야. 사람들을 화나게 할 정도로 재잘거리기만 하는 젊은이들의 버릇이 그에게는 없었다고도 했어. 게다가 그의 성미는 착하고 자기 자신의 이야기는 별로 한 적이 없으며 다행히 어느 모로 보아도 영악하지는 않았다는 내용도 그 편지에 적혀 있었지. 그러나 짐이 그의 위트를 조용히 알아줄 수 있을 만큼은 영리했고 또 한편으로는 짐의 순박함이 그에게는 흥미 있었던가 봐. "그에게는 아직도 아침 이슬 같은 데가 있다네. 그리고 내가 그에게 내 집의 방을 하나 내어 주고 같은 식탁에서 밥을 먹게 한 것은 잘 생각했던 거야. 그때부터 나는 덜 늙은 듯한 기분이거든. 며칠 전에는 그가 날 위해 문을 열어 주려고 방을 건너올 생각까지 하더라니까. 그래서 나는 지난 여러 해 동안에 비해서 인간과 더 많은 접촉을 하게 된 기분이었어. 우스운 일이 아닌가? 물론 내 짐작으로는 짐에게 무슨 일인가가 있었어. 그가 어떤 끔찍한 곤경에 처했던 것을 자네는 잘 알고 있겠지. 그게 무섭게 흉측한 일임이 확실하더라도 나는 그걸 이럭저럭 용서해 줄 수 있으리라고 생각하네. 나로서는 그가 과수원에서 과일을 훔치는 일 이상의 죄를 지었으리라고는 상상할 수 없거든. 혹시 그보다 더 중한 죄를 지었는가? 그렇다면 나에게 말해 주었어야지. 자네나 내가 성인군자 같은 사람으로 변한 지도 너무 오래되었기에 우리 또한 한 때는 죄를 짓고 다녔음을 자네가 잊어버렸을 수도 있지. 장차 내가 자네에게 묻게 될 거고, 그 이야기를 듣게 될 테지. 그게 무슨 죄인지 조금이라도 알게 되기까지 그에게 물어볼 생각은 없어. 더욱이 아직은 때가 너무 일러. 날 위해 문을 열어주는 일이 몇 차례는 더 있고 나서…….” 그 친구는 이런 식으로 쓰고 있었어. 나는 짐이 그렇게나 잘 해내고 있다는 사실과 그 편지의 어조, 그리고 내 자신의 현명한 처리 등을 확인하고 세 겹으로 기분이 좋았지. 분명히 나는 그 일을 바로 알고 처리했던 셈이야. 사람들의 성격을 올바로 이해했다든지 뭐 그런 생각도 들었어. 그 결과로 경이로운 일이 예기치 않게 일어난다면 좋은 일이 아니겠는가? 그날 저녁에 나는 홍콩 항에 있었는데 고물 쪽 차양 아래의 내 전용 갑판 의자에 앉아 편히 쉬며 짐을 위한 공중누각의 첫 주춧돌을 놓고 있었지.

「내가 북방으로 항해했다가 돌아오니까 그 친구가 보낸 다른 편지가 날 기다리고 있었어. 나는 그 편지부터 뜯었지. “내가 아는 한 숟가락 하나도 없어진 건 없네.” 그 편지의 첫 줄은 이렇게 시작하고 있더군. “더 알아보고 싶은 마음도 없어. 그는 조반상에 짧은 형식적인 변명을 적어놓고 가버렸는데, 참으로 바보 같은 짓이거나 아니면 무정한 짓이었어. 두 가지를 겸했다고 해야 할지도 모르겠군. 어차피 내가 보기에는 그 두 가지가 다 같은 짓이니까. 자네에게 그런 정체불명의 녀석들이 더 남아 있을까 겁이 나서 미리 말해 두지만, 나는 아주 영영 가게를 닫아버렸다네. 이게 내가 범하는 괴팍한 짓으로는 마지막이야. 내가 이 문제에 대해 마음을 조금이라도 쓸 거라고는 잠시도 생각하지 말게. 하지만 테니스 모임에서는 사람들이 그가 사라진 것을 무척 유감으로 여기기 때문에 나는 자신을 위해 클럽에서 그럴듯한 거짓말을 둘러댔다네……." 나는 그 편지를 던져 버린 후 탁자에 놓인 편지 꾸러미를 뒤지기 시작했어. 짐의 필치가 눈에 띄더군. 자네들은 믿지 못할 거야? 100분의 1이라는 가능성 말이네. 그러나 문제가 되는 건 늘 그 100분의 1밖에 되지 않는 가능성이거든. 그 파트나호의 이등기관사가 꽤 궁핍한 꼴로 나타나서 방앗간의 기계를 돌보는 임시직을 얻었던가 봐. "저는 그 짐승 같은 녀석이 친근하게 구는 걸 견딜 수 없었습니다." 짐은 자기가 편안하게 살 수 있었을 곳을 떠나 남쪽으로 700마일이나 되는 곳에서 그 편지를 쓰고 있었어. "저는 당분간 에그스트룀 앤드 블레이크 상회라는 선구상에서 일하는데, 직책의 정확한 이름은 외무원입니다. 신원보증을 위해 선장님의 성함을 댔는데 그들은 물론 선장님을 잘 알고 있었습니다. 선장님께서 저를 위해 한마디 적어서 보내 주신다면 저는 영구적으로 채용될 것입니다." 나는 짓고 있던 누각이 허물어지는 통에 짓눌리고 말았지만, 물론 그가 원하는 대로 추천서를 써서 보냈어. 그 해가 끝나기 전에 새로 맺은 용선 계약으로 나는 그가 있는 쪽으로 가게 되었고, 그래서 그를 만나 볼 기회도 가졌지.

「그는 여전히 에그스트룀 앤드 블레이크 상회에 있었어. 우리는 가게에서 열고 들어갈 수 있게 된 방에서 만났는데 사람들은 그곳을 '우리 응접실'이라 부르더군. 그는 마침 배에 올라갔다가 돌아오는 길이었는데 싸움이라도 벌일 듯한 태세로 머리를 숙인 채 나와 마주쳤지. "변명할 말이 있거든 해 보게." 악수를 마치자 내가 말했어. "편지에서 말씀드린 대롭니다. 더는 할 말이 없어요." 그는 완강하게 말했어. "그 녀석이 떠들더란 말인가? 아니면?" 내가 물었어. 그는 괴로운 듯이 미소를 지으며 날 바라보았어. "오! 아닙니다. 그 녀석은 그 일을 우리끼리만 아는 비밀로 삼고 있었습니다. 제가 방앗간으로 건너올 때마다 그는 도무지 이해할 수 없는 태도로 저를 대하곤 했습니다. 그는 존경 어린 태도로 저에게 눈을 껌벅해 보이곤 했는데 그게 마치 '우리끼리만 아는 게 있잖아.'라고 말하는 것 같았습니다. 지독히도 알랑거리며 친근하게 굴거나 뭐 그런 식이었습니다." 그는 의자에 털썩 주저앉더니 자기의 다리를 노려보고 있었어. "어느 날 우리가 단둘이 있게 되자 그 녀석은 뻔뻔스럽게도 '그런데, 제임스 씨'[31]라고 말하더군요. 그곳에서는 제가 마치 그 집 아들이라도 되듯 '제임스 씨'라고 불려지고 있었거든요. '이곳에서 우리는 다시 함께 지내게 되었군요. 이곳이 그 낡은 배보다는 낫잖아요. 그렇죠?……' 그야말로 무서운 일이 아닙니까? 저는 그를 바라보았고, 그는 다 알고 있

31) 짐(Jim)은 제임스(James)의 애칭.

다는 듯한 태도를 보이더군요. '불안해하지 마십시오, 어르신네.' 그가 말했습니다. '저는 신사 분을 만나게 되면 대번에 그가 신사라는 걸 알아봅니다. 그리고 신사의 기분은 어떨지도 안답니다. 하지만 어르신네께서 절 이 자리에 계속 있게 해주시길 바랍니다. 그 망할 놈의 파트나호 소동으로 저도 고생을 꽤나 했답니다.' 젠장! 끔찍했어요. 그때 마침 통로에서 덴버 씨가 저를 부르지 않았더라면 제가 그 녀석에게 무슨 말을 하며 어떤 행동을 취했을지 모르겠군요. 마침 점심시간이어서 우리는 함께 뜰을 건넜고 정원을 거쳐 방갈로로 갔습니다. 그분은 자기 나름으로 다정하게 저를 골려 대기 시작했거든요……. 제 생각으로는 그분이 절 좋아했던 것 같습니다."

「짐은 한동안 잠자코 있었어.

「"그분이 절 좋아했다는 걸 알지요. 그래서 저도 그만큼 더 괴롭습니다. 아주 멋진 분이셨거든요. 그날 오전에 그분은 제 겨드랑이 아래로 손을 밀어 넣더군요……. 그분도 제게 친근하게 대하고 있었던 거죠." 그는 짤막하게 웃음을 터뜨리더니 턱을 가슴으로 떨어뜨렸어. "젠장! 그 야비한 짐승 같은 녀석이 제게 말을 걸던 모습을 기억하니까 저는 차마 저 자신에 대해 생각하기……." 그의 목소리가 갑자기 떨리기 시작하더군. "선장님께선 아시겠지요……." 나는 고개를 끄덕였어……. "무엇보다 아버지처럼 절 대해 주셨는데." 그는 울부짖었고 목소리가 가라앉더군. "제가 결국은 그분께 모든 것을 말씀드리지 않을 수 없었을 겁니다. 그런 식으로는 살 수 없었을 테니까요." "글쎄?" 내가 잠시 머뭇거리다가 말했지. "그래서 차라리 떠나기로 작정했던 겁니다." 그가 천천히 말했어. "그 일은 묻어 두어야 하거든요."

「우리는 상점에서 블레이크가 욕이 섞인 긴장된 목소리로 에그스트룀을 나무라는 것을 들을 수 있었어. 그들은 여러 해 동안 동업자로 지내 온 사이였다고. 그러나 매일 가게 문을 여는 순간부터 문을 닫기 전까지 하루 종일 반질거리는 검은 머리에 불행해 보이는 유리알 같은 눈을 한 작은 체구의 블레이크가 일종의 통렬하면서도 푸념 섞인 분노를 보이며 쉴 새 없이 자기 동업자에게 시비를 거는 소리가 들렸지. 그 끝없이 나무라는 소리는 다른 비품들처럼 그 가게의 일부를 구성하고 있었던 셈이야. 그 가게에 처음 온 사람들까지도 "지긋지긋하군."이라고 투덜대거나 벌떡 일어나서 그 '응접실'의 문을 닫아 버리든지 아니면 이내 그 나무라는 소리를 전적으로 무시해 버리곤 했어. 에그스트룀은 뼈가 불거진 육중한 몸매의 스칸디나비아인으로 숱이 많은 금발 구레나룻에 분주한 태도를 보였으며, 서서 용무를 보게 되어 있는 가게의 책상에서 직원들에게 지시를 내리거나 꾸러미들을 점검하거나 청구서를 발행하고 편지를 쓰거나 하면서 그 소란 속에서도 정확히 귀머거리처럼 처신하고 있었지. 이따금 그는 귀찮다는 듯이 아무렇게나 '쉿' 소리를 냈지만 그게 조금이나마 효과가 있거나 효과를 기대하는 건 아니었어. "이곳에서 두 분은 제게 아주 잘 대해 주십니다." 짐이 말했어. "블레이크가 치사하게 굴 때가 있지만 에그스트룀은 괜찮습니다." 그는 재빨리 일어서더니 자로 잰 듯한 걸음으로 망원경 쪽을 향해 가더군. 그는 창가에서 외항의 정박장을 향해 놓여 있던 삼각(三脚) 망원경을 들여다보는 거였어. "오전 내내 바람이 없어 외항에서 꼼짝 못 하고 있던 저 배가 이제 바람이 불자 들어오는군요." 그는 참을성 있게 말했어. "이제 가서 저 배에 올라가야 합니다." 나와 말없이 악수한 후 그는 돌아서서 가고 있었어. "짐!" 내가 소리쳤지. 그는 자물쇠에 손을 댄 채 돌아서더군. "자네는 말일세, 자네는 굴러든 복을 팽개쳐 버린 셈이라고." 그는 문간에서 내 쪽으로 다시 걸어 돌아왔어. "정말 멋진 분이셨습니다." 그가 말했어. "하지만 제가 어떻게, 제가 어떻게……?" 그의 입술이 떨리고 있었어. "이곳에서야 그게 문제되지는 않지요." "오! 자네, 자네야말로……." 나는 입을 열었으나 적당히 끝맺을 말을 찾지 못하고 있었어. 그의 사람됨을 그리는 데 딱 들어맞은 명칭이 없다는 것을 내가 미처 깨닫기도 전에 그는 나가 버리더군. 밖에서는 에그스트룀이 그 깊고 점잖은 목소리로 명랑하게 "지미, 저건 사라 W. 그레인저호군. 자네가 맨 먼저 승선하도록 하게."라고 말했어. 그러자 곧장 블레이크가 끼어들더니 성난 앵무새처럼 소리 지르더군. "선장에게 우리가 그분의 우편물을 보관하고 있다고 말하게. 그러면 그가 이리로 올걸세. 알아들었나, 머시기 군?" 그러자 짐은 소년티가 나는 어조로 에그스트룀에게 대답했어. "알았습니다. 달려가도록 하겠습니다." 그는 그 변변찮은 업체에서 보트를 타고 다니며 피신하고 있는 듯했어.

「그 항해 때 나는 그를 다시 보지 않았어. 하지만 육 개월 용선 계약을 맺고 있던 나는 다음번 항해 때 다시 그 가게를 찾아갔지. 문간에서 10야드나 떨어진 곳에서도 블레이크가 나무라는 소리가 들리더군. 내가 들어서자 그는 비참한 눈초리를 내게 던지더군. 에그스트룀이 만면에 미소를 띠고 다가오더니 그 뼈마디가 드러난 큼직한 손을 내미는 것이었어. "선장님, 다시 뵙게 되어 반갑습니다……. 쉿!……. 선장님께서 이곳에 오실 때가 되었다는 생각을 하고 있었죠. 뭐라고 하셨나요?……. 쉿!……. 아, 네. 그 사람! 그 사람은 우릴 떠났다고요. 이 응접실로 들어오십시오……." 문을 쿵 닫고 나니까 블레이크의 팽팽한 목소리가 마치 밀림 속에서 격심하게 꾸짖어대는 목소리처럼 희미해지더군……. "그래서 우리는 크게 낭패를 보았죠. 그가 우릴 그렇게 대접해선 안 되지요……." "그가 어디로 갔는지 아십니까?" 내가 물었어. "아뇨. 물어도 소용이 없었답니다." 에그스트룀이 말했어. 구레나룻을 한 얼굴로 내 앞에서 굽실거리던 그는 두 팔을 어색하게 옆구리로 떨어뜨리고 있었는데 가느다란 은제 시곗줄이 파란색 서지 천을 주름 잡아 만든 조끼에서 아주 나직이 드리워져 있었어. "그런 사람이 특별히 어떤 곳을 찾아가지는 않겠죠." 그 소식을 듣고 너무 걱정한 나머지 나는 그 말에 대한 추가 설명을 요구하지도 못하고 있는데, 그가 말을 계속하더군. "그가 우리 가게를 떠난 것이, 그러니까 어디 보자, 홍해에서 순례자들을 싣고 귀국하던 기선이 프로펠러의 두 날개를 잃은 채 이곳에 기항하던 날이니까, 삼 주 전이군요." "파트나호 사건에 대해 뭐라고 이야기가 없었나요?" 나는 최악의 경우를 두려워하며 물었지. 그는 깜짝 놀라더니 마치 무당을 쳐다보듯 날 바라보는 것이었어. "네, 있었고말고요. 그걸 어떻게 아세요? 여기서 몇 사람이 그 이야기를 하고 있었거든요. 한두 분의 선장과 부두에 있는 반로 공작소 지배인, 두세 명의 다른 사람들, 그리고 내가 이야기를 하고 있었답니다. 짐도 여기서 샌드위치와 맥주 한 잔을 들고 있었지요. 선장님께서도 아시다시피 우리가 바쁠 때는 제대로 된 점심을 들 시간이 없거든요. 그는 이 테이블에 서서 샌드위치를 먹고 있었고 나머지 사람들은 망원경 주위에서 그 기선이 입항하는 걸 지켜보고 있었습니다. 이윽고 반로 공작소의 지배인이 파트나호의 기관장 이야기를 시작했습니다. 그가 그 기관장을 위해 배를 수리해 준 적이 있었답니다. 그러더니 그는 그 기선이 참으로 낡은 폐선이며 그런 배를 가지고서도 돈을 벌고 있더라는 이야기를 하더군요. 그가 그 기선의 마지막 항해를 언급하게 되자 우리 모두가 이야기에 끼어들었답니다. 한 사람이 이런 이야기를 하면 다른 사람은 저런 이야기를 했지만, 별 이야기는 아니었고 그저 누구나 할 수 있는 그런 이야기였을 뿐입니다. 그리고 우리는 웃기도 했지요. 사라 W. 그레인저호의 오브라이언 선장은 지팡이를 짚고 다니는 큰 체구의 떠들썩한 노인인데 갑자기 지팡이로 마룻바닥을 치면서 '스컹크 같은 놈들!'이라고 소리쳤지요. 우리는 모두 놀라서 펄쩍 뛰었답니다. 반로 공작소의 지배인은 우리 쪽으로 눈을 끔벅해 보이더니 '무슨 일이세요, 오브라이언 선장님?' 하고 물었습니다. '무슨 일은 무슨 일!' 노인이 소리치기 시작했습니다. '못난 사람들 같으니라고, 웃긴 왜 웃는 거요? 웃을 일이 아니라니까. 그 사건은 인간성에 대한 모욕이야. 모욕이고 말고. 나라면 그 녀석들과는 한 방에 있지도 않겠소. 않다마다.' 그는 흡사 내 눈을 붙잡을 듯했습니다. 그래서 내가 인사 삼아서 '물론 스컹크 같은 놈들이죠, 오브라이언 선장님!'이라고 말했지요. '저는 그런 녀석들은 이 방에 들여놓지 않을 겁니다. 그러니 이 방에서는 안심하십시오, 오브라이언 선장님. 뭐 시원한 것이나 한 잔 드시죠.' '그까짓 건 그만두라고, 에그스트룀.' 그가 눈빛을 번쩍이며 말했습니다. '내가 마시고 싶을 땐 큰 소리로 청할 테니까. 가야겠소. 이곳에선 고약한 냄새가 나는군.' 이 말을 듣자 다른 모든 사람들은 웃음을 터뜨렸고 노인을 따라 밖으로 나갔답니다. 그러자 그 짐이란 녀석이 손에 들고 있던 샌드위치를 내려놓고 테이블을 돌아 나에게로 옵디다. 잔에는 맥주가 가득히 채워져 있었지요. '저는 갑니다.' 그는 꼭 그렇게 말했습니다. '아직 1시 반이 되지 않았네. 담배나 한 대 피우고 가게나.' 내가 말했지요. 나는 그가 일하러 간다는 말을 하는 줄 알았지 뭡니까. 그의 의도를 알게 되자 내 팔에서 힘이 빠집디다. 선장님, 그런 유능한 사람을 언제든 구할 수 있는 건 아니거든요. 보트를 타고 다니는 데는 정말 귀신같았답니다. 어떤 기상 조건에서건 입항 선박을 맞으려고 몇 마일이건 나갈 태세였으니까요. 입항한 선장이 짐의 활약상을 잔뜩 늘어놓은 적이 한두 번이 아니었거든요. 그럴 때면 선장은 맨 먼저 이렇게 말하곤 했답니다. '에그스트룀, 당신이 고용한 그 점원 말이요, 그 친구 아주 무모한 미치광이입디다. 대낮인데도 나는 돛을 짧게 내리고 조심해서 항로를 더듬으며 입항하는데 바로 발아래의 안개 속에서 물에 반쯤 잠긴 보트가 나타나지 않겠어요. 아랫돛대 꼭대기는 온통 물보라이고 바닥에는 겁을 먹은 검은 피부의 토인이 두 명 타고 있는데, 키의 손잡이를 잡고 있는 녀석이 고함을 지르고 있는 거예요. 헤이, 헤이! 이보세요! 이보세요! 선장님! 헤이, 헤이! 에그스트룀 앤드 블레이크 상점의 점원이 맨 먼저 선장님께 인사를 드립니다. 헤이, 헤이! 에그스트룀 앤드 블레이크라고요. 헬로! 헤이! 어이! 토인들을 걷어차고 돛을 활짝 펴는 거예요. 그때 마침 스콜이 다가오고 있었거든요. 그는 나에게 돛을 펴면 자기가 입항을 안내하겠다고 고함을 질렀는데 그게 모두 인간이 아니라 악마의 언동 같았습니다. 내 일생 동안 보트를 그렇게 잘 다루는 사람을 본 적이 없다고요. 술에 취했을 리야 만무하잖아요? 그는 조용하고 말씨가 부드러운 녀석이거든요. 일단 배에 오르고 나면 소녀처럼 얼굴을 붉히기도 하더라니까.' 정말이지, 말로 선장님, 짐이 출동하는 날에는 다른 누구도 처음 입항하는 배를 상대로 거래를 트게 될 가망성이 전혀 없었답니다. 다른 선박 용품상들은 그저 구면의 단골들이나 상대해서 영업할 수 있었을 뿐이지요."

「에그스트룀은 감정에 압도되는 듯했어.

「"정말이지, 선장님. 우리 상점으로 배를 한 척 붙잡아 오기 위해서라면 그는 낡은 신짝을 타고 100마일쯤 바다로 나가는 것도 개의치 않을 듯했습니다. 이 사업이 자기 것이고 아직 자리 잡히지 않았다 하더라도 그 이상으로 애를 쓸 수는 없었을 겁니다. 그러던 그가…… 갑자기…… 그렇게 가 버릴 수 있단 말입니까! 나는 생각했지요. '그렇지! 봉급을 올려 달란 말이군. 그게 문제란 말인가? 좋아.' 그래서 내가 말했답니다. '지미, 나하고 그런 시비를 걸 필요는 조금도 없네. 받고 싶은 액수를 말해 보게. 사리에 맞는 액수라면 얼마든지 좋다네.' 그는 목에 걸린 것을 삼키고 싶어 하는 사람의 표정으로 날 바라보더군요. '이 가게에는 머물 수가 없습니다.' '그게 어쩌자는 농담인가?' 내가 물었지요. 그는 머리를 흔들었고, 나는 그의 눈빛을 보고 그가 이미 떠나 버린 것이나 다름없다는 걸 알 수 있었습니다. 그래서 나는 더없이 격한 어조로 그를 나무랐습니다. '무슨 일이 있었기에 도망치는 건가?' 내가 물었지요. '누가 자네를 괴롭히는 거야? 무얼 겁내고 있어? 자네는 쥐새끼만큼도 지각이 없구먼. 쥐도 튼튼한 배에서는 탈출하지 않는 법이라네. 더 나은 직장을 어디서 구할 작정인가? 이런저런 일을 해 보게나.' 이렇게 따지니까 그는 괴로운 표정입디다. '이 사업은 침몰하지 않는다네.' 내가 말했지요. 그는 갑자기 펄쩍 뛰며 '안녕히 계세요.'라고 말했는데, 마치 자기가 주인인 것처럼 나에게 고개를 끄덕였지요. '에그스트룀, 당신이 나빠서 떠나는 건 아닙니다. 내가 떠나야 하는 이유를 안다면 날 붙잡고 싶지도 않을 겁니다.' '그건 자네의 일생을 통해 가장 큰 거짓말일 걸세.' 내가 말했지요. '내 마음은 내가 잘 알아요.' 나는 너무 화가 났기 때문에 그만 웃을 수밖에 없었답니다. '이 맥주잔이나 비우고 떠나게나. 못난 사람 같으니라고!' 나는 그에게 무슨 일이 있었는지 지금도 모른답니다. 그는 문이 어느 쪽에 있는지도 모르는 듯하더라고요. 그야말로 우스운 일이지 뭡니까, 선장님. 그 맥주는 내가 마셨답니다. '자, 자네가 그처럼 바삐 떠나야 한다면 자네의 맥주로 자네의 행운이나 빌겠네.' 내가 말했지요. '다만 이 말은 해 두어야겠어. 자네가 계속 이렇게 살아간다면 이 세상이 자네를 지탱해 줄만큼 넓은 곳이 아니라는 것을 이내 알게 될 걸세. 내가 하고 싶은 말은 이것뿐이야.' 그는 암담한 표정으로 날 바라본 후 어린이들이 보면 겁을 먹을 만한 얼굴을 하며 밖으로 달려 나갔답니다."

「에그스트룀은 신랄하게 콧방귀를 뀌면서 마디가 굵은 손가락으로 한쪽 뺨의 불그레한 구레나룻을 쓸어내리더군. "그러고 나서는 쓸 만한 사람을 아직도 구하지 못했답니다. 사업을 하다 보면 온통 걱정할 일밖에 없네요. 이런 걸 물어봐도 괜찮을지 모르겠습니다만, 선장께선 어떻게 그를 알게 되셨나요?"

「"그가 바로 그때 파트나호에 타고 있던 항해사였답니다." 뭔가 해명해 주어야 할 의무를 느낀 나머지 내가 말했어. 에그스트룀은 한쪽 뺨 구레나룻에 손가락을 묻은 채 가만히 있더니, 감정을 폭발시키더군. "세상에 누가 그런 걸 상관한답니까?" "정말이지, 아무도 상관이야 하지 않지요……." 내가 이야기를 시작했지. "도대체 무슨 놈의 인간이기에 이런 식으로 살아간담?" 그는 갑자기 왼쪽 구레나룻으로 입을 막더니 놀란 듯이 서 있었어. "젠장." 그가 소리쳤어. "이 세상은 그의 광분을 지탱해 줄만큼 넓은 곳이 되지 못할 거라고 녀석에게 말해 주었다고요."」

19장

「짐이 자기 삶에서 새로운 환경을 맞을 때마다 어떻게 처신하는지 보여 주려고 나는 이 두 에피소드를 상세히 늘어놓았네. 그런 에피소드라면 이 밖에도 많이 있지. 두 손의 손가락으로는 다 셀 수도 없을 만큼 많다니까.

「그 에피소드들은 똑같이 고결하되 부조리한 의도로 물들여져 있었고, 그 부조리함이 에피소드들의 무위(無爲)함을 심오하고 감동적인 것으로 만들고 있었어. 한 유령을 상대로 싸우기 위해 두 손을 자유롭게 해야겠다는 목적으로 일상의 생계책을 팽개친다는 것은 멋도 없는 영웅주의 행위로 보일지도 몰라. 그간 반생을 살아오며 우리는 이 세상에서 유랑자를 만들어 내는 것이 망령에 시달리는 영혼이 아니라 배고픈 육신이라는 걸 잘 알고 있지만, 망령과 싸우려고 생계책을 팽개친 사람들은 늘 있었지. 그래서 그간 먹고살아 왔고 또 매일 먹고살아야겠다고 마음먹은 사람들이 그 훌륭한 어리석음을 보고는 박수를 보내곤 했어. 그는 참으로 불행한 사람이었어. 그 모든 무모한 짓도 망령의 그늘로부터 그를 벗어나게 하지는 못했으니까. 그의 용기가 늘 의심받고 있었어. 실은 망령 같은 사실을 잠재우기가 불가능했던 것 같아. 우리는 그 망령과 맞서거나 아니면 피할 수 있을 뿐이야. 늘 자기네를 따라다니는 허깨비를 보고도 묵과할 수 있는 사람들을 한둘 만난 적은 있어. 짐은 그렇게 묵과하며 살 수 있는 위인이 되지 못했음이 분명해. 하지만 그의 행동 방향이 그 유령을 피하자는 것인지 아니면 그것과 맞서자는 것인지 나로서는 무어라고 단정할 수가 없었어.

「나는 내 마음의 눈을 긴장시키며 알아보려 했지만, 모든 행동의 겉 표정이 그렇듯이, 그 차이가 너무 미묘해서 분간할 수 없다는 것을 알아냈을 뿐이야. 그게 도망치는 것일 수도 있었고 싸움의 한 형태일 수도 있었어. 보통 사람들이 보기에 그는 일터를 빈번히 옮기는 못난이였어. 바로 그런 측면이 가장 우스운 부분이었기 때문이야. 시간이 얼마 흐르자 지름이 3000마일쯤 되는 그의 유랑 지역 내에서 그는 완벽하게 알려졌고 악명을 떨치기까지 했지. 그건 마치 한 시골 괴짜가 자기 고장 전역에 잘 알려지는 것과 같았어. 가령 방콕에서 그는 용선업자요 티크 목재상이었던 유커 형제 상회에 고용되어 있었는데 땡볕에서 자기의 비밀을 끌어안고 나돌아 다니는 광경은 애처로울 지경이었지. 그 비밀은 상류 지방 강가의 동작이

굶뜬 사람들에게까지도 알려져 있었으니까. 그가 머물고 있던 호텔의 주인 숌버그는 털이 숭숭 난 사내다운 체격의 알자스 태생으로서 그 지방의 스캔들을 가십 삼아 떠벌리지 않고는 못 배기는 사람이었어. 그는 자기 손님 중에 혹시 비싼 술에 곁들여서 가십까지 들으려는 사람이 있으면 두 팔꿈치를 테이블이 고인 채 이야기를 각색해서 들려주곤 했으니까. "그런데 말씀이에요. 그런 멋진 녀석을 만나기는 어려울걸요. 아주 뛰어나지요." 그는 짐에 대해 이런 식으로 관대한 결론을 내리곤 했지. 짐이 방콕에서 육 개월 동안이나 나돌아 다닐 수 있었다는 것은 숌버그의 호텔을 출입하던 뜨내기 군중을 위해 많은 것을 말해 주고 있어. 나는 사람들이, 전혀 낯선 사람들까지도, 마치 잘생긴 아이에게 애착을 느끼듯이 그에게 집착하는 걸 눈여겨보았거든. 그의 태도는 과묵했지만, 어딜 가든 그의 용모, 머리카락, 눈, 미소 등은 그에게 친구들을 만들어 주었어. 게다가 그는 물론 바보가 아니었으니까. 스위스 태생의 지그문트 유커는 몹쓸 소화불량에 시달리던 점잖은 녀석으로서 발을 너무 심하게 저는 통에 걸음을 뗄 때마다 머리가 90도 정도의 원을 그리며 휘둘리고 있었어. 언젠가 한번 그가 짐에 대해서 젊은이치고는 '대단한 능력'을 가지고 있다고 칭찬하는 것을 들은 적이 있는데, 그는 마치 '능력'이라는 것이 '입체적 용량'의 문제인 것처럼 말하더군. "그를 상류 쪽으로 보내는 것이 어때요?" 내가 걱정이 되어 제안해 보았지. 유커 형제 상회는 내륙 지방에 조차지와 티크 숲을 가지고 있었거든. "말씀하신 대로 그에게 능력이 있다면 이내 업무를 장악할 겁니다. 게다가 신체적인 면에서도 그는 아주 적합하지요. 그의 건강은 늘 좋으니까." "아! 이 지역에서는 소화불량 없이 지낸다는 것이 굉장한 일이지요." 가엾은 유커는 부럽다는 듯이 한숨지으며 자기의 망가진 위장이 있는 배의 우묵한 부분을 몰래 바라보더군. 나는 그가 생각에 잠긴 채 책상을 때리면서 독일어로 "그것 좋은 생각이군요. 좋은 생각이야"라고 중얼거리는 것을 들으며 나왔지. 그런데 불행히도 바로 그날 저녁에 호텔에서는 불상사가 일어났지 않았겠나.

「내가 짐을 너무 탓하는 건지도 모르겠지만 그건 참으로 유감스러운 사건이었어. 바 룸에서 흔히 있는 그런 한심스러운 주먹다짐 같은 것이었으니까. 상대방은 변변찮은 사팔뜨기 덴마크인이었는데, 그의 명함을 보면 천박한 이름 뒤에 왕립 태국 해군 소령이라고 되어 있더군. 물론 그 녀석은 당구 게임에서 전혀 승산이 없었지만, 지는 것만은 싫어했던 것 같아. 여섯 번째 게임이 끝난 후에 이미 심통을 부릴 만큼 술에 취해 있던 그가 짐에게 뭐라고 능멸하는 말을 했던가 봐. 그곳에 있던 사람들은 대부분 그의 말을 듣지 못했고, 그 말을 들은 사람들도 즉시 뒤따랐던 끔찍한 결과에 놀란 나머지 그만 정확한 기억조차 놓쳐 버린 듯해. 덴마크인이 수영을 할 수 있었던 것은 그나마 큰 다행이었어. 방에서 나가면 베란다가 있었고 그 아래로 아주 넓고 침침한 메남강이 흐르고 있었거든. 어떤 배에 가득히 타고 십중팔구 도적질이나 하러 가고 있었을 중국인들이 그 태국 왕의 장교를 건져 올렸고, 자정께 짐은 모자도 쓰지 않은 채 내 배에 승선하더군. "그 방에 있던 사람들이 모두 알고 있는 듯했습니다." 그는 사실 싸움 끝이라 여전히 헐떡이면서 말했어. 그는 그런 시비를 건 데 대해 원칙적으로는 미안하게 생각하지만 그 경우에 자기에게는 "선택의 여지가 없었다."는 거였어. 그의 속이 상한 것은 마치 자기가 그 정신적 부담을 어깨에 메고 다니기라도 한 것처럼 모든 사람들에게 그 성격이 잘 알려져 있다는 것을 알아냈기 때문이야. 그 일이 있고 난 후 그가 그곳에 더 이상 머물 수 없었다는 건 당연해. 그런 야만적인 폭행에 대해서는 모든 사람들이 그를 규탄했는데, 그처럼 미묘한 처지에 있는 사람에게는 그런 폭력이 전혀 당치가 않았던 거야. 어떤 이들은 당시 그가 꼴사나울 정도로 취해 있었다고 주장했고, 다른 이들은 그가 눈치 없는 짓을 했다고 비난했거든. 숌버그까지도 지독히 속이 상했더군. "그는 아주 훌륭한 젊은이지요." 그가 논쟁을 하듯이 나에게 말했어. "하지만 소령 또한 멋진 사나이라고요. 그는 매일 저녁 내가 차린 정식(定食)을 먹는답니다. 게다가 당구 큐까지도 하나 부러졌어요. 난 그런 짓을 용납할 수 없다고요. 오늘 아침에 내가 맨 먼저 한 일은 소령을 찾아가서 사과하는 것이었지요. 그리고 나로서는 잘 처리했다고 생각합니다. 하지만 선장님, 모든 사람들이 이런 식으로 게임을 하기 시작한다면 어떻게 될지 생각해 보세요. 원 참, 그 사람은 익사했을지도 몰라요. 게다가 이곳에서는 내가 이웃 거리로 뛰어가서 새 큐를 사 올 수 있는 것도 아니랍니다. 유럽으로 편지를 써서 주문을 해야 합니다. 맙소사! 그런 식으로 성미를 부려서는 안 되지요!……." 숌버그는 그 문제로 몹시 속이 상해 있었어.

「그건 그가 숨어 지내던 중에 있었던 최악의 사건이었지. 그걸 보고 나만큼 원통하게 생각한 사람은 없을 거야. 누군가가 그의 이름이 언급되는 것을 듣고서 "오, 그럼요! 알고 있죠. 그 사람은 이곳에서 한참 동안 나돌아 다녔거든요."라고 말한다 하더라도, 그 과정에 그가 혹평이나 조롱을 당하는 것만은 용케 모면하고 있었기 때문이야. 하지만 그 마지막 사건은 나를 몹시 불안하게 했어. 왜냐하면, 만약 까다로운 감수성 때문에 그가 선술집에서나 벌어질 만한 싸움에 여러 번 휘말리게 된다면, 결국 그는 남의 속을 상하게 해도 해를 끼치지는 않을 바보라는 평가 대신 하찮은 떠돌이라는 평판을 얻게 될 것이기 때문이었어. 내가 그를 그처럼 신임하고 있었음에도 불구하고, 그렇게 될 경우에는 떠돌이라는 평판과 실제로 떠돌이가 되는 것 사이에는 한 발짝밖에 차이가 없을 거라고 생각하지 않을 수 없었지. 자네들도 이해하고 있겠지만, 그 무렵에 이미 나는 그의 문제에서 손을 뗀다는 것을 생각조차 할 수 없었거든. 나는 그를 내 배에 태우고 방콕을 떠나 긴 항해를 했지. 그가 자기 자신 속으로 움츠려 드는 것을 보니 불쌍해지더군. 선원이란, 그저 승객의 자격으로 배를 탔을 경우에도, 배에 대해서는 관심을 가지게 되고, 예를 들어, 다른 사람이 그린 그림을 바라보는 화가처럼 비판적인 감상의 자세로 선원생활을 바라보게 되는 법이야. '근무 태세'라는 말이 있거니와, 어떤 면에서 보아도 그 승객은 근무 태세에 있는 셈이지. 그러나 짐은 마치 밀항자처럼 대부분의 시간을 갑판 아래서 어슬렁거리고 있었어. 그의 기분에 감염된 나머지 나는 항해 중인 두 선원 사이에 자연히 등장하게 될 전문적인 화제를 기피하고 있었어. 하루 종일 우리는 말을 한마디도 나누지 않았다니까. 그의 앞에서 나는 간부 선원들에게 명령을 내리는 일조차 지극히 꺼렸다고. 흔히 갑판이나 선실에서 그와 단둘이 있을 때면, 우리는 서로 눈길을 어디로 두어야 할지 몰라 난처해지곤 했지.

「나는 그를 드용에게 맡겼어. 알다시피, 나는 어떤 식으로든 그를 처치할 수 있어서 기뻤지만 그의 처지가 이제는 견디기 어려워지고 있다는 생각도 들더군. 쓰러질 때마다 다시 일어서서 타협할 줄 모르는 위치를 되찾게 해주던 그의 탄력성도 그 무렵에는 이미 상당히 상실되고 없었다니까. 어느 날 상륙 도중에 나는 그가 부두에 서 있는 것을 보았지. 정박장과 근해의 바닷물이 평평하게 솟아 하나의 면을 이루고 있었고, 가장 바깥쪽에 정박하고 있던 배들은 움직임 없이 하늘을 타고 있는 듯했어. 우리의 발치에 있던 그의 보트에 출항 준비 중인 선박으로 보낼 작은 상품 꾸러미들이 적재되는 동안 그는 기다리고 있었던 거야. 인사를 나눈 후 우리는 말없이 나란히 서 있는데 그가 갑자기 말했어. "젠장! 이 일은 너무 고달프네요."

「그는 내게 미소를 지었어. 어려운 가운데서도 그가 늘 미소를 지을 줄 아는 사람이었음을 말해 두어야겠군. 나는 아무 답도 하지 않았어. 그가 자기의 직무를 가리키는 것이 아님을 나는 잘 알고 있었어. 그는 드용의 가게에서 편안하게 지내고 있었으니까. 그럼에도 불구하고, 그의 말이 떨어지자 나는 그 일이 무척 고달플 것이라고 확신했지. 나는 그를 쳐다보지도 않으며 말했어. "이 지역을 영영 떠나고 싶은가? 캘리포니아나 서부 해안으로 가서 살아보게. 내가 도울 수 있는 일이 있는지 알아보겠네……." 그는 약간 비웃는 듯이 내 말을 가로챘어. "그런다고 무엇이 달라지겠습니까?……" 나는 대번에 그의 말이 옳다고 생각했지. 그런다고 달라질 건 없었던 거야. 그게 그가 원하는 구원은 아니었어. 그가 원하는 것이랄까, 실제로 기다리고 있는 것은 무어라 단정하기 어려웠지만 성격상 모종의 기회였거든. 나는 그에게 많은 기회를 제공했지만, 모두 밥벌이 수단에 불과했던 거야. 하지만 누군들 그 이상 무얼 할 수 있었겠나? 그런 처지가 내게는 절망적으로 비쳤고, 가엾은 브라이얼리가 "그로 하여금 땅 밑으로 20피트쯤 기어 들어가서 그곳에 머물게 해야 돼."라고 말하던 일이 다시 생각나더군. 이처럼 땅 위에서 불가능한 기회를 기다리기보다는 차라리 그렇게 하는 것이 더 낫겠다는 생각이 들더군. 하지만 그것조차 확신은 서지 않더라니까. 그때 그 자리에서, 그의 보트가 부두를 떠나 노 길이의 세 배만큼도 가지 않았을 때, 나는 저녁에 스타인을 찾아가 상담을 해야겠다고 마음먹고 있었지.

「이 스타인이라는 사람은 부유하고 존경받는 상인이었어. 그의 '상회'는 여러 섬 사이를 오가는 대규모 상거래를 하고 있었고 산물을 수집하기 위해서 가장 궁벽한 곳까지 많은 거래소를 설치해 두고 있었거든. 업체의 명칭이 스타인 앤드 컴퍼니

였으니 '상회'라고 해서 손색은 없었던 셈이지. 스타인은 몰루카[32] 지역을 돌보는 모종의 동업자도 있었다고 말했어. 정확히 말해서, 그가 재산이 많고 존경받는 위치에 있다는 이유만으로 내가 그의 조언을 구하고자 한 건 아니야. 내가 처한 어려움을 그에게 터놓고 이야기하고 싶었던 것은 그야말로 내가 알고 있던 믿음직한 사람들 중의 한 사람이었기 때문이야. 사실 순박하면서도 지칠 줄 모르며 이지적이었던 그의 착한 성품에서 나온 부드러운 빛이 수염 없는 긴 얼굴을 비추고 있었어. 깊은 주름이 아래로 처진 그의 얼굴은 별 활동 없이 지내온 사람처럼 파리했었지. 그러나 사실 그가 그런 식으로 살고 있었던 건 아니야. 그는 엷은 머리숱을 높다랗고 우람한 이마 뒤로 빗어 넘기고 있었어. 그가 스무 살 때에도 예순이 된 당시와 용모가 똑같았을 것이라는 생각이 들더군. 그건 학생의 얼굴이었지. 다만 하얗게 변한 두껍게 우거진 눈썹과 그 아래에서 나오는 단호하고 탐색적인 눈빛은 그의(뭐랄까) 학식이 있어 보이는 용모와 조화를 이루지 못하고 있었어. 그는 키만 컸지 다부지지는 못했어. 허리가 약간 굽은 데다가 천진난만한 미소까지 지을 때면 그는 호의를 가지고 사람들의 이야기에 귀를 기울이려고 하는 것처럼 보였다고. 긴 팔과 파리하고 큼직한 손은 무언가를 가리키며 시범을 보이려는 듯이 무척 신중한 제스처를 짓곤 했지. 내가 그의 용모에 대해 상세히 이야기하는 이유는 이런 외모 이면에, 그리고 올곧고 관대한

---

32) 오늘날의 인도네시아에서 술라웨시와 뉴기니섬 사이에 있는 군도.

성품과 연계해서 그가 일종의 정신적 대담성과 육체적 용기를 지니고 있었기 때문이야. 그 대담성과 용기는, 예를 들어, 훌륭한 소화력처럼 전적으로 자의식이 없는 육신의 자연스러운 기능처럼 보이니까 망정이지 그렇지 않았더라면 무모하다고 일컬어질 수도 있었을 거야. 우리는 이따금 사람들에 대해서 '목숨을 내놓고 다니는 사람'이라는 말을 하지 않는가. 이런 말을 그에게 적용한다면 그건 부적절할 거야. 그가 동양에 와서 살기 시작하던 초기에 그는 자중자애하며 살았으니까. 이 모든 것은 이제 과거의 일이지만 나는 그가 살아온 이야기며 재산을 모으게 된 내력을 알고 있었어. 그는 또한 상당히 뛰어난 박물학자이기도 했는데, 어쩌면 박식한 수집가라고 해야 옳을지도 모르겠군. 곤충학이 그의 전문 분야였거든. 그는 부프레스티도에와 롱기코른스라는 학명의 딱정벌레[33]들을 수집하고 있었는데 그 무섭게 생긴 작은 괴물들은 죽어서 꼼짝하지 않는데도 마치 악의를 품고 있는 것처럼 보이더라니까. 그리고 그의 캐비닛에는 생명 없는 날개들을 담은 상자의 유리 아래서 아름다운 나비들이 떠 있는 듯했지. 이런 수집품들 덕분에 그는 온 세계에 명성을 떨치고 있었어. 그는 상인이요 모험가였으며 언제나 '내 가엾은 모하메드 본소'라고 지칭하던 한 말레이족 술탄을 위해서는 얼마 동안 자문 역을 맡기도 했는데, 그의 이름이 유럽의 학자들에게 알려지게 된 것은 죽은 곤충들을

33) 전자(Buprestidoe)는 화려한 비단벌레를, 후자(Longicorns)는 더듬이가 긴 딱정벌레를 각각 가리킨다.

여러 상자 수집해 놓았기 때문이었어. 하지만 학자들은 그의 일생이나 성품에 대해서는 아무것도 몰랐고 알고 싶어 하지도 않았을 거야. 그런 걸 알고 있던 나는 그 사람이야말로 내 자신의 곤경뿐만 아니라 짐의 곤경까지 털어놓고 이야기하기에 가장 알맞은 사람이라고 여겼지.」

20장

「나는 저녁 늦게 희미하게 조명된 품위 있고 텅 빈 식당을 거쳐 그의 서재로 들어갔어. 온 집이 조용하더군. 늙수그레하고 침통하게 생긴 자바 출신 하인이 하얀 저고리와 노란 사롱을 제복으로 걸치고 앞장섰는데, 그는 문을 활짝 열더니 "주인어른!"이라고 나직이 부른 후에 비켜서더니 신비롭게 사라지더군. 마치 나를 인도하는 역할을 맡기 위해 순간적으로만 체현(體現)했다가 사라지는 유령 같더라니까. 스타인은 앉아 있던 의자와 함께 몸을 돌렸고, 그 동작 중에 그의 안경이 이마 위로 밀려 올라가는 듯했어. 그는 조용하고도 유머러스한 목소리로 날 환영하더군. 그 넓은 방에서 책상이 놓여 있던 한쪽 구석만 갓이 달린 독서등으로 밝게 조명되어 있었고, 나머지 공간은 동굴처럼 형체 없는 어둠 속으로 용해되어 버린 듯했어. 모양과 색채가 일정한 어두운 상자들로 가득한 선반이 벽을 둘러가며 설치되어 있었는데, 바닥에서 천장 사이에 약 4피트 폭의 침침한 띠를 이루고 있었지. 딱정벌레들의 무덤이었던 거야. 나무판들이 그 위에 일정치 않은 간격으로 걸려 있었고. 그중의 하나에 불이 비치고 있었는데 금색 글자로 씌어진 콜레옵테라[34]라는 낱말이 넓은 어둠 위로 신비롭게 번쩍이더군. 수집된 나비를 담고 있던 유리 상자들은 다리가 가는 작은 탁자들 위에 세 줄로 길게 놓여 있었고, 그중의 하나가 제자리에서 책상 위로 옮겨져 있었는데, 책상에는 작은 글자들이 까맣게 씌어진 길쭉한 종잇조각들이 흩어져 있었어.

「"그래, 자네가 날 보러 왔군. 그렇지." 그가 말하더군. 나비 한 마리가 외로이 장엄함을 과시하며 어두운 청동색 날개를 펴고 있던 상자 위에서 그의 손이 어른거리고 있었어. 그 날개는 가로 길이가 7인치쯤 되었는데 미묘하게 그어진 하얀 줄들과 화려하게 가장자리를 장식하는 노란 점들이 보이더군. "자네의 나라 런던에 가면 이 표본이 하나 있지. 그러고는 이 세상에 더 없는 표본일세. 내가 태어난 작은 고을에 이 수집품들을 물려줄 걸세. 내 자신의 일부나 다름없지. 최상품이야."

「그는 의자에서 앞으로 몸을 숙이고, 상자의 앞면에 턱을 대고 곰곰이 응시하고 있었어. 나는 그의 등 뒤에 서 있었지. "경이롭군." 그는 속삭이면서 내가 와 있다는 걸 잊고 있는 듯했

34) Coleoptera. 딱정벌레를 가리키는 학명.

어. 그의 이력은 기이했어. 바바리아[35]에서 출생한 그가 스물한 살이 되던 젊은 시절에는 1848년 혁명운동[36]에 열심히 가담했다는 거야. 심각한 신상의 위협을 느낀 그는 간신히 도망쳐 나와 처음에는 트리에스테에 있는 어느 가난한 공화주의자 시계 제조공을 찾아가서 숨어 지냈어. 거기서 그는 싸구려 시계 제품을 들고 트리폴리로 가서 행상인 노릇을 하며 돌아다녔다는 거야. 그러니 참으로 화려한 출발이었다고 할 수는 없었지만, 결국은 그게 행운이었음이 판명되었지. 거기서 그는 어떤 홀란드인 여행자를 만났는데 꽤 유명한 사람이었지만 이름은 생각이 나지 않는군. 스타인을 조수처럼 고용해서 동양으로 데리고 간 사람이 바로 그 박물학자였거든. 그들이 더러는 함께 더러는 떨어져서 말레이 군도를 여행하면서 곤충과 새 수집에 사 년 이상을 보냈다는 거야. 그 후 박물학자는 귀국했고 돌아갈 나라가 없던 스타인은 한 늙은 상인에게 의지해서 남아 있게 되었어. 셀레베스라는 섬에도 내륙이 있다고 할 수 있을지 모르겠지만, 그가 그 섬의 내륙 지방을 여행하던 중에 그 상인을 만났던가 봐. 당시 그 지역 거주를 허용받았던 유일한 백인이던 그 늙은 스코틀랜드인은 와조 제국(諸國)의 우두머리 통치자였던 한 여인의 친구가 되어 특권을 누리고 있었어. 몸 한쪽이 약간 마비되어 있던 그 사람이 병의 재발로 인해 세상을 뜨기 직전에 스타인을 원주민 궁정에

35) 독일 남부의 주. 수도는 뮌헨.
36) 유럽에서 일어났던 일련의 혁명 운동. 독일에서는 입헌주의와 민족주의에 의해 촉발됐다.

소개해 주었다는 이야기를 그는 나에게 자주 들려주곤 했지. 그는 육중한 사람으로서 존대해 보이는 하얀 수염에 키가 몹시 컸다는 거야. 그가 국무회의실로 들어가니 모든 라자[37]들이며, 고관들이며 족장들이 모여 있었고 여왕은 덮개가 있는 높다란 침상에 비스듬히 누워 있더라는 거야. 그런데 그 뚱뚱하고 주름살 많은 여인은 말을 함부로 하더라고 스타인이 말했어. 그는 지팡이로 쿵쿵 소리를 내며 한쪽 발을 질질 끌었고 스타인의 팔을 잡고 똑바로 침상 쪽으로 인도하더라는 거야. "이봐요, 여왕님, 그리고 라자 여러분, 이 사람은 내 아들입니다." 그는 아주 큰 목소리로 선언했던가 봐. "나는 당신네 부친들을 상대로 교역해 온 사람인데, 내가 죽으면 이 사람이 당신들과 당신네 아들들을 상대로 교역하게 될 거요."

「이런 간단한 형식을 통해 스타인은 그 스코틀랜드인의 특혜받는 지위와 모든 거래 상품뿐만 아니라 그 나라에서 배가 다닐 수 있는 유일한 강의 둔덕에 있던 요새화된 집까지 한 채 물려받게 되었다는 거야. 얼마 후에 말을 함부로 하던 늙은 여왕이 죽자, 왕위 계승권을 주장하는 사람들이 많아서 온 나라가 어지러워졌지. 스타인은 여왕의 연하(年下) 쪽 아들 중의 하나를 골라 편을 들었는데, 그가 바로 삼십 년 후에 스타인이 '내 가엾은 모하메드 본소'라는 이름으로만 지칭하던 바로 그 사람이야. 두 사람은 수많은 공을 세운 영웅이 되었고, 놀

---

37) rajah. 원래 인도에서 왕을 가리켰으나 말레이시아에서는 '통치자' 또는 '우두머리'의 뜻으로 쓰이고 있음.

라운 모험도 많이 했으며, 한번은 그 스코틀랜드인 집에서 스무 명쯤 되는 추종자들만 거느리고 많은 공격군을 상대로 한 달 동안의 포위를 견뎌 낸 적도 있었대. 원주민들은 오늘날까지도 그 전쟁 이야기를 하고 있을 거야. 한편 스타인은 자기가 잡을 수 있었던 나비와 딱정벌레를 어김없이 자기 수집품에 추가하곤 했어. 팔 년에 걸친 전쟁, 협상, 거짓 휴전, 갑작스러운 전투 발발, 화해, 배반 등을 겪은 후에 평화가 드디어 정착하는 듯했을 때, 그의 '가엾은 모하메드 본소'는 어느 날 사슴 사냥을 성공적으로 마치고 자신의 궁정으로 기고만장하게 돌아와 문간에서 말을 내리다가 살해되었어. 그 사건이 스타인의 처지를 극히 불안정하게 했다는 거야. 그러나 얼마 후에 그가 모하메드의 누이까지 잃지만 않았던들 아마도 그는 거기에 머물고 있었을 거야. 그가 늘 엄숙한 목소리로 '내 사랑하는 공주 아내'라고 부르곤 하던 그 여인과 스타인 사이에는 딸이 하나 있었지만 그 모녀는 어떤 열병에 감염되어 사흘 간격을 두고 모두 죽었다는 거야. 그 가혹한 상실로 인해 그곳이 견딜 수 없는 곳으로 되자 그는 떠나고 말았어. 그의 일생에서 최초의 모험적인 부분은 이렇게 끝나고 말았지. 그 뒤에 있었던 일은 앞부분과 너무나 달랐기 때문에, 자기에게 남아 있던 그 슬픔이라는 현실만 아니었다면, 그 기이한 뒷부분이 꿈결처럼 보였을 것임이 틀림없어. 약간의 돈을 가지고 있던 그는 삶을 새로이 시작했는데, 몇 년 후에는 상당한 재산을 모았다는 거야. 처음에는 그가 도서 지방을 빈번히 여행하곤 했지만, 그도 모르는 사이에 노령이 다가와서 근년에는 고을에서 3마일 떨어진 교외의 널찍한 집을 떠나는 일이 별로 없었어. 그 집에는 넓은 정원이 있었고 주위에는 마구간이며 사무실 그리고 그가 거느리고 있던 많은 하인과 식솔들이 사는 대나무 오두막들이 둘러서 있었어. 매일 아침 그는 이륜마차를 타고 고을로 나갔는데, 그곳 사무실에는 백인과 중국인 서기들이 근무하고 있었지. 그는 스쿠너 범선과 원주민들의 배로 구성된 작은 선단(船團)을 가지고서 도서 지방의 산물을 대규모로 거래하고 있었어. 그 일을 빼고는 고독하게 산 편이지만 인간 혐오증에 걸려 있지는 않았지. 그에게는 책과 수집품이 있었고, 표본을 분류해서 정돈하고, 유럽의 곤충학자들과 서신을 교환하고, 소장된 귀중한 곤충들을 기술하는 카탈로그를 작성하는 일이 있었으니까. 내가 뚜렷한 희망도 없이 짐의 문제를 상담하러 찾아간 사람은 바로 그런 인물이었어. 그가 짐에 대해서 하게 될 말을 듣기만 해도 내게는 위안이 되었으니까. 나는 몹시 이야기를 시작하고 싶었지만, 그가 정열적으로 집중해서 나비 한 마리를 바라보는 것을 보고는 존중해 주고 있었어. 그 여린 날개의 청동색 광채라든지 하얀 선이라든지 화려한 무늬에서 그는 마치 다른 무엇을 보고 있는 듯했는데, 그건 죽어서도 손상되지 않은 화려함을 보여주는 여리고 생명 없는 나비의 조직만큼이나 쉽게 손상될 수 있으면서도 파괴는 거역하는 어떤 무엇의 이미지였어.

「"경이롭지!" 그는 날 쳐다보며 거듭 말했어. "보라고! 이 아름다움 말일세. 하지만 이건 아무것도 아니야. 이 정확성이며 조화 좀 보라니까. 너무나 여리단 말이야! 그런데도 이처럼 강하지! 이처럼 정확하기도 하고! 이야말로 자연이고, 거대한 힘들이 이루는 균형이야. 모든 별이 그렇고, 모든 풀잎이 그렇게서 있지. 그리고 완벽한 균형 상태에 있는 힘찬 우주가 이것을 만들어낸단 말이야. 이 경이로움과 자연의 걸작품을 좀 보게. 자연은 위대한 예술가라네."

「"곤충학자가 이렇게 떠벌리는 것을 들은 적이 없네." 내가 기분 좋게 말했어. "걸작이라니! 그렇다면 인간은 어떤가?"

「"인간도 놀랍긴 하지만 걸작은 못 돼." 그는 유리 상자에서 눈을 떼지 않으며 말했어. "아마도, 인간을 만든 예술가가 약간은 미쳤던가 봐. 응? 자네는 어떻게 생각하나? 아무도 원하지 않는데 인간이 나타난 것처럼 보일 때가 가끔 있어. 인간을 위한 자리가 마련되어 있지 않는데도 말이야. 그렇지 않다면 어찌하여 인간이 모든 곳을 갖고 싶어 할까? 어찌하여 인간은 여기저기 뛰어다니면서 주위에 큰 소동을 벌이거니 별에 대한 이야기를 하거니 풀잎을 어지럽히거니…… 한단 말인가?"

「"나비도 잡으면서." 내가 맞장구를 쳤지.

「그는 미소를 지으며, 몸을 의자에서 뒤로 젖히더니 두 다리를 쭉 펴고 말했어. "앉게나. 어느 갠 날 아침에 내가 직접 이 희귀한 표본을 포획했다네. 그때의 기분은 날아갈 듯했지. 수집가가 이런 희귀한 표본을 포획할 때의 기분이 어떤지 자네는 모를 거야. 모르고말고."

「나는 흔들의자에서 편안한 자세로 미소를 짓고 있었어. 그는 눈으로 응시하던 벽 너머로 먼 곳을 내다보고 있는 듯하더군. 그러고 나서 그는 어느 날 밤에 그의 '가엾은 모하메드'가

심부름꾼을 보내 자기 거처에서 만나자고 요청했다는 이야기를 했어. 그 거처는 경작된 평원에 난 오솔길로 9마일이나 10마일쯤 떨어진 곳에 있었는데 여기저기에 숲이 있었지. 이른 아침에 그는 어린 딸 에마를 껴안아주고 아내였던 '공주'에게 지휘를 넘기고 나서 요새화된 집에서 출발했다는 거야. 그녀가 한쪽 손을 말의 목에 댄 채 대문까지 따라 나오던 일도 그는 그려 보이고 있었어. 그녀는 하얀 저고리를 입고, 머리에는 황금 핀을 꽂고 있었으며, 왼쪽 어깨 위로 매고 있던 갈색 혁대에는 권총이 있었다는 거야. "아내는 여느 아낙들처럼 말하더군." 스타인이 말했어. "도중에 조심할 것이며 어두워지기 전에 돌아오도록 노력하라고 하면서 내 혼자 가는 거야말로 지독히 잘못된 일이라고 하더군. 우리는 전쟁 중이었고, 그 나라는 안전한 곳이 아니었거든. 내 부하들은 방탄 덧문을 닫고 소총에 장전을 했는데, 아내는 나더러 자기 걱정일랑 하지 말라는 거야. 내가 돌아올 때까지 어느 누구를 상대해서도 집을 방어할 수 있다는 거야. 그래서 나는 조금은 즐겁게 웃어 주었지. 나는 아내가 그처럼 용감하고 젊고 강하다는 것이 흐뭇했던 거야. 나도 그때는 젊었지. 대문간에서 아내는 내 손을 잡더니 꼭 누른 후에 뒤로 물러났어. 나는 등 뒤에서 빗장을 거는 소리가 들릴 때까지 말을 세워 두고 있었지. 나에게는 큰 원수가 하나 있었는데, 아주 신분이 높은 악당이기도 했던 그자가 패거리를 이끌고 인근에서 어슬렁거리고 다니던 시절이었거든. 나는 4, 5마일쯤 구보로 갔어. 전날 밤에 비가 내렸지만 안개는 걷히는 중이었고 깨끗한 대지의 얼굴이 나를 향해 어린이처럼 신선하고 천진하게 미소를 짓고 있었지. 갑자기 누군가가 일제사격을 했는데 적어도 스무 발은 되는 듯했어. 내 귓전에 총알이 지나가는 소리가 들렸고 모자가 머리 뒤로 넘어가더군. 작은 음모가 있었던 거야. 그들이 내 가엾은 모하메드에게 시켜 나를 불러들이게 한 후 매복하고 있었어. 나는 순식간에 모든 것을 알아차리고는 꾀를 좀 부려야겠다고 생각했지. 내 조랑말은 비명을 지르며 껑충 뛰어올랐다가 서더군. 그래서 나는 천천히 앞으로 몸을 숙이면서 머리를 말갈기에 숨겼지. 말은 걷기 시작했는데 한쪽 눈으로 말의 목덜미 너머를 보니까 왼쪽 대나무 숲 앞에 희미한 초연(硝煙)이 보이더군. 나는 '아하, 이 녀석들아, 좀 기다렸다 쏘지 그랬니? 아직은 성공하지 못한 거라고. 오, 못했고말고!'라고 생각했어. 나는 오른손으로 가만히, 가만히 권총을 잡았어. 어쨌든 그 악당들은 일곱 명밖에 되지 않았거든. 그들은 풀숲에서 일어나더니 자기네 사롱을 걷어붙이고 달려오면서 머리 위로 창을 휘두르더라고. 그들은 내가 죽었으니까 조심해서 말을 붙잡으라고 서로 소리를 지르고 있었지. 나는 그들이 여기서 저 문만큼 떨어진 데까지 다가오도록 내버려 두었다가 탕, 탕, 탕 쏘았는데 매번 정조준을 했어. 한 녀석의 등을 향해 한 발을 더 쏘았지만 맞히지 못하고 말았어. 벌써 너무 멀어졌던 거야. 그러고 나서 나는 말 잔등에 혼자 타고 있었는데 대지는 나에게 미소를 짓고 있었고 세 사람의 시신이 땅바닥에 누워 있었지. 한 녀석은 개처럼 몸이 접혀 있었고, 다른 녀석은 반듯이 누워 한쪽 팔로 햇빛을 막으려는 듯이 눈을 가리고 있었어. 세 번째 녀석은 다리를 아주 천천히 끌어당기더니 차는 시늉을 하며 다시 쭉 펴더라고. 나는 말에서 조심스럽게 그를 지켜보았지만 더 이상의 동작은 없었고 온통 가만히 있기만 하더라니까. 그가 혹시 살아 있지 않나 하고 얼굴을 살피고 있을 때 무언가 희미한 그림자 같은 것이 그의 이마 위로 지나가더군. 그게 바로 이 나비의 그림자였다니까. 이 날개의 형상을 좀 보게나. 이 종류의 나비는 강한 비상력으로 높이 날아다니지. 내가 눈을 드니까 이놈이 날개를 펄럭이며 날아가고 있었어. 나는 이럴 수가! 싶더군. 그러자 이놈이 보이지 않았어. 나는 내려서 말을 인도하면서 천천히 가고 있었고, 한 손에는 권총을 잡고 상하와 좌우로 그저 두리번거리고 있었지. 드디어 이놈이 10피트쯤 떨어진 작은 흙더미에 앉아 있는 것을 보았어. 내 심장이 대번에 쿵쿵거리더군. 나는 말을 놓아 주었고, 한 손에는 권총을 쥐고 다른 손으로는 소프트 펠트 모자를 벗어 들었지. 한 걸음, 한 걸음씩 꿋꿋이 다가가서는 이놈을 휙 포획하지 않았겠나. 몸을 일으키면서 나는 흥분으로 나뭇잎처럼 떨고 있었지. 이 아름다운 날개를 펴 보고 내가 아주 귀하고 특별하며 완벽한 표본을 가지게 되었다는 것을 확신하게 되었을 때 벅찬 감정으로 머리가 빙빙 돌고 다리에 힘이 빠지는 통에 그만 땅바닥에 주저앉고 말았다니까. 그 교수를 위해 수집하던 시절에 나는 그런 종류의 표본을 몹시 갖고 싶어 했거든. 나는 긴 여정을 거치며 심한 박탈감을 겪어 오기도 했어. 나는 자다가도 이놈을 꿈꾸곤 했는데 갑자기 내 손에 들어오게 되었다니까. 그것도 내 손으로 잡은 것이라고. 시인(그는 여기서 포잇(poet)이

라는 영어 낱말을 보잇(boet)이라고 발음하더군.)의 말을 빌린다면

그리고 나는 드디어 그걸 손을 쥐게 되었으니
어떤 의미에선 그걸 내 것이라 부를 수 있네.

라는 구절이 있지.[38]

그는 갑자기 목소리를 낮추어 '내 것'이라는 뜻의 마지막 낱말(mein)을 강조하면서 내 얼굴에서 천천히 눈을 떼었어. 그는 기다란 파이프에 바쁘게 담배를 채우기 시작하더니 대통 구멍에 엄지손가락을 대고 다시 나를 유심히 바라보더군.

「"아무렴, 이보게나. 그날 나는 더 바랄 것이 없었어. 내 주적(主敵)들을 크게 괴롭혔겠다, 젊은데다 힘도 있었겠다, 친구가 있고, 여인의 사랑(그는 여기서 러브(love)를 로프(lof)라고 독일어 식으로 발음하더군.)에다 아이까지 있었으니 내 마음은 흡족할 수밖에 없었지. 게다가 꿈에 나타날 정도로 얻고 싶던 것까지 내 손에 들어왔으니!"

「그가 성냥을 그으니까 불꽃이 맹렬하게 피어올랐어. 평온하게 생각에 잠겨 있던 그의 얼굴에 경련이 한 번 일더군.

---

38) 괴테의 구절. 원문과 영역문은 다음과 같다.
So halt' ich's endlich denn in meinen Handen,
Und nenn' es in gewissem Sinne mein.
(I hold it, then, at length within my hands,
And in a certain sense can call it mine.)
Goethe, *Torquato Tasso*, I, iii, 393~394.

「"친구와 아내와 아이가 있었어." 작은 불꽃을 응시하며 천천히 말하던 그가 "후우!" 하니까 성냥불이 꺼지더군. 그는 한숨을 짓고 나서 다시 유리 상자 쪽을 향하는 것이었어. 그 여리고 아름다운 날개들이 가볍게 떨리고 있었지. 마치 그의 숨결이 순간적으로 꿈에나 그리던 화려한 물체에게 생명을 되돌려 주기라고 한 것처럼 말이야.

「"이 연구 말일세." 흩어져 있던 종잇조각들을 가리키며 그가 갑자기 말을 시작하더니 평상시의 그 점잖고 명랑한 어조로 말했어. "큰 진전을 보고 있는 중이지. 나는 이 희귀한 표본에 대한 묘사를 하고 있었어……. 그건 그렇고, 무슨 좋은 소식이라도 가지고 왔는가?"

「"실은 말일세, 스타인." 나는 나 자신도 놀랄 만큼 힘을 들이며 말했어. "어떤 표본 하나를 묘사해 주려고 자넬 찾아왔다네."

「"나비 말인가?" 그는 믿을 수 없다는 듯이 익살맞은 열성을 보이며 물었어.

「"그런 완벽한 표본은 아니라네." 이렇게 대답을 하고 있자니 갑자기 온갖 의심이 들며 열의가 꺾이더군. "인간이거든!"

「"아하, 그렇군!" 그는 중얼거렸고, 미소 짓고 있던 그 얼굴이 나를 향하며 심각해지더군. 한동안 나를 바라보다가 그는 천천히 말했어. "하기야, 나도 사람이니까."

「그게 그의 참모습이었지. 그는 상대에게 말을 해 보라고 거침없이 격려하는 편이어서 소심한 사람들은 터놓고 이야기를 하려다가도 머뭇거리지 않을 수가 없었지. 하지만 나의 머뭇거림은 그리 오래가지 않았어.

「그는 한쪽 다리를 다른 쪽 다리에 걸치고 앉아 내 이야기를 끝까지 들어주더군. 이따금 담배 연기가 폭발하듯 피어오르면 그의 머리가 송두리째 가려졌고 그 연기 속에서 동정적으로 투덜거리는 소리가 들려오곤 했었지. 내가 이야기를 마치자 그는 걸치고 있던 다리를 풀고 파이프를 내려놓더니 의자의 팔걸이에 팔꿈치를 놓고 두 손의 손가락 끝을 마주 대면서 정성스럽게 내 쪽으로 몸을 내밀었어.

「"잘 알겠네. 그 사람은 로맨틱하군."

「그는 날 위해 짐의 경우를 진단해 주었어. 처음에 나는 그 진단이 너무 단순해서 아주 놀랐어. 사실 우리의 상담은 의학적 조언을 구하는 일과 아주 비슷한 데가 있었거든. 스타인은 유식한 모습으로 책상 앞에 놓인 안락의자에 앉아 있었고 나는 다른 의자에 근심스럽게 앉아서 몸을 한쪽으로 약간 기울이고 있었으니까. 그래서 묻는 일도 자연스럽더군.

「"그러니 어떻게 하면 좋을까?"

「그는 기다란 둘째손가락을 치켜들었어.

「"처방책은 하나뿐이야! 오직 한 가지만이 우리 본연의 모습으로부터 우리를 치료해 줄 수 있지!" 그 손가락이 날렵하게 톡 소리를 내며 책상으로 내려오더군. 앞서 그가 아주 단순하게 규정했던 짐의 경우가, 그럴 수도 있는 건지, 더욱 단순해 보였고 전적으로 가망이 없어 보이기도 하더군. 잠시 말이 끊어진 뒤에 내가 말했지. "그래, 엄밀히 말해서 문제는 어떻게 치료받느냐가 아니고 어떻게 사느냐이지."

「그는 머리를 끄덕이며 내 말에 동의했는데 약간은 슬픈 기색이더군. "그렇지, 그렇고말고! 일반적으로 자네 나라의 그 위대한 시인의 말을 빌려 말하건대, '그것이 문제로다'[39]라고 할 수 있을까……." 그는 공감의 표시로 고개를 끄덕이고 있었어. "어떻게 사느냐! 아, 어떻게 사느냐가 문제지."

「그는 손가락 끝을 책상 위에 대며 일어서더군.

「"인간은 아주 다양한 방식으로 살고 싶어 하지." 그가 다시 말을 시작했어. "이 화려한 나비는 작은 흙더미를 발견하면 그 위에 가만히 앉아 있지만, 인간은 결코 자기의 진흙 더미 위에서 가만히 있지 않아. 인간은 이렇게 살고 싶어 하다가 다시 저렇게 살고 싶어 하지……." 그는 손을 위로 들었다가 아래로 내리더군……. "인간은 성자도 되고 싶고 악마도 되고 싶은 거야. 그래서 그가 눈을 감을 때마다 그는 자기 자신을 아주 훌륭한 사람이라 여긴다고. 자기로서는 영원히 될 수 없는 그런 훌륭한 사람 말이야……. 꿈속에서나……."

「그는 유리 뚜껑을 내려놓았고 자동 자물쇠가 찰칵하고 날카로운 소리를 내자 두 손으로 상자를 들고 우러러 모시듯이 제자리로 가져갔어. 그는 등불이 밝게 비치는 곳을 벗어나서 불빛이 희미하게 테를 이루고 있던 가장자리를 거쳐 결국은 아무 형상도 보이지 않는 어둠 속으로 들어가더군. 그 몇 발짝이 마치 이 구체적이고도 어지러운 세계로부터 그를 데리고

---

39) 여기서 스타인은 셰익스피어의 『햄릿』에 나오는 독백 구절, "사느냐 죽느냐, 그것이 문제로다.(To be or not to be, that is the question)"를 부분적으로 인용하고 있다.

나간 것처럼 기이한 효과를 내고 있었어. 키가 큰 그의 형체는, 마치 그 실체를 박탈당한 것처럼, 허리를 굽힌 불명확한 동작으로, 보이지 않는 물체 위를 소리 없이 떠돌고 있었거든. 그가 실없는 관심을 쏟으며 영문 모르게 바쁜 모습을 엿보이고 있던 그 먼 곳에서 들려오는 목소리는 먼 거리로 인해 부드러워진 채 굵고 엄숙하게 굴러오는 듯하더군.

「"우리가 언제나 눈을 감고 있을 수는 없기 때문에 마음의 고통이며 세상살이의 고통 같은 진짜 말썽이 생기는 법이야. 이보게, 친구, 우리가 충분히 강하거나 영리하지 못하기 때문에 꿈을 실현할 수 없다는 걸 알게 되는 것이 우리에게는 괴로운 일이야. 그렇지!……. 그런데도 우리는 사뭇 아주 훌륭한 사람 행세도 하고 있으니. 어떻게? 무엇을? 맙소사! 어떻게 그럴 수가 있단 말인가? 하! 하! 하!"

「나비들의 무덤 사이를 어슬렁거리고 다니던 그 그림자가 요란하게 웃더군.

「"그럼! 이 무서운 사실은 아주 우습기도 해. 이 세상에 태어나는 사람은 마치 바다에 빠지는 사람처럼 꿈속에 빠지게 되는 셈이지. 그가 경험이 없는 사람들처럼 공기 속으로 기어 나오려고 애를 쓴다면, 익사하게 되지. 그렇지 않은가?……. 그래선 안 되지. 이봐! 사는 길은 그 물이라는 파괴적인 원소[40]에 몸을 내어 맡기는 것이라네. 물속에서 손과 발을 움직여서 그

40) 서양에서는 고대 희랍시대부터 오랫동안 물을 네 가지 기본 원소 중의 하나로 여겼음.

깊은 바닷물이 우리를 떠받쳐 주게 해야 해. 그러니 자네가 나에게 어떻게 살면 되느냐고 물어 온다면……."

「그의 목소리가 범상치 않게 강해지는 것이 마치 그 어두운 곳에서 그가 어떤 앎의 속삭임을 통해 영감을 받기라도 한 것 같더군. "이봐, 그 물음에 해답하는 길은 오직 하나 있을 뿐이야."

「급하게 슬리퍼를 찍찍 끌면서 그는 빛이 희미하게 비치는 테 속에 모습을 드러내더니 갑자기 등불이 밝게 비치는 동그라미 속에 나타나더군. 그는 한쪽 팔을 뻗고 있었는데 마치 내 가슴을 향해 권총을 겨누는 것 같더라니까. 그의 우묵하게 들어간 눈은 나를 뚫어지게 응시했지만 바르르 떨리는 입술에서는 아무 말도 나오지 않았어. 어둠 속에서 보였던 근엄하고 격앙된 확신은 어느새 그의 얼굴에서 사라지고 없더군. 내 가슴을 가리키던 손이 내려갔고 이윽고 한 걸음 더 다가오더니 그는 손을 점잖게 내 어깨 위에 올려놓았어. 그리고 슬픈 어조로 말하기를 세상에는 영영 말로는 표현될 수 없는 것이 있는 법이라고 했어. 다만 자기가 너무 외로이 살아왔기 때문에 이따금 잊어버리곤 한다는 거야. 멀찍이 그늘 속에 서 있을 때 그에게 영감을 주었던 확신이 밝은 곳에 들어오자 그만 파괴되고 말았던 거지. 그는 앉더니 두 팔꿈치를 책상에 올려놓고 이마를 비비고 있었어. "하지만 그건 진실이야. 진실. 그 파괴적인 원소 속에 푹 잠겨야 해……." 그는 차분한 어조로 말했는데 두 손을 각각 뺨에 댄 채 내 쪽은 쳐다보지도 않았어. "그게 사는 길이지. 꿈을 추구하고, 다시 꿈을 추구하고, 그런 식으로 영원히, 끝까지……." 그 신념의 속삭임은 내 앞에 광대하고 불확실한 공간을 전개하는 듯했어. 그 공간은 새벽에 평원에서 볼 수 있는 어스름한 지평선 같다고 할까, 아니면 혹시 저녁이 다가올 때의 지평선 같다고 해야 할까? 우리에게 그걸 단정할 용기는 없었지만, 그건 매혹적이며 기만적인 빛이었고 그 흐릿함에서 나오는 종잡을 수 없는 시(詩)를 함정과 무덤 위로 던지고 있었지. 그의 일생은 고귀한 이념을 위한 희생과 열정 속에 시작되었고 그 후에 여러 종류의 길이며 낯선 길을 따라 참으로 먼 여행을 해 왔지만, 어떤 길을 걸을 때건 비틀거림이 없었고 따라서 부끄러워하거나 후회할 일도 없었지. 그때까지 그는 늘 옳았어. 그게 유일한 길이었음을 의심할 수는 없지. 그러나 그 모든 것에도 불구하고 인간이 무덤과 함정 사이에서 헤매고 있는 광대한 평원은 흐릿한 빛이라는 종잡을 수 없는 시경(詩境) 속에서 아주 황량하게 보였고, 마치 여러 갈래 불길로 가득한 심연으로 둘러싸인 듯이 가장자리는 동그랗게 밝았지만 그 중심은 그늘져 있었어. 드디어 내가 침묵을 깬 것은 이 세상의 어느 누구도 그 자신보다 더 로맨틱할 수는 없었을 것이라는 의견을 표명하기 위해서였어.

「그는 천천히 머리를 흔들고 나서 참을성 있게 캐묻는 듯한 눈초리로 나를 바라보았어. 그는 그게 부끄러운 일이라고 말하더군. 우리는 그 잘못을, 그 큰 잘못을(그는 유머러스하고 너그러운 미소를 지으며 이 말을 되풀이하더군.) 바로잡을 모종의 실용적 방안을 찾아내기 위해 머리를 맞대고 있는 것이 아니라 두 명의 소년처럼 앉아서 이야기를 나누고 있었어. 그런데도 우리의 대담이 더 실용적으로 되지는 못했어. 우리는 마치 우리의 의논에서 피와 살을 제외하려고 하는 것처럼, 또는 짐이 과오나 범하는 인간에 불과하며 이름도 없이 고통을 당하고 있는 허깨비 같은 존재에 불과한 것처럼 그의 이름은 아예 입에 올리지도 않았어. "안 되겠네!" 스타인이 일어서며 말했지. "오늘밤은 이곳에서 묵도록 하게. 내일 아침에 무언가 실용적 방안을 생각해 내기로 하고……." 그는 쌍촛대에 불을 붙이고 앞장서더군. 우리는 스타인이 들고 있던 촛불의 도움을 받으며 어둡고 텅 빈 방들을 지나갔어. 불빛은 탁자의 반질거리는 표면을 여기저기 휩쓸면서 왁스 먹인 마룻바닥을 미끄러지듯이 비추는가 하면, 가구의 단편적 곡선 위로 껑충 뛰어오르는 듯했고, 멀리 떨어진 거울을 들락거리며 수직으로 번쩍이기도 했어. 그러는 사이에 두 사람의 모습과 두 개의 일렁이는 촛불이 수정 같은 허공의 깊이를 가로질러 살금살금 가고 있는 모습이 순간적으로 보였어. 그는 정중하게 허리를 굽힌 채 한 걸음 앞서 걷고 있었는데 얼굴에는 심오하고도 경청하는 듯한 고요함이 감돌고 있었지. 흰 머리카락이 섞인 노르스름한 머릿단은 약간 숙이고 있던 목덜미로 얇게 흩어져 있었고.

「"그 사람은 로맨틱하지, 로맨틱해." 그는 거듭 말했어. "그런데 그 점이 아주 고약하단 말이야. 고약하지……. 아주 좋을 수도 있고." 그가 덧붙이더군. 그래서 내가 물었지. "하지만 그가 로맨틱할까?"

「"물론이지." 그는 이렇게 말하면서 촛대를 들고 가만히 서 있었지만 내 쪽을 보지는 않았어. "명백하다고! 그로 하여금 내면적 고통을 통해 자기 자신을 알 수 있게 해 주는 것이 무엇이겠나? 그로 하여금 자네나 내 앞에서 존재하게 하는 것이 무엇이겠나?"

「그 순간 짐의 존재를 믿기가 어려워지더군. 어느 시골 목사관에서 출발한 그의 모습이 먼지 구름에 가려진 듯이 사람들의 무리 때문에 흐려졌다가 어떤 현실 세계에서 삶과 죽음의 주장이 상충하는 통에 그만 잠잠해지고 말았거든. 하지만 그의 소멸될 수 없는 실체는 어떤 확신을 주되 결코 거역할 수 없는 힘으로 나에게 다가왔어. 나는 그걸 생생하게 보았지. 마치 건듯 비쳤다 사라지는 불빛이라든지 깊이를 알 수 없는 맑은 심연 속에서 일렁이는 불꽃을 들고 살금살금 움직이는 인간의 자태가 갑자기 나타나곤 하는 가운데 그 높다랗고 고요한 방들을 거치면서 우리가 절대적 진실에 더 가까이 접근하게 된 것 같은 기분이었거든. 그 진실은 아름다움 자체처럼 고요하고 적막한 신비의 바다에 반쯤 잠긴 채 종잡을 수 없이 모호하게 떠도는 법이야. "아마도 그는 로맨틱할 거야." 내가 가볍게 웃음 지으며 그의 말에 동의했을 때 그 웃음이 뜻밖에도 요란하게 울리는 통에 나는 대번에 목소리를 낮추고 나서 "나는 자네가 로맨틱하다고 믿네."라고 말했지. 그는 머리를 가슴으로 떨어뜨린 채 촛대를 높이 쳐들고 다시 걷기 시작하더군. "글쎄, 나도 존재하는 인간이니까." 그가 말했어.

「그는 내 앞에서 가고 있었어. 내 눈은 그의 동작을 좇았지만 내게 보인 것은 한 업체의 대표나, 오후의 리셉션 장에 나타난 반가운 손님이나, 학술 단체의 통신원이나 길 잃은 박물학자들을 환대하는 사람은 아니었어. 내게 보인 것은 오직 그가 확고한 걸음걸이로 뒤쫓고 있던 그의 운명이라는 실체와, 미천한 환경에서 시작한 후 열정, 우정, 사랑, 전쟁 같은 그 모든 고양된 로맨스의 요소들을 넉넉히 누렸던 그의 일생뿐이었지. 내 방문 앞에서 그와 나는 마주 보고 있었어. "그야 그렇지." 내가 마치 어떤 토론을 계속하듯이 말했어. "그런데 자네는 무엇보다도 어떤 특정한 나비에 대한 꿈을 바보처럼 꾸고 있었지. 하지만 어느 갠 날 아침 자네의 꿈이 현실로 되었을 때 자네는 그 화려한 기회를 놓치지 않았어. 안 그런가? 하지만 그 사람은……." 그가 손을 쳐들더군. "그런데 자네는 내가 얼마나 많은 기회를 놓쳤는지 알고 있는가? 바로 내 앞에서 실현될 뻔했던 꿈을 내가 얼마나 자주 놓쳐 버렸는지 아는가?" 그는 후회막급하다는 듯이 머리를 흔들었어. "그중의 몇몇은, 만약에 실현되었더라면, 아주 훌륭했을 것 같아. 그런 것을 내가 얼마나 많이 놓쳤는지 자네는 아는가? 아마 나 자신도 모를 거야." "그의 꿈이 훌륭했는지 어떤지는 모르지만, 그가 확실히 붙잡지 못하고 만 꿈이 하나 있었다는 걸 나는 알고 있어." 내가 말했어. "그런 꿈이야 누구에게나 한두 개씩 있기 마련이야." 스타인이 말하더군. "그런데 그게 바로 문제야. 아주 큰 문제지……."

「그는 문간에서 악수를 했고 자기의 치켜든 팔 아래로 내 방을 들여다보더군. "잘 자게. 내일 우리는 뭔가 실용적인 방안을 찾아야 할 걸세, 실용적인……."

「그가 거처하는 방은 내 방 맞은편에 있었지만, 그는 왔던 길로 되돌아갔어. 그는 나비가 있는 곳으로 가고 있었던 거야.」

세계문학전집 116

로드 짐 1

1판 1쇄 펴냄 2005년 3월 15일
1판 22쇄 펴냄 2023년 11월 24일

지은이 조셉 콘래드
옮긴이 이상옥
발행인 박근섭, 박상준
펴낸곳 (주)민음사

출판등록 1966. 5. 19. (제 16-490호)
서울특별시 강남구 도산대로1길 62(신사동) 강남출판문화센터 5층 (우편번호 06027)
대표전화 02-515-2000 팩시밀리 02-515-2007
www.minumsa.com

ISBN 978-89-374-6116-3 04800
ISBN 978-89-374-6000-5 (세트)

* 잘못 만들어진 책은 구입처에서 교환해 드립니다.

세계문학전집 목록

1·2 **변신 이야기** 오비디우스·이윤기 옮김 서울대 권장도서 100선
3 **햄릿** 셰익스피어·최종철 옮김 서울대 권장도서 100선 | 미국대학위원회 선정 SAT 추천도서
4 **변신·시골의사** 카프카·전영애 옮김 서울대 권장도서 100선
5 **동물농장** 오웰·도정일 옮김 미국대학위원회 선정 SAT 추천도서 | 《타임》 선정 현대 100대 영문소설
6 **허클베리 핀의 모험** 트웨인·김욱동 옮김 《뉴스위크》 선정 100대 명저
7 **암흑의 핵심** 콘래드·이상옥 옮김 미국대학위원회 선정 SAT 추천도서 | 《뉴스위크》 선정 10대 명저
8 **토니오 크뢰거·트리스탄·베네치아에서의 죽음** 토마스 만·안삼환 외 옮김 노벨 문학상 수상 작가
9 **문학이란 무엇인가** 사르트르·정명환 옮김
10 **한국단편문학선 1** 김동인 외·이남호 엮음 국립중앙도서관 선정 청소년 권장도서
11·12 **인간의 굴레에서** 서머싯 몸·송무 옮김
13 **이반 데니소비치, 수용소의 하루** 솔제니친·이영의 옮김 노벨 문학상 수상 작가
14 **너새니얼 호손 단편선** 호손·천승걸 옮김
15 **나의 미카엘** 오즈·최창모 옮김
16·17 **중국신화전설** 위앤커·전인초, 김선자 옮김
18 **고리오 영감** 발자크·박영근 옮김
19 **파리대왕** 골딩·유종호 옮김 노벨 문학상 수상 작가 | 《타임》 선정 현대 100대 영문소설
20 **한국단편문학선 2** 김동리 외·이남호 엮음
21·22 **파우스트** 괴테·정서웅 옮김 서울대 권장도서 100선 | 미국대학위원회 선정 SAT 추천도서
23·24 **빌헬름 마이스터의 수업시대** 괴테·안삼환 옮김
25 **젊은 베르테르의 슬픔** 괴테·박찬기 옮김 논술 및 수능에 출제된 책(1998~2005)
26 **이피게니에·스텔라** 괴테·박찬기 외 옮김
27 **다섯째 아이** 레싱·정덕애 옮김 노벨 문학상 수상 작가
28 **삶의 한가운데** 린저·박찬일 옮김
29 **농담** 쿤데라·방미경 옮김
30 **야성의 부름** 런던·권택영 옮김
31 **아메리칸** 제임스·최경도 옮김
32·33 **양철북** 그라스·장희창 옮김 노벨 문학상 수상 작가 | 서울대 권장도서 100선
34·35 **백년의 고독** 마르케스·조구호 옮김 노벨 문학상 수상 작가 | 서울대 권장도서 100선
36 **마담 보바리** 플로베르·김화영 옮김 서울대 권장도서 100선
37 **거미여인의 키스** 푸익·송병선 옮김
38 **달과 6펜스** 서머싯 몸·송무 옮김
39 **폴란드의 풍차** 지오노·박인철 옮김
40·41 **독일어 시간** 렌츠·정서웅 옮김
42 **말테의 수기** 릴케·문현미 옮김
43 **고도를 기다리며** 베케트·오증자 옮김 노벨 문학상 수상 작가 | 서울대 권장도서 100선
44 **데미안** 헤세·전영애 옮김 노벨 문학상 수상 작가
45 **젊은 예술가의 초상** 조이스·이상옥 옮김 서울대 권장도서 100선
46 **카탈로니아 찬가** 오웰·정영목 옮김
47 **호밀밭의 파수꾼** 샐린저·정영목 옮김 《타임》 선정 현대 100대 영문소설 | 미국대학위원회 선정 SAT 추천도서 | 《뉴스위크》 선정 100대 명저 | BBC 선정 꼭 읽어야 할 책
48·49 **파르마의 수도원** 스탕달·원윤수, 임미경 옮김
50 **수레바퀴 아래서** 헤세·김이섭 옮김 노벨 문학상 수상 작가 | 국립중앙도서관 선정 청소년 권장도서

51·52 **내 이름은 빨강** 파묵 · 이난아 옮김 노벨 문학상 수상 작가
53 **오셀로** 셰익스피어 · 최종철 옮김 서울대 권장도서 100선
54 **조서** 르 클레지오 · 김윤진 옮김 노벨 문학상 수상 작가
55 **모래의 여자** 아베 코보 · 김난주 옮김
56·57 **부덴브로크 가의 사람들** 토마스 만 · 홍성광 옮김 노벨 문학상 수상 작가
58 **싯다르타** 헤세 · 박병덕 옮김 노벨 문학상 수상 작가
59·60 **아들과 연인** 로렌스 · 정상준 옮김 《뉴스위크》 선정 100대 명저
61 **설국** 가와바타 야스나리 · 유숙자 옮김 노벨 문학상 수상 작가 | 서울대 권장도서 100선
62 **벨킨 이야기 · 스페이드 여왕** 푸슈킨 · 최선 옮김
63·64 **넙치** 그라스 · 김재혁 옮김 노벨 문학상 수상 작가
65 **소망 없는 불행** 한트케 · 윤용호 옮김 노벨 문학상 수상 작가
66 **나르치스와 골드문트** 헤세 · 임홍배 옮김 노벨 문학상 수상 작가
67 **황야의 이리** 헤세 · 김누리 옮김 노벨 문학상 수상 작가
68 **페테르부르크 이야기** 고골 · 조주관 옮김
69 **밤으로의 긴 여로** 오닐 · 민승남 옮김 노벨 문학상 수상 작가 | 미국대학위원회 선정 SAT 추천도서
70 **체호프 단편선** 체호프 · 박현섭 옮김
71 **버스 정류장** 가오싱젠 · 오수경 옮김 노벨 문학상 수상 작가
72 **구운몽** 김만중 · 송성욱 옮김 서울대 권장도서 100선 | 국립중앙도서관 선정 청소년 권장도서
73 **대머리 여가수** 이오네스코 · 오세곤 옮김
74 **이솝 우화집** 이솝 · 유종호 옮김 논술 및 수능에 출제된 책(1998~2005)
75 **위대한 개츠비** 피츠제럴드 · 김욱동 옮김 《타임》 선정 현대 100대 영문소설
76 **푸른 꽃** 노발리스 · 김재혁 옮김
77 **1984** 오웰 · 정회성 옮김 《타임》 선정 현대 100대 영문소설 | 《뉴스위크》 선정 100대 명저
78·79 **영혼의 집** 아옌데 · 권미선 옮김
80 **첫사랑** 투르게네프 · 이항재 옮김
81 **내가 죽어 누워 있을 때** 포크너 · 김명주 옮김 노벨 문학상 수상 작가
82 **런던 스케치** 레싱 · 서숙 옮김 노벨 문학상 수상 작가
83 **팡세** 파스칼 · 이환 옮김
84 **질투** 로브그리예 · 박이문, 박희원 옮김
85·86 **채털리 부인의 연인** 로렌스 · 이인규 옮김
87 **그 후** 나쓰메 소세키 · 윤상인 옮김
88 **오만과 편견** 오스틴 · 윤지관, 전승희 옮김 미국대학위원회 선정 SAT 추천도서
89·90 **부활** 톨스토이 · 연진희 옮김 논술 및 수능에 출제된 책(1998~2005)
91 **방드르디, 태평양의 끝** 투르니에 · 김화영 옮김
92 **미겔 스트리트** 나이폴 · 이상옥 옮김 노벨 문학상 수상 작가
93 **페드로 파라모** 룰포 · 정창 옮김
94 **차라투스트라는 이렇게 말했다** 니체 · 장희창 옮김 국립중앙도서관 선정 청소년 권장도서
95·96 **적과 흑** 스탕달 · 이동렬 옮김 국립중앙도서관 선정 청소년 권장도서
97·98 **콜레라 시대의 사랑** 마르케스 · 송병선 옮김 노벨 문학상 수상 작가 | BBC 선정 꼭 읽어야 할 책
99 **맥베스** 셰익스피어 · 최종철 옮김 서울대 권장도서 100선 | 미국대학위원회 선정 SAT 추천도서
100 **춘향전** 작자 미상 · 송성욱 풀어 옮김 서울대 권장도서 100선
101 **페르디두르케** 곰브로비치 · 윤진 옮김
102 **포르노그라피아** 곰브로비치 · 임미경 옮김
103 **인간 실격** 다자이 오사무 · 김춘미 옮김
104 **네루다의 우편배달부** 스카르메타 · 우석균 옮김

105·106 **이탈리아 기행** 괴테·박찬기 외 옮김

107 **나무 위의 남작** 칼비노·이현경 옮김

108 **달콤 쌉싸름한 초콜릿** 에스키벨·권미선 옮김

109·110 **제인 에어** C. 브론테·유종호 옮김 BBC 선정 꼭 읽어야 할 책

111 **크눌프** 헤세·이노은 옮김 노벨 문학상 수상 작가

112 **시계태엽 오렌지** 버지스·박시영 옮김 《타임》 선정 현대 100대 영문소설 | 《뉴스위크》 선정 100대 명저

113·114 **파리의 노트르담** 위고·정기수 옮김 미국대학위원회 선정 SAT 추천도서

115 **새로운 인생** 단테·박우수 옮김

116·117 **로드 짐** 콘래드·이상옥 옮김 《뉴스위크》 선정 100대 명저

118 **폭풍의 언덕** E. 브론테·김종길 옮김 미국대학위원회 선정 SAT 추천도서

119 **텔크테에서의 만남** 그라스·안삼환 옮김 노벨 문학상 수상 작가

120 **검찰관** 고골·조주관 옮김

121 **안개** 우나무노·조민현 옮김

122 **나사의 회전** 제임스·최경도 옮김 미국대학위원회 선정 SAT 추천도서

123 **피츠제럴드 단편선 1** 피츠제럴드·김욱동 옮김

124 **목화밭의 고독 속에서** 콜테스·임수현 옮김

125 **돼지꿈** 황석영

126 **라셀라스** 존슨·이인규 옮김

127 **리어 왕** 셰익스피어·최종철 옮김 서울대 권장도서 100선 | 《뉴스위크》 선정 100대 명저

128·129 **쿠오 바디스** 시엔키에비츠·최성은 옮김 노벨 문학상 수상 작가

130 **자기만의 방·3기니** 울프·이미애 옮김

131 **시르트의 바닷가** 그라크·송진석 옮김

132 **이성과 감성** 오스틴·윤지관 옮김

133 **바덴바덴에서의 여름** 치프킨·이장욱 옮김

134 **새로운 인생** 파묵·이난아 옮김 노벨 문학상 수상 작가

135·136 **무지개** 로렌스·김정매 옮김

137 **인생의 베일** 서머싯 몸·황소연 옮김

138 **보이지 않는 도시들** 칼비노·이현경 옮김

139·140·141 **연초 도매상** 바스·이운경 옮김 《타임》 선정 현대 100대 영문소설

142·143 **플로스 강의 물방앗간** 엘리엇·한애경, 이봉지 옮김 미국대학위원회 선정 SAT 추천도서

144 **연인** 뒤라스·김인환 옮김

145·146 **이름 없는 주드** 하디·정종화 옮김

147 **제49호 품목의 경매** 핀천·김성곤 옮김 《타임》 선정 현대 100대 영문소설

148 **성역** 포크너·이진준 옮김 노벨 문학상 수상 작가 | 퓰리처상 수상 작가

149 **무진기행** 김승옥

150·151·152 **신곡(지옥편·연옥편·천국편)** 단테·박상진 옮김 《뉴스위크》 선정 100대 명저

153 **구덩이** 플라토노프·정보라 옮김

154·155·156 **카라마조프가의 형제들** 도스토옙스키·김연경 옮김

157 **지상의 양식** 지드·김화영 옮김 노벨 문학상 수상 작가

158 **밤의 군대들** 메일러·권택영 옮김 퓰리처상 수상 작가

159 **주홍 글자** 호손·김욱동 옮김 서울대 권장도서 100선 | 미국대학위원회 선정 SAT 추천도서

160 **깊은 강** 엔도 슈사쿠·유숙자 옮김

161 **욕망이라는 이름의 전차** 윌리엄스·김소임 옮김

162 **마사 퀘스트** 레싱·나영균 옮김 노벨 문학상 수상 작가

163·164 **운명의 딸** 아옌데·권미선 옮김

165 **모렐의 발명** 비오이 카사레스·송병선 옮김
166 **삼국유사** 일연·김원중 옮김 서울대 권장도서 100선
167 **풀잎은 노래한다** 레싱·이태동 옮김 노벨 문학상 수상 작가
168 **파리의 우울** 보들레르·윤영애 옮김
169 **포스트맨은 벨을 두 번 울린다** 케인·이만식 옮김
170 **썩은 잎** 마르케스·송병선 옮김 노벨 문학상 수상 작가
171 **모든 것이 산산이 부서지다** 아체베·조규형 옮김 《타임》 선정 현대 100대 영문소설
172 **한여름 밤의 꿈** 셰익스피어·최종철 옮김 미국대학위원회 선정 SAT 추천도서
173 **로미오와 줄리엣** 셰익스피어·최종철 옮김 미국대학위원회 선정 SAT 추천도서
174·175 **분노의 포도** 스타인벡·김승욱 옮김 노벨 문학상 수상 작가 | 《타임》 선정 현대 100대 영문소설
176·177 **괴테와의 대화** 에커만·장희창 옮김
178 **그물을 헤치고** 머독·유종호 옮김 《타임》 선정 현대 100대 영문소설
179 **브람스를 좋아하세요...** 사강·김남주 옮김
180 **카타리나 블룸의 잃어버린 명예** 하인리히 뵐·김연수 옮김 노벨 문학상 수상 작가
181·182 **에덴의 동쪽** 스타인벡·정회성 옮김 노벨 문학상 수상 작가
183 **순수의 시대** 워튼·송은주 옮김 《뉴스위크》 선정 100대 명저 | 퓰리처상 수상작
184 **도둑 일기** 주네·박형섭 옮김
185 **나자** 브르통·오생근 옮김
186·187 **캐치-22** 헬러·안정효 옮김 《타임》 선정 현대 100대 영문소설
188 **숄로호프 단편선** 숄로호프·이항재 옮김 노벨 문학상 수상 작가
189 **말** 사르트르·정명환 옮김
190·191 **보이지 않는 인간** 엘리슨·조영환 옮김 《타임》 선정 현대 100대 영문소설
192 **왑샷 가문 연대기** 치버·김승욱 옮김 퓰리처상 수상 작가
193 **왑샷 가문 몰락기** 치버·김승욱 옮김 퓰리처상 수상 작가
194 **필립과 다른 사람들** 노터봄·지명숙 옮김
195·196 **하드리아누스 황제의 회상록** 유르스나르·곽광수 옮김
197·198 **소피의 선택** 스타이런·한정아 옮김 퓰리처상 수상 작가
199 **피츠제럴드 단편선 2** 피츠제럴드·한은경 옮김
200 **홍길동전** 허균·김탁환 옮김
201 **요술 부지깽이** 쿠버·양윤희 옮김
202 **북호텔** 다비·원윤수 옮김
203 **톰 소여의 모험** 트웨인·김욱동 옮김
204 **금오신화** 김시습·이지하 옮김
205·206 **테스** 하디·정종화 옮김 미국대학위원회 선정 SAT 추천도서 | BBC 선정 꼭 읽어야 할 책
207 **브루스터플레이스의 여자들** 네일러·이소영 옮김
208 **더 이상 평안은 없다** 아체베·이소영 옮김
209 **그레인지 코플랜드의 세 번째 인생** 워커·김시현 옮김 퓰리처상 수상 작가
210 **어느 시골 신부의 일기** 베르나노스·정영란 옮김
211 **타라스 불바** 고골·조주관 옮김
212·213 **위대한 유산** 디킨스·이인규 옮김 서울대 권장도서 100선 | BBC 선정 꼭 읽어야 할 책
214 **면도날** 서머싯 몸·안진환 옮김
215·216 **성채** 크로닌·이은정 옮김
217 **오이디푸스 왕** 소포클레스·강대진 옮김 서울대 권장도서 100선
218 **세일즈맨의 죽음** 밀러·강유나 옮김
219·220·221 **안나 카레니나** 톨스토이·연진희 옮김 서울대 권장도서 100선

222 오스카 와일드 작품선 와일드 · 정영목 옮김
223 벨아미 모파상 · 송덕호 옮김
224 파스쿠알 두아르테 가족 호세 셀라 · 정동섭 옮김 노벨 문학상 수상 작가
225 시칠리아에서의 대화 비토리니 · 김운찬 옮김
226·227 길 위에서 케루악 · 이만식 옮김 《타임》 선정 현대 100대 영문소설 | 《뉴스위크》 선정 100대 명저
228 우리 시대의 영웅 레르몬토프 · 오정미 옮김
229 아우라 푸엔테스 · 송상기 옮김
230 클링조어의 마지막 여름 헤세 · 황승환 옮김 노벨 문학상 수상 작가
231 리스본의 겨울 무뇨스 몰리나 · 나송주 옮김
232 뻐꾸기 둥지 위로 날아간 새 키지 · 정회성 옮김 《타임》 선정 현대 100대 영문소설
233 페널티킥 앞에 선 골키퍼의 불안 한트케 · 윤용호 옮김 노벨 문학상 수상 작가
234 참을 수 없는 존재의 가벼움 쿤데라 · 이재룡 옮김
235·236 바다여, 바다여 머독 · 최옥영 옮김
237 한 줌의 먼지 에벌린 워 · 안진환 옮김 《타임》 선정 현대 100대 영문소설
238 뜨거운 양철 지붕 위의 고양이 · 유리 동물원 윌리엄스 · 김소임 옮김 퓰리처상 수상작
239 지하로부터의 수기 도스토옙스키 · 김연경 옮김
240 키메라 바스 · 이운경 옮김
241 반쪼가리 자작 칼비노 · 이현경 옮김
242 벌집 호세 셀라 · 남진희 옮김 노벨 문학상 수상 작가
243 불멸 쿤데라 · 김병욱 옮김
244·245 파우스트 박사 토마스 만 · 임홍배, 박병덕 옮김 노벨 문학상 수상 작가
246 사랑할 때와 죽을 때 레마르크 · 장희창 옮김
247 누가 버지니아 울프를 두려워하랴? 올비 · 강유나 옮김
248 인형의 집 입센 · 안미란 옮김
249 위폐범들 지드 · 원윤수 옮김 노벨 문학상 수상 작가
250 무정 이광수 · 정영훈 책임 편집 서울대 권장도서 100선
251·252 의지와 운명 푸엔테스 · 김현철 옮김
253 폭력적인 삶 파솔리니 · 이승수 옮김
254 거장과 마르가리타 불가코프 · 정보라 옮김
255·256 경이로운 도시 멘도사 · 김현철 옮김
257 야콥을 둘러싼 추측들 욘존 · 손대영 옮김
258 왕자와 거지 트웨인 · 김욱동 옮김
259 존재하지 않는 기사 칼비노 · 이현경 옮김
260·261 눈먼 암살자 애트우드 · 차은정 옮김 《타임》 선정 현대 100대 영문소설
262 베니스의 상인 셰익스피어 · 최종철 옮김
263 말리나 바흐만 · 남정애 옮김
264 사볼타 사건의 진실 멘도사 · 권미선 옮김
265 뒤렌마트 희곡선 뒤렌마트 · 김혜숙 옮김
266 이방인 카뮈 · 김화영 옮김 노벨 문학상 수상 작가 | 미국대학위원회 선정 SAT 추천도서
267 페스트 카뮈 · 김화영 옮김 노벨 문학상 수상 작가 | 국립중앙도서관 선정 청소년 권장도서
268 검은 튤립 뒤마 · 송진석 옮김
269·270 베를린 알렉산더 광장 되블린 · 김재혁 옮김
271 하얀 성 파묵 · 이난아 옮김 노벨 문학상 수상 작가
272 푸슈킨 선집 푸슈킨 · 최선 옮김
273·274 유리알 유희 헤세 · 이영임 옮김 노벨 문학상 수상 작가

275 **픽션들** 보르헤스 · 송병선 옮김 서울대 권장도서 100선
276 **신의 화살** 아체베 · 이소영 옮김
277 **빌헬름 텔 · 간계와 사랑** 실러 · 홍성광 옮김
278 **노인과 바다** 헤밍웨이 · 김욱동 옮김 노벨 문학상 수상 작가 | 퓰리처상 수상작
279 **무기여 잘 있어라** 헤밍웨이 · 김욱동 옮김 미국대학위원회 선정 SAT 추천도서
280 **태양은 다시 떠오른다** 헤밍웨이 · 김욱동 옮김 《타임》 선정 현대 100대 영문 소설
281 **알레프** 보르헤스 · 송병선 옮김
282 **일곱 박공의 집** 호손 · 정소영 옮김
283 **에마** 오스틴 · 윤지관, 김영희 옮김
284·285 **죄와 벌** 도스토옙스키 · 김연경 옮김 미국대학위원회 선정 SAT 추천도서
286 **시련** 밀러 · 최영 옮김
287 **모두가 나의 아들** 밀러 · 최영 옮김
288·289 **누구를 위하여 종은 울리나** 헤밍웨이 · 김욱동 옮김 노벨 문학상 수상 작가
290 **구르브 연락 없다** 멘도사 · 정창 옮김
291·292·293 **데카메론** 보카치오 · 박상진 옮김
294 **나누어진 하늘** 볼프 · 전영애 옮김
295·296 **제브데트 씨와 아들들** 파묵 · 이난아 옮김 노벨 문학상 수상 작가
297·298 **여인의 초상** 제임스 · 최경도 옮김 미국대학위원회 선정 SAT 추천도서
299 **압살롬, 압살롬!** 포크너 · 이태동 옮김 노벨 문학상 수상 작가
300 **이상 소설 전집** 이상 · 권영민 책임 편집
301·302·303·304·305 **레 미제라블** 위고 · 정기수 옮김
306 **관객모독** 한트케 · 윤용호 옮김 노벨 문학상 수상 작가
307 **더블린 사람들** 조이스 · 이종일 옮김
308 **에드거 앨런 포 단편선** 앨런 포 · 전승희 옮김 미국대학위원회 선정 SAT 추천도서
309 **보이체크 · 당통의 죽음** 뷔히너 · 홍성광 옮김
310 **노르웨이의 숲** 무라카미 하루키 · 양억관 옮김
311 **운명론자 자크와 그의 주인** 디드로 · 김희영 옮김
312·313 **헤밍웨이 단편선** 헤밍웨이 · 김욱동 옮김 노벨 문학상 수상 작가
314 **피라미드** 골딩 · 안지현 옮김 노벨 문학상 수상 작가
315 **닫힌 방 · 악마와 선한 신** 사르트르 · 지영래 옮김
316 **등대로** 울프 · 이미애 옮김 《타임》 선정 현대 100대 영문소설 | 《뉴스위크》 선정 100대 명저
317·318 **한국 희곡선** 송영 외 · 양승국 엮음
319 **여자의 일생** 모파상 · 이동렬 옮김
320 **의식** 노터봄 · 김영중 옮김
321 **육체의 악마** 라디게 · 원윤수 옮김
322·323 **감정 교육** 플로베르 · 지영화 옮김
324 **불타는 평원** 룰포 · 정창 옮김
325 **위대한 몬느** 알랭푸르니에 · 박영근 옮김
326 **라쇼몬** 아쿠타가와 류노스케 · 서은혜 옮김
327 **반바지 당나귀** 보스코 · 정영란 옮김
328 **정복자들** 말로 · 최윤주 옮김
329·330 **우리 동네 아이들** 마흐푸즈 · 배혜경 옮김 노벨 문학상 수상 작가
331·332 **개선문** 레마르크 · 장희창 옮김
333 **사바나의 개미 언덕** 아체베 · 이소영 옮김
334 **게걸음으로** 그라스 · 장희창 옮김 노벨 문학상 수상 작가

335 코스모스 곰브로비치 · 최성은 옮김
336 좁은 문 · 전원교향곡 · 배덕자 지드 · 동성식 옮김 노벨 문학상 수상 작가
337·338 암 병동 솔제니친 · 이영의 옮김 노벨 문학상 수상 작가
339 피의 꽃잎들 응구기 와 시옹오 · 왕은철 옮김
340 운명 케르테스 · 유진일 옮김 노벨 문학상 수상 작가
341·342 벌거벗은 자와 죽은 자 메일러 · 이운경 옮김 퓰리처상 수상 작가
343 시지프 신화 카뮈 · 김화영 옮김 노벨 문학상 수상 작가
344 뇌우 차오위 · 오수경 옮김
345 모옌 중단편선 모옌 · 심규호, 유소영 옮김 노벨 문학상 수상 작가
346 일야서 한사오궁 · 심규호, 유소영 옮김
347 상속자들 골딩 · 안지현 옮김 노벨 문학상 수상 작가
348 설득 오스틴 · 전승희 옮김
349 히로시마 내 사랑 뒤라스 · 방미경 옮김
350 오 헨리 단편선 오 헨리 · 김희용 옮김
351·352 올리버 트위스트 디킨스 · 이인규 옮김
353·354·355·356 전쟁과 평화 톨스토이 · 연진희 옮김
357 다시 찾은 브라이즈헤드 에벌린 워 · 백지민 옮김
358 아무도 대령에게 편지하지 않다 마르케스 · 송병선 옮김
359 사양 다자이 오사무 · 유숙자 옮김
360 좌절 케르테스 · 한경민 옮김 노벨 문학상 수상 작가
361·362 닥터 지바고 파스테르나크 · 김연경 옮김 노벨 문학상 수상 작가
363 노생거 사원 오스틴 · 윤지관 옮김
364 개구리 모옌 · 심규호, 유소영 옮김 노벨 문학상 수상 작가
365 마왕 투르니에 · 이원복 옮김 공쿠르상 수상 작가
366 맨스필드 파크 오스틴 · 김영희 옮김
367 이선 프롬 이디스 워튼 · 김욱동 옮김 퓰리처상 수상 작가
368 여름 이디스 워튼 · 김욱동 옮김 퓰리처상 수상 작가
369·370·371 나는 고백한다 자우메 카브레 · 권가람 옮김
372·373·374 태엽 감는 새 연대기 무라카미 하루키 · 김난주 옮김
375·376 대사들 제임스 · 정소영 옮김
377 족장의 가을 마르케스 · 송병선 옮김 노벨 문학상 수상 작가
378 핏빛 자오선 매카시 · 김시현 옮김
379 모두 다 예쁜 말들 매카시 · 김시현 옮김
380 국경을 넘어 매카시 · 김시현 옮김
381 평원의 도시들 매카시 · 김시현 옮김
382 만년 다자이 오사무 · 유숙자 옮김
383 반항하는 인간 카뮈 · 김화영 옮김 노벨 문학상 수상 작가
384·385·386 악령 도스토옙스키 · 김연경 옮김
387 태평양을 막는 제방 뒤라스 · 윤진 옮김
388 남아 있는 나날 가즈오 이시구로 · 송은경 옮김
389 앙리 브륄라르의 생애 스탕달 · 원윤수 옮김
390 찻집 라오서 · 오수경 옮김
391 태어나지 않은 아이를 위한 기도 케르테스 · 이상동 옮김 노벨 문학상 수상 작가
392·393 서머싯 몸 단편선 서머싯 몸 · 황소연 옮김
394 케이크와 맥주 서머싯 몸 · 황소연 옮김

395 **월든** 소로·정회성 옮김
396 **모래 사나이** E. T. A. 호프만·신동화 옮김
397·398 **검은 책** 오르한 파묵·이난아 옮김 노벨 문학상 수상 작가
399 **방랑자들** 올가 토카르추크·최성은 옮김 노벨 문학상 수상 작가
400 **시여, 침을 뱉어라** 김수영·이영준 엮음
401·402 **환락의 집** 이디스 워튼·전승희 옮김
403 **달려라 메로스** 다자이 오사무·유숙자 옮김
404 **아버지와 자식** 투르게네프·연진희 옮김
405 **청부 살인자의 성모** 바예호·송병선 옮김
406 **세피아빛 초상** 아옌데·조영실 옮김
407·408·409·410 **사기 열전** 사마천·김원중 옮김 서울대 권장도서 100선
411 **이상 시 전집** 이상·권영민 책임 편집
412 **어둠 속의 사건** 발자크·이동렬 옮김
413 **태평천하** 채만식·권영민 책임 편집
414·415 **노스트로모** 콘래드·이미애 옮김
416·417 **제르미날** 졸라·강충권 옮김
418 **명인** 가와바타 야스나리·유숙자 옮김 노벨 문학상 수상 작가
419 **핀처 마틴** 골딩·백지민 옮김 노벨 문학상 수상 작가
420 **사라진·샤베르 대령** 발자크·선영아 옮김
421 **빅 서** 케루악·김재성 옮김
422 **코뿔소** 이오네스코·박형섭 옮김
423 **블랙박스** 오즈·윤성덕, 김영화 옮김
424·425 **고양이 눈** 애트우드·차은정 옮김
426·427 **도둑 신부** 애트우드·이은선 옮김
428 **슈니츨러 작품선** 슈니츨러·신동화 옮김
429·430 **세계의 끝과 하드보일드 원더랜드** 무라카미 하루키·김난주 옮김
431 **멜랑콜리아 I–II** 욘 포세·손화수 옮김 노벨 문학상 수상 작가

세계문학전집은 계속 간행됩니다.